JN094338

図1A

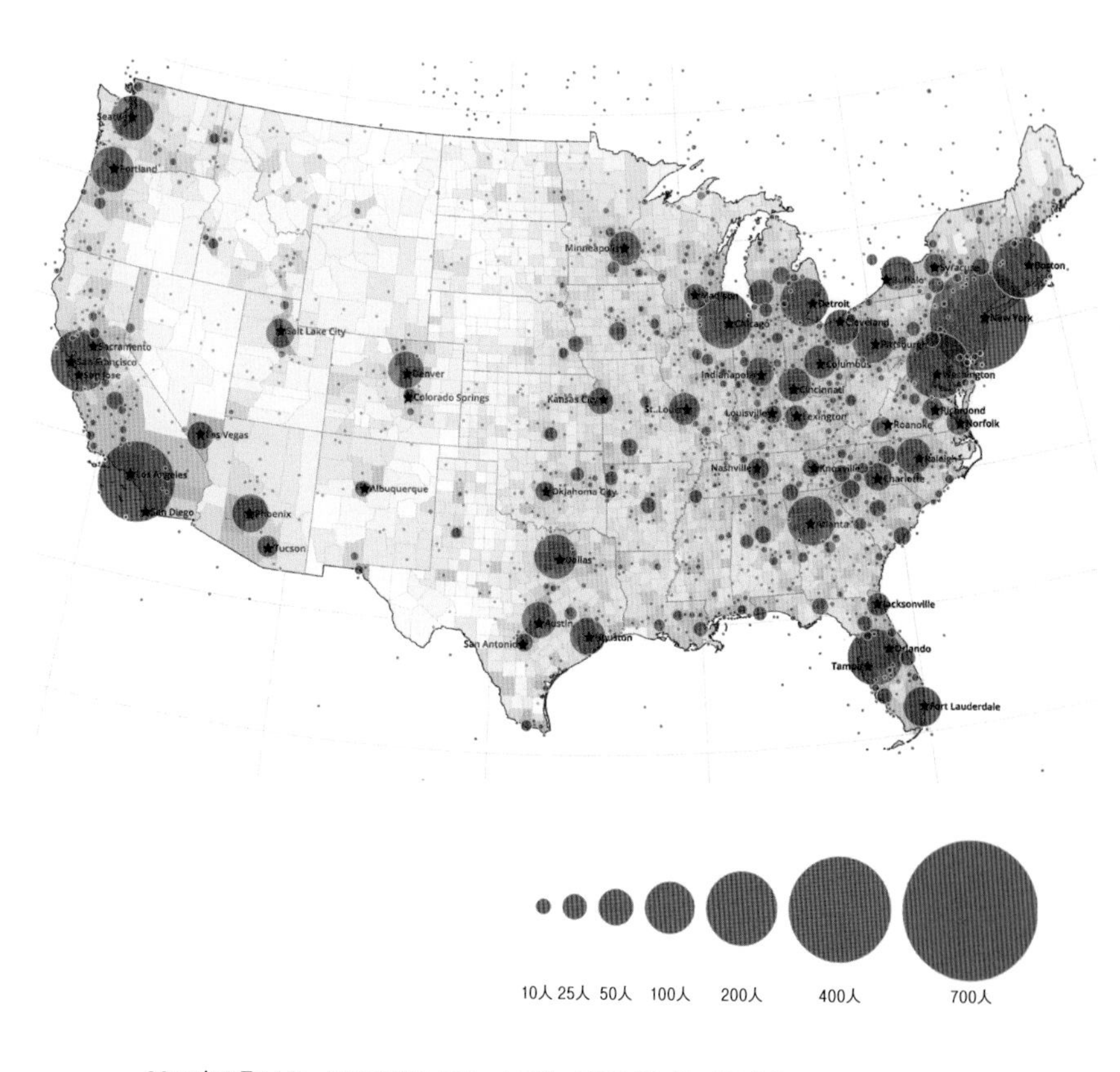

2014年3月14日〜5月28日に、Mタークで募った調査参加者の自己申告による居住地。各地域から報告したワーカーの数は、その地域の円の大きさに反映されている。たとえば、シャーロット（Charlotte）の円は53人、アトランタ（Atlanta）の円は158人、ニューヨーク（New York）の円は671人のワーカーを表している。私たちはワーカーのプライバシー保護のため、彼らが報告した居住地を、ランダムに少しだけ移動させた。郡の色分けは人口密度に基づく。（グレゴリー・T・ミントン）

図1B

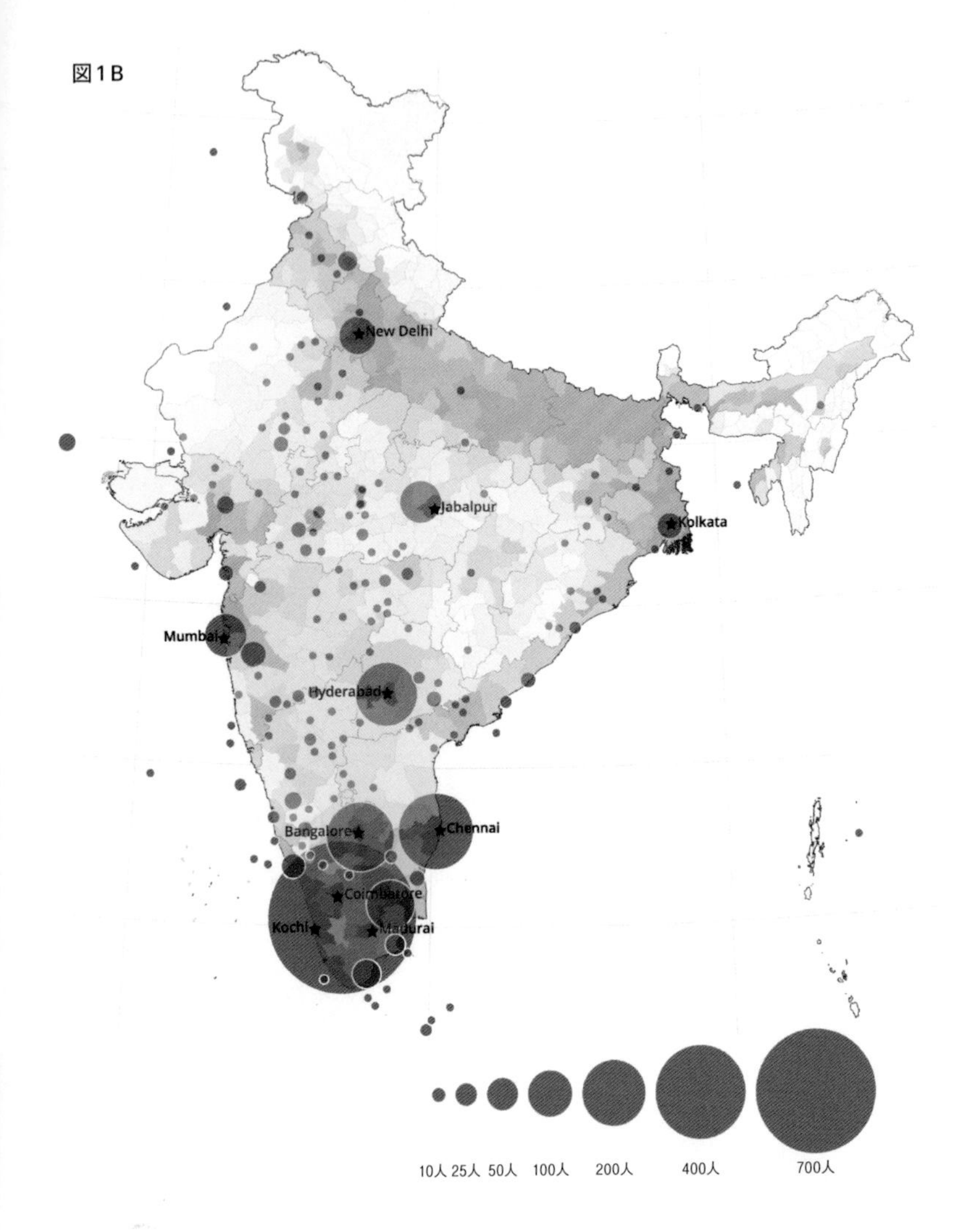

2014年3月14日～5月28日に、Mタークで募った調査参加者の自己申告による居住地。各地域から報告したワーカーの数は、その地域の円の大きさに反映されている。たとえば、ニューデリー（New Delhi）の円は17人、ハイデラバード（Hyderabad）の円は46人、コインバトール（Coimbatore）の円は265人のワーカーを表している。私たちはワーカーのプライバシー保護のため、彼らが報告した居住地をランダムに少しだけ移動させた。県の色分けは人口密度に基づく。（グレゴリー・T・ミントン）

図2

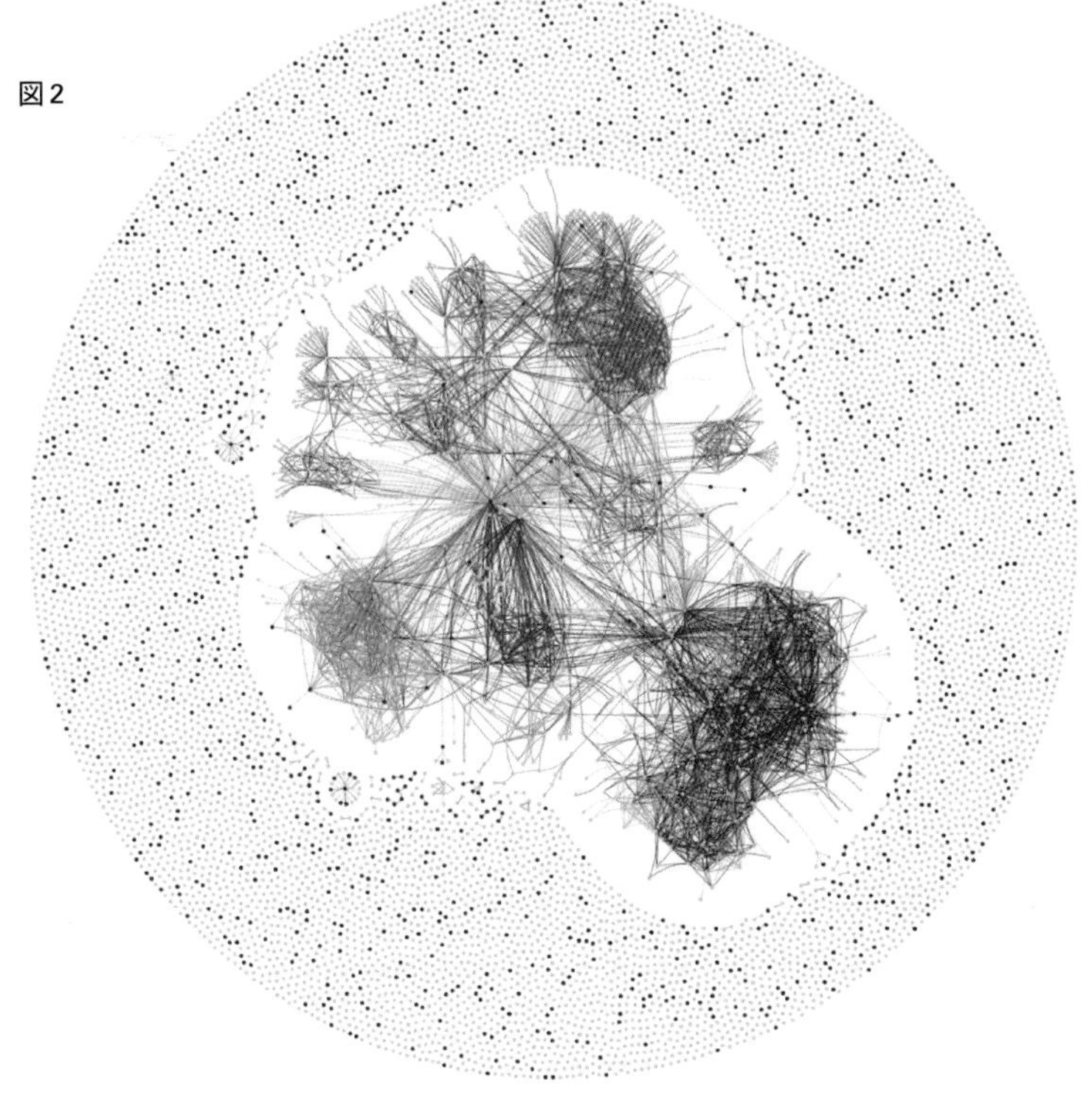

Mタークのワーカーのネットワーク。灰色の丸はアメリカのワーカー、黒い丸はアメリカ以外のワーカー。灰色のリンクは、電話やメール、テキストメッセージ、インスタントメッセージ　ビデオチャットなどの1対1の媒体を介したやりとりを表している。色付きのリンクは、オンラインフォーラムを介してのやりとりを表している。ピンクはレディットのヒッツ・ワース・ターキング・フォー、赤はMタークグラインド、オレンジはターカーネイション、青はフェイスブック、緑はMタークフォーラムを表している。（ミン・イン）

図3

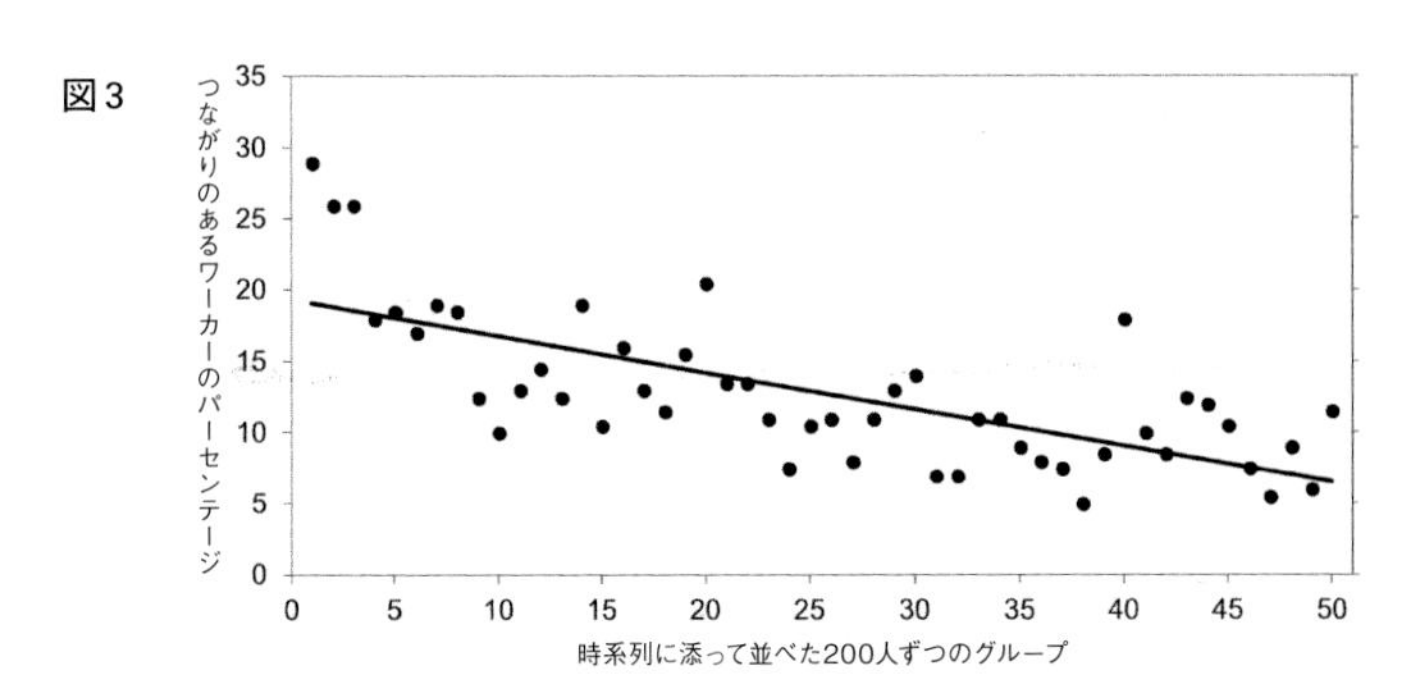

私たちのネットワーク・マッピングHIT（図2に示したもの）を行なった、つながりのあるワーカーのパーセンテージを、早い者順に200人ずつのグループに分けて時系列に添って並べたもの。（ミン・イン）

図4

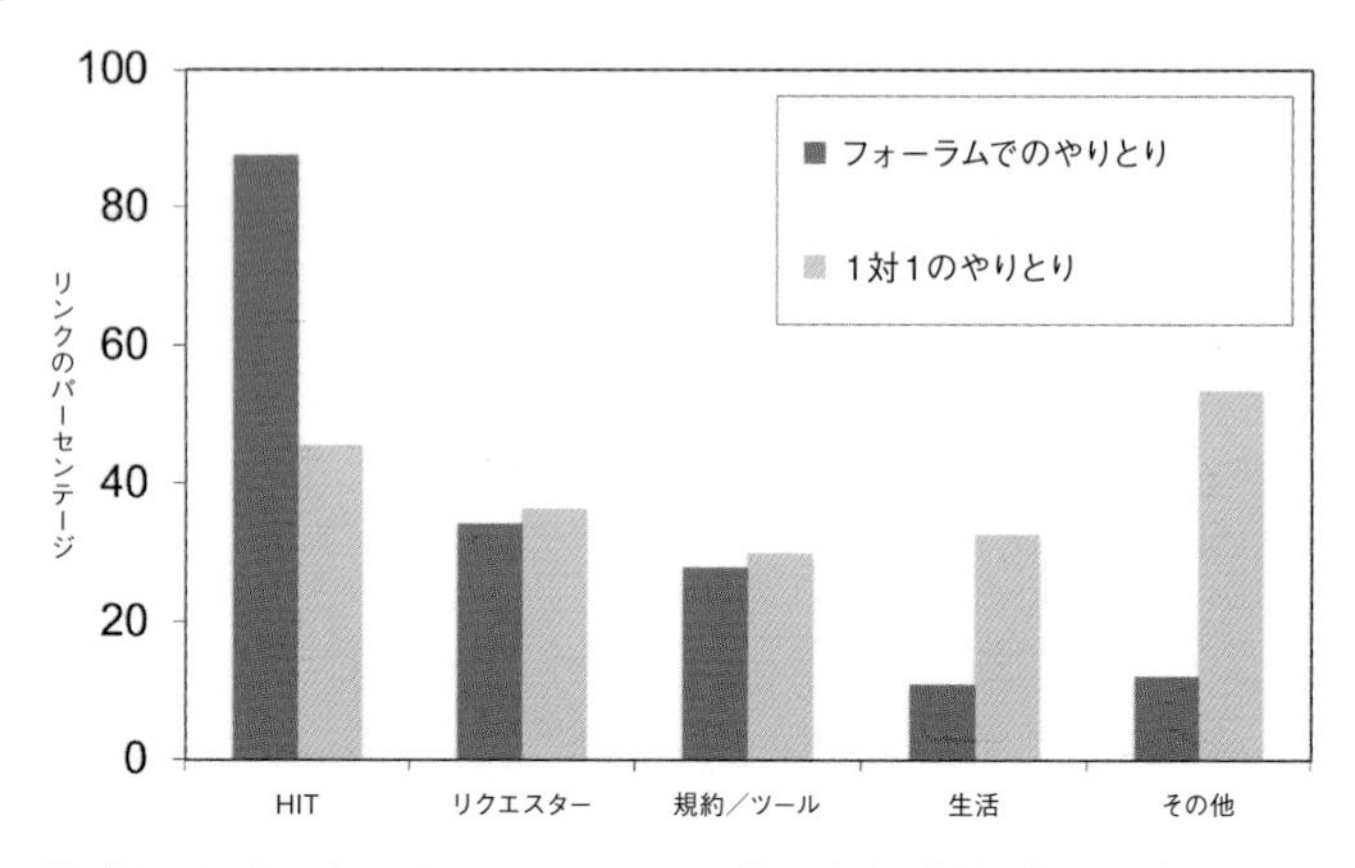

話し合われたトピックごとの、オンラインフォーラムと1対1の経路の比較。（ミン・イン）

図5

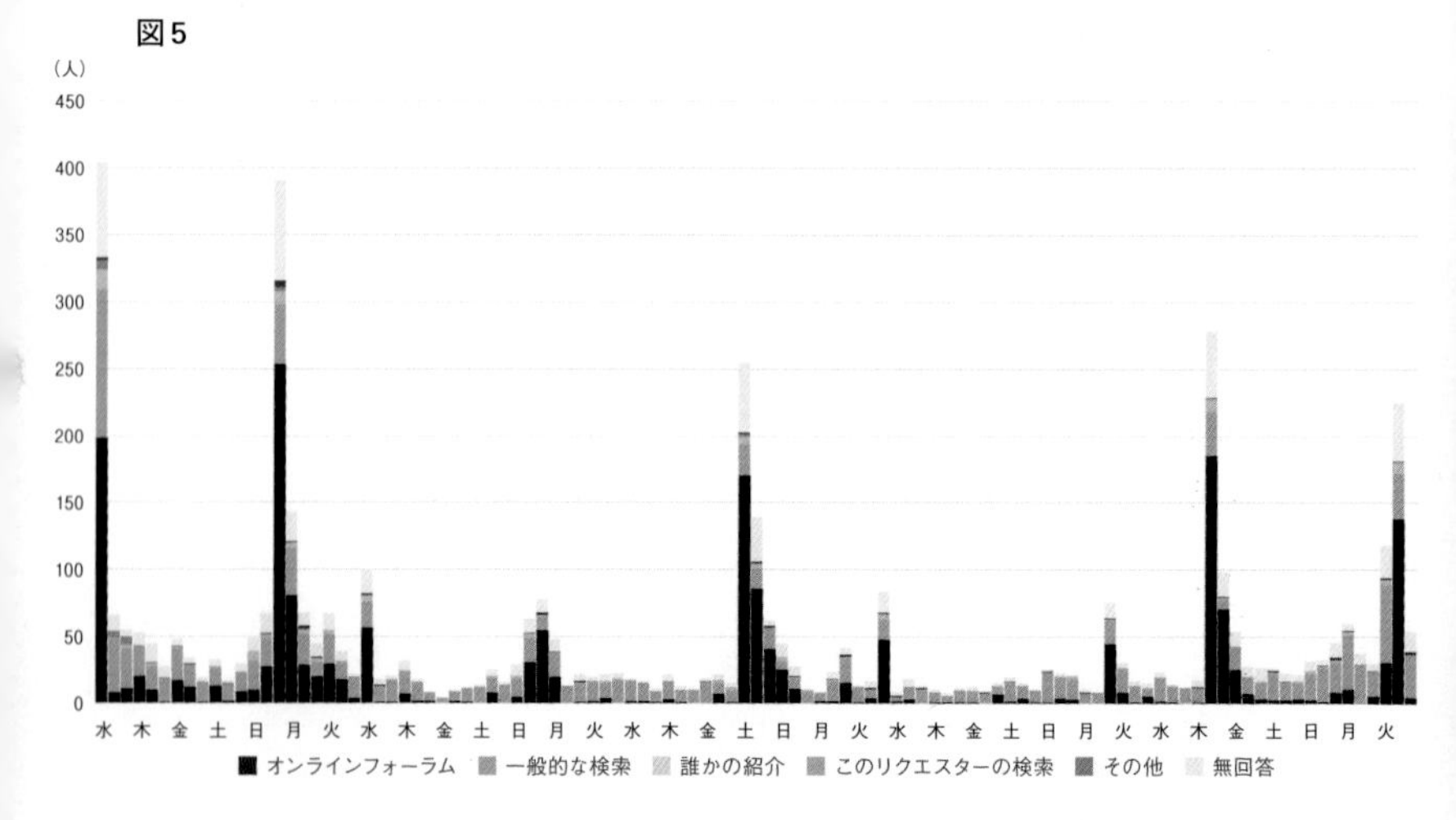

2014年3月14日～5月28日に、4856人のワーカーがどのようにして私たちの地理的マッピングHIT（図1に示したもの）を見つけたか。横軸は5週間を8時間ずつ区切ったもの。縦軸は各8時間枠にこのHITをしたワーカーの数を表している。棒グラフの黒い部分は、各8時間にオンラインフォーラム経由で私たちのHITにたどり着いたワーカーの数を表している。棒グラフの青の部分は、同じ8時間枠にMタークのサイトを検索して私たちのHITにたどり着いたワーカーの数を表している。（グレゴリー・T・ミントン）

ゴースト・ワーク

グローバルな新下層階級をシリコンバレーが生み出すのをどう食い止めるか

メアリー・L・グレイ＋シッダールタ・スリ 著
柴田裕之 訳
成田悠輔 監修・解説

GHOST WORK

How to Stop Silicon Valley from Building a New Global Underclass

Mary L.Gray and Siddharth Suri

晶文社

アイラとジョージのために

――M.L.G.

我が家族に、そして、亡き父を懐かしく思い出しながら

――S.S.

ゴースト・ワーク——グローバルな新下層階級をシリコンバレーが生み出すのをどう食い止めるか　目次

第２章

出来高払いの仕事からアウトソーシングへ――自動化のラストマイルの略史

第2部 苛酷な仕事 159

第3部 ロボットにやり返す

第5章 見ず知らずの人の優しさと協同の力

結論 目下の課題 327

装丁　勝浦悠介

序　機械の中の幽霊（ゴースト）

スマートフォンのアプリやウェブサイトや人工知能（ＡＩ）システムの数々を作動させている人間の労働は、なかなか目につかない。じつは、意図的に隠されていることがよくあるのだ。この、見えづらい世界での労働のことを、本書では「**ゴーストワーク**」と呼ぶ[1]。

あなたが前回、何かをウェブで検索したときのことを考えてほしい。探したのは、話題になっているニューストピックや贔屓（ひいき）のチームについての最新情報、あるいは有名人の新しいゴシップだったかもしれない。だが、検索エンジンが表示した画像やリンクには、アダルトコンテンツや完全にランダムな結果が含まれていないのを不思議に思ったことはないだろうか？　なにしろ、違法のものだろうが合法のものだろうが、オンラインで広告している企業はどれも、自社のサイトをあなたのウェブ検索結果の上位に入らせたいだろうから。

あるいは、前回自分の**フェイスブック**か**インスタグラム**か**ツイッター**のフィードをスクロールしたときのことを考えてほしい。それらのサイトは、露骨な暴力シーンやヘイトスピーチを含めないという方針を、どうやって実行に移しているのか？

インターネット上では誰もが何でも言えるし、人間というものは機会を与えられれば間違いなく何でも言う。それならばどうして私たちは、不適切な内容が篩い落とされたものにしか出くわさないのか？　それは、人間とソフトウェアが力を合わせて、一見、自動化されているように思えるサービスを、あなたや私のような顧客に提供しているからだ。

今日のAIは、一部の基本的な判断を下す以上のことは、ループ（作業工程）に組み込まれた人間の助けなしにはできない。ユーザーが読みたがるようなニュースフィードを配信しているときであれ、携帯電話からメールで届いたややこしいピザの注文に応じているときであれ、AIがつまずいたり、仕事を終えられなかったりすると、多くの企業が人間にその仕事を黙ってやり遂げてもらう。

この新しいデジタルの「組立ライン」は、分散したワーカーからのインプットをまとめ、製品ではなくプロジェクトの断片を「出荷」し、多くの経済部門で二四時間休みなく稼働している。実際、この**陰のワーカーの増加は、雇用そのものの、より大掛かりで根本的な再編の一環**なのだ。オンデマンドで行なわれる、まだ分類されていないこの形態の雇用（訳註：まだ分類されていない以上、正式で厳密に正しい名称は定まっていないので、本書では従来の枠に当てはまらない場合にも「雇用」「賃金」など、旧来の雇用形態に即した用語を使うことがある）は、本質的には良くも悪くもない。だがこれらの仕事は、定義されることもなく、恩恵を受ける顧客から隠されたままになっていたら、ゴーストワークへとたやすく陥ってしまいうる。

企業は、請け負った**タスク**（作業）ごとに報酬が支払われる厖大な数のワーカーを使って、プロジェクトをまとめ上げることができる。今では企業は、インターネットアクセスとクラウドコンピューティング、高性能のデータベース、ヒューマンコンピュテーション（人間とＡＩとの共同作業）という工学的手法に頼って人間をループに組み込み、ソフトウェアの能力だけでは処理できないプロジェクトを完了させることが可能だ。

この、**コンピュータープログラムと人間の頭脳の融合**は、急速に進んでいる。ピュー・リサーチ・センターが二〇一六年に発表した『ギグワークとオンライン販売とホームシェアリング』という報告書によれば、前年にはおよそ二〇〇〇万のアメリカの成人が、オンデマンドで割り当てられたタスクを仕上げてお金を稼いだという。[2]

オンデマンドワークプラットフォームを通して提供される専門的なホワイトカラーの情報サービス業務は、二〇二五年までに世界のＧＤＰを二兆七〇〇〇億ドル、つまり二・〇パーセント押し上げることがすでに予想されている。[3] もしこの傾向が現在の割合で続けば、**二〇三〇年代初期には技術革新によって、アメリカだけでも仕事のおよそ三八パーセントが消滅したり半自動化されたりしうる**とエコノミストたちは推定している。[4] ゴーストワークの不透明な雇用慣行と、ＡＩは全能であるという通念との組み合わせは、放っておくと、何億もの人の労働を目に見えないものにしかねない。

では、この種の業務は誰がしているのか？　ジョーンやカーラのような人だ。ジョーンは八一歳の母親と住むテキサス州ヒューストンの家で働いている。膝の手術を受けた後、弱ってしまって独り暮らしができなくなった母親の世話をするために、ジョーンは二〇一二年にこの家へ引っ越してきた。一年後、彼女は**Mターク**を通してオンラインで仕事を請け負い始めた。Mタークというのは、「アマゾン・メカニカルターク」の略称で、巨大テクノロジー企業**アマゾン・ドットコム**が所有・運営している広大な市場だ。ジョーンは、特に実入りが良いのは「ディックピック（訳註：男性器の猥褻画像）選別の手間仕事」だという。ツイッターやマッチングサイトのマッチ・ドットコムのようなプラットフォームのソーシャルメディア・ユーザーが「不快」というフラグを立てた写真にラベルを付ける仕事を、彼女はそう表現した。

企業はユーザーが審査を求めてフラグを立てるコンテンツを一つ残らず自動処理することはできないので、評価が難しい情報コンテンツの一部は、ジョーンのようなワーカーに回される。彼女のタスクは見掛けは単純で、画像をクリックしてコンテンツを評価するだけだ。これは男性器を自撮りした削除するべき成人向け画像なのか、体の一部の無害な一般向け画像なのか？　彼女はタスクを一つ終えるごとに報酬を与えられ、好きなときにやめてコンピューターを離れる。何年も経験を積んだおかげで、今ではうまくやりくりして平均で一日当たり一〇時間かけ、そのようなタスクをおよそ四〇ドル分こなしている（本書を通じて、ドルで示された金額はアメリカ・ドル。ルピーは本書執筆時の交換レートでのインド通貨の額）。

一万五〇〇〇キロメートル余り離れたインドのバンガロールでは、カーラが自分の部屋の片隅に設けた間に合わせのホームオフィスで働いている。[5] ジョーンとカーラは、インターネット企業のために言葉や画像を選別してラベルを付けるという、同じような仕事をしているが、カーラは**ユニヴァーサル・ヒューマン・レリヴァンス・システム（UHRS）**に人材を提供するアウトソーシング企業から仕事を請け負っている。UHRSはMタークのようなプラットフォームであり、創設したマイクロソフトによって、内部で使われている。

電気工学の学士号を持つ四三歳の主婦で二児の母のカーラは、ティーンエイジャーの息子たちを部屋に呼び入れ、LEDモニター上の大きなテキストボックスの中に表示された単語を指差し、「これ、どういう意味か知っている？　言わないほうがいい言葉？」と尋ねる。彼女が文章を読んで聞かせると、二人はくすくす笑う。彼女の「チックフリック（女性向け映画）」の発音をからかう。二人は、いや、この文にはアダルトコンテンツは入っていない、と判断する。カーラは画面上で「ノー」をクリックする。するとボックスには新しい語句を含む文が表示されるので、カーラは息子たちに読み上げる。

「あの子たちのほうが、私よりもこういう言葉を見分けるのが得意なんです」と彼女は言って笑う。「二人は、他の家族のためにインターネットをクリーンで安全にしておくのを手伝ってくれます」。カーラはたいていどの週にも、合計一五時間以上のタスクを見つけることはできないが、ほとんど毎日のようにUHRSのサイトを訪れて、自分にやれそうな新しいタスクがないか見てみる。彼女はこれまでの粘り強さが報われ、運にも恵まれた。今では、素早くウェブを見て回ってタスクを獲得する術を身に付けたので、食事の支度をしたり子供たちの宿題を点検したりする合間に、本人の言葉を借りれば、「実りある」時間を過ごせているように思えるという。ウェブを調べて、彼女が副収入と考えるものが得られるからだ。

コンテンツモデレーション（ニュースフィードや検索結果を選り分けることから、適切なコンテンツかどうかをめぐる議論に決着をつけ、何をアップしたままにし、何を削除するか、テクノロジー企業やメディア企業が判断するのを助けることまで）は、ジョーンやカーラのような人に頼る新種の業務の一例にすぎない。

コンテンツの審査は、日常的で、時間的制約の厳しいことが多いタスクであり、ソーシャルメディア企業が自社のサイトを毎日利用する何十億もの人のために、誰もが安心して利用できる情報を見極めようとしたために生まれた。だが、ありとあらゆる言語のウェブページや写真やツイートがあまりに多くあるので、ジョーンやカーラのような人々には、とうてい評価し切れない。

グーグル、**マイクロソフト**、**フェイスブック**、**ツイッター**といった企業はソフトウェアを使い、「職場での閲覧は要注意」の類のコンテンツをなるべく多く自動的に削除するようにしている（訳註：本書に出てくる企業名は原則として原書執筆時のもの）。ところが、機械学習とＡＩが頼みのこうしたソフトウェアのフィルタリングシステムは、完全ではない。親指と男性器を必ず見分けられるわけではないし、ヘイトスピーチと皮肉の区別がつけられるとはかぎらないことはいうまでもない。

その典型ともいえる瞬間が二〇一二年の大統領選挙で訪れたのを覚えているだろうか？　共和党候補のミット・ロムニーが「女性でいっぱいのバインダー！」という言葉を口にしたときのことだ（訳註：ロムニーは、男女の賃金格差についての質問への回答の中でこの言い回しを使った）。ツイッターは、このようなわけのわからない言葉に付けられたハッシュタグが、自社のトレンドトピックの上位にたちまち昇り詰めた理由をリアルタイムで突き止めるためには、ジョーンがしているのと同じ種類の業務に就いているワーカーを必要とした。これはハッキングか？　誤作動？　本当にツイッターのユーザーが猛烈な勢いで話題にしているのか？　現在のＡＩシステムでは、それらを確実に見分けることができない。オンデマンドの業務は、コンピューターの処理能力と人間の想像力に富んだ柔軟な判断力との融合を約束してくれる。**本書で話題にするのは、ＡＩでは対応し切れないときに手を貸すジョーンやカーラをはじめとする厖大な数のワーカーだ。**彼らこそが、私たちの誰もが当たり前のように利用している、見たところ自動化されたシステムを陰で支えている。

だが、現代のＡＩシステムは、馴染（なじ）みのない疑問や難しい疑問に答えるためにだけ人間を必要としているわけではなく、そもそも、何に対してであれ応答の仕方そのものを学習するのを助けてもらうためにも人間が欠かせない。たとえば、「キャメルバックソファ」という言葉で画像検索をすると、背もたれが山形の曲線を描くソファの写真が大量に表示される。**マイクロソフト・ビング**やグーグルのような検索エンジンは、人間と同じように画像を見たり理解したりはしない。家具好きの人なら、数人が座れる、背もたれが山形の曲線を描く洒落(しゃれ)た家具を目にすれば、一瞬のうちにキャメルバックソファだとわかる。

一方、検索エンジンを支えているAIシステムの場合には、それぞれ「キャメルバックソファ」というラベルの付いた、少なくとも数百枚のキャメルバックソファの画像を準備するところから始めなければならない。それからその検索エンジンは、ソファの写真に出合うと、「分類アルゴリズム」と呼ばれるものを作動させる。

そのアルゴリズムは基本的に、その新しい画像のソファが幾何学的パターンの点で、「キャメルバック」というラベルが付いていないものよりも付いているものに近いかどうかを確かめる。それでは、「**トレーニングデータ**」と呼ばれる、もともとのラベル付きの画像のセットはどこから来るのか？

ジャスティンのような人が用意する。彼のようなワーカーは、せいぜい二文程度のタスクの説明を手掛かりに、ほんの数秒のうちに仕事を引き受けなければならない。そうしないと、他の人に先に取られてしまう。ジャスティンは自宅で二人の幼い息子を育てている男性で、子供たちが保育園に行っている間や昼寝をしている間に働く。彼は最初、キャメルバックソファとは何か、見当もつかなかったことをあっさり認める。「途方もない時間をかけてグーグルでこうした言葉を調べなければなりませんでしたよ、問いに答えられるようになるには」。

トリップアドバイザー、マッチ・ドットコム、グーグル、ツイッター、フェイスブック、マイクロソフトをはじめ、多くの有名企業が大量の仕事を生み出し、ジャスティンのような人々が報酬をもらって順次それに取り組み、全体として二四時間年中無休で一つひとつタスクをこなしている。**ソフトウェアを通してこのような裏方仕事を公募し、それに応じる世界各地のワーカーを頼みとするビジネスモデルに基づく新規企業が、毎日誕生している。**

日常の業務を正社員にやらせる代わりに独立業務請負業者に外注できる企業は、ゴーストワークを利用して、インターネット上での顧客からのチャットの問い合わせに答えたり、製品のレビューを編集したりといった、社員がフルタイムで現場でこなす必要のないタスクならほぼ何でも行なうことができる。

ゴーストワークはどのようにして成立するのか？

コンピュータープログラムは、コンピューターにやるべきことを告げる命令のリストにすぎない。二つのソフトウェアプログラムどうし（あるいは一つのソフトウェアと一つのハードウェアの間）でやりとりする必要があるときには、まず共通の言語を確立しなければならない。それは、**アプリケーションプログラミングインタフェース（API）**を通して行なう。APIは、プログラムが受け入れる命令のリストを確定し、個々の命令が実行されたときに何が起こるかを決めることで、共通言語を定める。APIはコンピュータープログラムどうしの「対応ルール」を指定するといってもいい。

考えてほしい。

今この瞬間、市場には何千とはいわないまでも、何百もの違う種類のコンピューターが出回っているので、それぞれの種類のソフトウェアシステムのカスタムバージョンを書こうとしたら、とんでもなく面倒な話になる。だが、利用可能なコンピューターのすべて（あるいは少なくともかなりの割合）が同じAPIに従えば、プログラマーは種類の違うこうしたコンピューター全部のためのコードを一度書くだけで済む。なぜならAPIが、どのコンピューターも確実に同じ言語を理解するようにしてくれるからだ。

この手のAPIは、コンピューターができることにしか通用しないが、MタークのAPIのおかげで、ほんのわずかに違う命令を使い、自動的に人間にお金を払ってタスクをやってもらうプログラムをソフトウェア開発者が書けるようになった[6]。

通常、プログラマーがコンピューターに何かやらせたいときには、オペレーティングシステム（OS）によって定められたAPIを通して中央処理装置（CPU）とやりとりする。

だが、プログラマーがゴーストワークを利用してタスクを完了するときには、働いてくれる人と、オンデマンドワークプラットフォームのAPIを通してやりとりする。[7] プログラマーは人間にタスクを出し、その人の判断力（と都合）に任せ、対処してもらう。

CPUとは違い、人間は主体性を持っており、自ら決定を下す。CPUは与えられた命令を何でもただ実行するだけだが、人間は自発的に頭を働かせて決定を下すし、独自の解釈も持ち込む。そのうえ、人間にはAPIとかかわっている瞬間以外の欲求や動機やバイアスがある。CPUは同じインプットを与えられれば、いつも同じアウトプットをする。一方、空腹の人間をスーパーマーケットに送り込めば、空腹でなかったときとはまったく違う買い物をして出てくる。

人間はこのように衝動的で思いつきに左右されるのと引き換えに、CPUには欠けているもの、すなわち、柔軟な判断力とイノベーションを業務にもたらす。ジョーンやカーラやジャスティンはそれぞれ、APIによって隠され、ゴーストワークによって支えられて成長を続ける経済の一員なのだ。

二〇年足らず前には、ソフトウェア開発者はコンピューターに実行させるコードしか書かなかった。ところが、プログラマーはMタークのAPIや後続のAPIのおかげで、**コンピューターの能力を超えたタスクを、人間を使って処理できる**ようになった。たとえば、どれがアダルトコンテンツでどれがそうでないかをカーラやジョーンが判断する類の、素早く正確に判定を下す処理だ。実際、今ではウェブブラウザーの前に座っている人なら誰もが、助けが必要だという、自動化された求めに応じることができるだろう。

APIとコンピューターによる機械的な処理と人間の柔軟な判断力というこの組み合わせを、企業は「**クラウドソーシング**」とか「**マイクロワーク**」とか「**クラウドワーク**」とか呼ぶ。コンピューター科学者は「**ヒューマンコンピュテーション**」と呼ぶ。一連の個別のタスクに分けられるプロジェクトはみな、ヒューマンコンピュテーションを使ってやり遂げることができる。ソフトウェアはこうしたAPIを使い、ワークフローを管理したり、コンピューターや人間のアウトプットを処理したり、さらには、人間がタスクを完了したらその分の支払いまでしたりできる。**私たちがみな当たり前のように使っている現代のAIシステムやウェブサイトやアプリは、陰で働く人々が支えている**のだ。

二〇代前半の女性がシカゴの歩道に立っているところを想像してほしい。仮に、彼女をエミリーと呼ぼう。エミリーがスマートフォンで**ウーバータクシー**のアプリを開くと、あるウーバーのドライバーが応じる。エミリーもドライバーも知らないが、二人が会えるかどうかは、海の彼方にいる別の女性にかかっている。彼女の名前はアイシャということにでもしておこう。[8]

エミリーとドライバーは、ウーバータクシーのソフトウェアがたった今、ドライバーのアカウントに関する警告を発したとは夢にも思わない。ドライバー（サムという名前にしよう）は、ガールフレンドの誕生日のために、前の晩、顎鬚（あごひげ）を剃（そ）り落とした。そのため、今朝自撮りした写真（ドライバーの本人認証のため、ウーバーが二〇一六年に導入したリアルタイムIDチェックの一環だ）が、記録されていた写真IDと一致しなかった。顎鬚のある顔とない顔という、二枚の写真の食い違いのせいで、自分のアカウントが自動的に使用停止にされることなど、サムには思いもつかなかった。それでもこうして、知らないうちに彼の生計が突然危険にさらされたのだった。

この間、海の向こうの、「インドのシリコンバレー」ことハイデラバードでは、アイシャがキッチンのテーブルに座って、ノートパソコンに目を凝らしている。ウーバーから**クラウドフラワー**のソフトウェアに回された仕事をちょうど請け負ったところで、今や彼女は、エミリーの乗車の成立にとって、目に見えないけれど欠かせない役割を果たしていた。

クラウドフラワーは、**クラウドファクトリー**や**プレイメント**や**クリックワーカー**といった、いかにもテクノロジー絡みという洒落た名前のついた競争相手たちとともに、自社のプラットフォームのソフトウェアによるサービスを提供する。準備万端の大勢のワーカーに素早くアクセスする必要のある人なら誰もがその対象だ。

アイシャのような人が毎日何人となく、クラウドフラワーなどのクラウドソーシングのプラットフォームにログインし、タスクベースの仕事を探す。これからアイシャ――あるいはクラウドフラワーの求めにたまたま応じた他の見えないワーカー――は、サムがエミリーを乗せるかどうかを決めることになる。

ウーバーとクラウドフラワーは、APIやヒューマンコンピュテーションを使って人々に働かせるサービスの、成長中のサプライチェーンにおける二つのリンクだ。

ウーバーはクラウドフラワーのAPIを利用して誰かにお金を払い、アイシャの業務の結果を評価させ、合格点が出れば、ウーバーからの彼女への支払いが数分のうちに処理される。もし結果が、あらかじめプログラムされている基準を満たさないと、アイシャは報酬をもらえないし、苦情を言う機会もまともに与えられない。APIはアイシャの話を聞くようには設計されていないからだ。

アイシャは二枚並んだドライバーの写真を見比べる。クラウドフラワーのウェブページの右上にあるタイマーがどんどん進み、アイシャを急(せ)かす。時間切れになる前に答えを出さないと、クラウドフラワーはこのタスクのためのウーバーの支払いを処理しない。アイシャは瞬きし、タイマーをちらっと見遣(みや)り、サムネイルサイズの写真に目を凝らす。そう、同じ茶色の目だ。頬のえくぼも同じ。彼女は「OK」をクリックする。

サムのアカウントは、彼が車を歩道に寄せたちょうどそのときに、エミリーを乗せることを許可される。エミリーは混雑したシカゴの往来を見回すのをやめ、サムの車に乗り込む。車のドアが閉まった頃には、アイシャはもう次のタスクに進んでいる。今日の仕事をおしまいにするまでに、あと何ルピーか稼げれば、と願って。

ウーバータクシーの乗客もドライバーも気づいていないが、遠い彼方で、あるいは通りのすぐ先で、誰かが働いていて、両者の取引をリアルタイムで念入りに調べているかもしれない。このような目につかない所でのやりとりで、アメリカでのウーバータクシー利用のうち一〇〇件に一件が決まる。これは、一日当たりおよそ一万三〇〇〇件に相当する。

私たちは、アイシャがクラウドフラワーのためにこなせるゴーストワークを実際に目にしたわけではないが、彼女や同種のワーカーを調査したので、エミリーのような消費者やサムのようなドライバーがけっして目にすることがない類の、束の間の市場取引を想像することができる。先程の例では、アイシャはゴーストワークの存在を示す唯一の痕跡であり、だからこそ、エミリーとサムがとうの昔に姿を消した後に、私たちがゴーストワークの経験を発掘するのを手助けできるただ一人の人間なのだ。

＊　＊　＊

何十億もの人が毎日、ウェブサイトのコンテンツや検索エンジン、ツイート、掲示板、モバイルアプリのサービスなどを利用している。

彼らはそうした利用が、テクノロジーのマジックだけによって可能になっていると思い込んでいる。だが現実には、舞台裏で黙々と働いている世界各地の人々によるサービスを受けているのだ。そうした仕事は、フルタイムの労働者はおろか時間給の労働者と比べてさえ、フリーランスや臨時雇用の形態の労働者によってなされていることのほうが圧倒的に多く、確固たる法的位置付けがない。それらは、「第二の機械時代（セカンド・マシン・エイジ）」あるいは「第四次産業革命」の前触れや、より大規模なデジタルエコノミーあるいはプラットフォームエコノミーの一部として重視されることもある。だが、ただ安易に「**ギグ**」と呼ばれることもある。[9]

誰か単一の雇用者の下で働くわけではなく、かつ、ウェブベースのプラットフォームに依存しているという、オンデマンドのギグエコノミーの新奇な取り合わせに当てはまる雇用法はない。**オンデマンドプラットフォーム**は、ギグエコノミーのタスクマスター（仕事の割り当て者・監督者）として、無数の企業と匿名のワーカーを相手とする両面市場を生み出し、人間の労働をオンラインで売る人と買う人のマッチングをしてお金を稼いでいる。

そして、ここが肝心なのだが、メディア研究者で社会学者のタールトン・ギレスピーが指摘しているように、プラットフォームは自らが場を提供するコンテンツを創り出しはしないものの、「それについて重要な選択をする」[10]。オンデマンドワークプラットフォームは、仕事を探しているワーカーよりも、料金を支払ってワーカーを探す気のある企業の利益に適（かな）う、暗黙のビジネスパートナーに簡単になってしまいうる。

大会社から零細のスタートアップまで、企業はオンデマンドプラットフォームが集めたオンデマンドワーカーから成るこの共有プールに依存している。企業はこのワーカーの集まりを利用して、すぐさま要望に応じてもらうことを期待するようになった顧客を満足させている。また、従来の人材紹介会社ではなくこのプールに頼って、自社のチームに土壇場で空いた穴を埋める。さらに、このプールを利用して新規のプロジェクトを実施し、新しいソフトウェアのプライバシー設定のテストから、地元文化に合わせたマカロニ・アンド・チーズ味の説明の適性確認までやってもらう。

そのような事業は、あまりに投機的だったり漠然としていたりするため、フルタイムの従業員を雇用するわけにはいかないし、臨時労働者紹介サービスを通してでさえ、人を採用する経費を正当化できない。だが、消費者がどう反応するか判断することなしに、新しいサービスや製品の提供開始に投資したがる企業はない。そこで、刻々と変化する顧客の好みや満足感に左右されるサービス産業は、ゴーストワークによって生み出されたアイデアを試し、ゴーストワークを使って平均的な消費者代わりのワーカーから得た反応に基づいて調整を繰り返すことができる。

いずれ万能ロボットが登場するかもしれないが、まだその日は来ていない

毎週のように、思わず息を呑むような見出しが、人間による労働の終焉を告げる。まもなくロボットが人間に対して立ち上がる、と私たちは警告される。自動化とその僕であるＡＩ

の導入は、人間の労働を時代後れにするプロセスだと広く思われている。実際、ロボットアームは工場で金属板を動かすことができる。ソフトウェアボット（訳註：業務の自動化を行なうために設計されたコンピュータープログラム）は携帯メールでのピザの注文を受けられる。ドローンは荷物を戸口まで配達できる。今では従来の多くの雇用現場に導入されているこうした**インテリジェントシステム**は、職場から人間が急速に消えていく前兆だ、といわれる。必ずAIが勝利し、その人以外にはできない仕事をしている労働者を除く全員が解雇されるというのが、お決まりの筋書きだ。だから誰もがスキルアップする必要がある。それも、今すぐに。テスラとスペースXの創業者イーロン・マスクや、名高い物理学者スティーヴン・ホーキングや、グーグルの共同創業者のラリー・ペイジばかりか、じつに大勢の著名人が口を揃えてそう唱えている。[11]

彼らはAIというとんでもない代物を出現させてしまったとパニックを起こしたり、AI以前の、人間が自分の運命を支配しているという建前だった時代を懐かしそうに振り返ったりする。[12] だが、そうした見出しに目を奪われていると、もっとややこしい現実がぼやけてしまう。ロボットが台頭してきていることは否定のしようもないが、**自動化された仕事の大半は、一日二四時間、相変わらず人間を必要としている。**人間が、多くの場合パートタイムや契約ベースで働いて、コンピューターが動かなくなったり故障したりしたときに、自動化されたプロセスを調整したり手直ししたりしてやらなければならない。技術システムも人間と同じで、不具合を起こしがちだからだ。

昔から、自動化へと向かう長い道のりを歩むうちに、新しいニーズと、そのニーズを満たすための異なる種類の人間の労働が生み出されてきたことも確かだ。その点では、ソフトウェアが管理する新しい労働の世界は、最も必要とされているタイミングで最も必要とされている生産ラインの箇所に労働者を配置して自動車を製造していた工場での仕事と、共通する特徴を持っている。また、一個当たり数セントでマッチ箱を組み立てるといった、一九世紀に女性や子供が農場でやっていたいわゆる内職にも似ている。そして、一九九〇年代後期にインターネットの発達とともに急激に盛んになった、グローバルサウス（訳註：主に南半球にある発展途上諸国）へのメディカルトランスクリプション（医療関連音声の文字起こし）やコールセンター業務のアウトソーシングとも、明らかに重なるところがある。

工場労働と出来高払いの内職とアウトソーシングはみな、事業のごく一部に限定され、ひたすら同じことを繰り返す小さな仕事にかかわるものであるという点では、オンラインで割り当てられるタスクの先駆けだった。こうした仕事には、安定性や支援はほとんどなかった。仕事をするのはたいてい、エコノミストなら「使い捨てにできる」とか「低スキル」とでも考えるような労働者だった。

市場はこうした労働力を、皮肉抜きに、「ヒューマンキャピタル（人的資本）」と呼ぶ。iPhoneが最終的に家庭用愛玩動物を認識できるようにするために、「犬」や「猫」といった単語をクリックして画像にラベルを付けるのは、最後にはフォード社製のトラックとなるもののネジを締めるのと大差はない。だが、仕事として似ているのはそこまでだ。

ブルーカラーの製造業の仕事はこれまで、進歩するＡＩが取って代わる最も明白なターゲットだった。iPhoneを製造する**フォックスコン**（鴻海科技集団）の工場は、二〇一六年にロボットを導入して六万人の従業員を解雇したと伝えられている。報道によると、同年、アマゾンの二〇か所の商品発送センターは、四万五〇〇〇台のロボットを配置し、二三万人の労働者といっしょに働かせているという。

とはいえ、こうした数字のせいで、自動化によってどれだけ多くの仕事が生み出されているかが見えづらくなる。そして、フルタイムのブルーカラーの業務に対するＡＩの影響についての報道によって目を逸らされた私たちは、**ＡＩが限界に突き当たったときに、自動化された製造システムを補完したり助けたりする人間のワーカー**という新しいカテゴリーの急速な成長を見逃してしまいうる。

以前は、家具や衣料といった耐久消費財を大量生産する企業が、収益性の高さでは上位を占めていたが、それらは過去二〇年間に、ヘルスケアや消費者分析や小売といったサービスを売る企業にゆっくりと取って代わられた。今では、カフェ・ラテを飲むことから、少しばかりインフォテインメント（娯楽情報番組）を視聴することまで、さまざまな経験を消費者に販売するほうが、テレビを製造するよりもお金になる。[13]

あらゆる種類の企業が、臨時雇用の労働者のプールを利用し、支配し続けることで、コストを管理している。フルタイムの従業員との交渉や、彼らを保護する労働者の区分法や雇用法の適用を避け、欲しい人材を欲しいときに確保するというのは、五〇年来の戦略だ。

だが、人間とAIのハイブリッドによって、製造業や小売業、マーケティング、カスタマーサービスは再構成され、これまでお馴染みだった雇用形態のカテゴリーからはみ出してしまった。工場によって管理されるフルタイムの製造業のシフト勤務は手順が反復的で固定されていたのとは違い、顧客の納税申告書を的確に修正したり、リアルタイムで動画の翻訳や字幕制作をしたりするといったタスクベースのサービスは、人間の判断力と直観の果てしない反復利用を頼みとしており、従来の週四〇時間勤務制にはうまく収まらない。そうしたタスクは変化に富み、単に機械的ではなく、だからこそ、そこから人間を取り除くのは難しい。

AIは、ほとんどの人が望んだり恐れたりするほど賢くなどない。AlphaGo（アルファ碁）を作動させているAIの有名な実績を例に取ろう。それについてはごく最近、テクノロジストのスコット・ハートリーの著書『FUZZY-TECHIE（ファジー・テッキー）』で詳しく紹介されている。[14]

アルファ碁は二〇一七年五月、コンピュータープログラムとしては初めて、囲碁で柯潔（かけつ）を打ち負かした。囲碁とは古代からある中国の盤上ゲームで、柯潔は世界最強とされる中国人棋士だ。五か月後、アルファ碁は後継バージョンのアルファ碁ゼロに屈した。ただし、感心し過ぎてはいけないので心に留めておいてほしいのだが、囲碁のルールは不変で、完全に形式化されており、勝負は閉鎖環境で行なわれ、二人の対局者の打ち方だけによって結果が決まる。

グーグルの子会社のディープマインドでアルファ碁とアルファ碁ゼロを開発した人間のプログラマーたちは、これら二つのプログラムに、勝敗の明確な定義を与えた。囲碁で勝つためには、相手と交互に石を置きながら、相手の打つ手に対して自分の打つ手がもたらす長期的な結果を予測する必要がある。[15] だからアルファ碁は、人間のプロどうしの対局と、自分相手の対局の厖大なデータベースを使って、何十億もの局面でトレーニングされ、どういうものが好手かや有利な局面かを学ぶことができた。[16]

その後、アルファ碁ゼロは先行プログラムのアルファ碁と対局して、それまでの経験をすべて試した。だが、AI研究の著名な専門家トーマス・ディータリッヒが主張するように、日々のタスクの大半を成し遂げるためには、「人間に頼り、世の中に関する人間の幅広い知識で穴埋めしてやらなければならない」。実生活は囲碁の対局よりも込み入っている。

ジョーンやカーラ、ジャスティン、アイシャに仕事を回す新しいオンラインのワークプラットフォームは、AIの無限の知恵やロボットの容赦ない台頭に関するマスメディア向きの話を覆す。

人々の発言に含まれるヘイトスピーチを特定したり、春の素晴らしい結婚式の会場にふさわしいレンタル物件を選び出したりすることから、納税申告書を的確に修正することまで、実社会のタスクは人間の判断力を必要とする。囲碁の対局でするように、唯一の最善の選択を形式化しようとしても、うまくいかない。

たとえば、結婚式の会場が「最高」となる条件を漏れなく並べ立てるのは、仮に不可能ではないにしても難しいだろう。それが可能だったとしても、会場に求める条件となると、人それぞれのはずだ。そのうえ、何をもって「最善の選択」とするかを認識するようにAIに教えるトレーニングデータは存在しない。それに加えて、日常会話に出てくるスラングや、気候変動が引き起こすハリケーンから、場当たり的な税制改革法まで、数限りない外的要因が絡んできて、結果に影響を及ぼしうる。

多くの場合、未知の事柄が多過ぎるため、ありとあらゆる予想外の事態に賢く対応できるように、現在のAIをトレーニングして十分な認識を持たせたり、十分な経験を積ませたりすることは**できない**。だからAIは人間のもとに立ち戻って、世の中についての彼らの幅広い知識で、意思決定の過程に空いた穴を埋めてもらわなければならないのだ。

私たちがしたようにAIの陰の部分を綿密に調べれば誰もが、コンピューターにできない仕事をこなす人々をソフトウェアが管理する、**新しい労働の世界**を発見するだろう。人間からマシンへとタスクを移すシステムを作ると、自動化を通して解決しなければならない問題が新たに浮かび上がってくる。たとえば、ウェブが主流になって初めて、フェイスブックやツイッターやインスタグラムといったサービスは、自らのオンラインのコンテンツをモデレートする（不適切なものを篩い落とす）必要性が増し、自動化されたモデレーションツールの限られた能力を超えてしまうという事態に直面した。

さらに、新しいシステムが実用化されると、たいてい思いがけない問題に出くわし、約束どおりの成果をあげられず、そのため、ジョーンやカーラの労働が必要になる。彼女たちのようなワーカーのおかげで、自動化されたモデレーションソフトウェアは性能が上がるが、完璧には程遠い。自動化されたプロセスが完成への途上で出合う、避けようのない不具合から、人間のための臨時の労働が生じる。

首尾良くＡＩをトレーニングして当該のタスクを人間のようにこなせるようにしたら、ワーカーはエンジニアに課された次のタスクに進み、自動化の限界がさらに拡がる。人間がＡＩの新しい用途を夢見るたびにゴールが先へと移動するので、完全自動化への道のりの「ラストマイル（最後の一マイル）」を、果たして走り終えられるのか、確かなことはいえない。私たちはこれを、「**自動化のラストマイルのパラドックス**」と呼んでいる。

ＡＩが進歩するにつれて、思いがけない、予測不能の種類のタスクをこなすための臨時労働市場が生み出される。[17] 自動化には大きなパラドックスがある。**人間の労働を取り除きたいという願望が必ず、人間の新しいタスクを生み出す**のだ。

本書でいう「ラストマイル」とは、人間にできることとコンピューターにできることとの間のギャップだ。ソフトウェア開発者がゴーストワークを利用して目の前のタスクに取り組ませ、AIを限界まで働かせるだろうことは、疑いようもない。

そして、スケジュールを管理したり、飛行機を予約したりできる、AIによる「スマート」なデジタルアシスタントを提供したいと望む企業が増えるにつれ、ますます厳しく、いよいよ広範に及ぶ私たちの要求にAIが応じ切れないときに手助けする人間が、いっそう多く必要になる可能性も高い。

実際、人間の臨時労働への依存はこれまでずっと、自動化に向けたテクノロジーの長い前進の歴史の一部を成してきた。アルゴリズムとAIを使っての問題解決を目指している今日のエンジニアは、「自動化のラストマイルのパラドックス」の果てしない繰り返しの最先端にいる。このフロンティアでは、臨時の労働の需要は絶えず波打って変動しており、そのプロセスで人間とマシンの関係は定義し直され続けている。

オンデマンドワークプラットフォームの台頭は、APIを使って業務の組み立てや割り当てやスケジュール設定を行なうことの魅力の表れだ。本書で取り上げる例が示しているように、臨時労働を使って新しいテクノロジーを開発するというこの方向転換が、最近の「AI革命」の推進力となった。スマートフォンのアプリやオンラインサービスを作動させるAIシステムが、顧客のために次に何をしたらいいか確信が持てないときには、人間の手助けが必要になる。それも、迅速な助けが。

エンドユーザーは、検索エンジンやソーシャルメディアを動かしているソフトウェアが瞬時に応答することを期待している。従来の雇用手法では、これにはとうてい対応できない。たとえば、自然災害が突発し、それに関連した検索が急増したとき、AIが状況を理解するため人間にループに加わってもらわざるをえないなら、人間のインプットがただちに必要となる。

その災害は、たちまち過去のものとなる。だがその頃には、ソフトウェアは必要としていたものを、人間の迅速なインプットから学習している。そして、そのインプットを提供するのが、APIにつながっている**常時稼働ワーカーのプール**にほかならない。

ソフトウェア開発者が書くコードは、自動的に誰かに業務を委託して目の前の問題を解決し、その仕事ぶりをチェックし、報酬を支払うことができる。最新の機械学習システムを使う科学者や研究者は、明確でエラーのないトレーニングデータに頼っている。彼らは、そのようなデータの生成・精製の支援を得るために、自動化された方法を必要としており、そうした支援をこなす世界中の多くの人々に依存している。

オンデマンドワークプラットフォームは、今日のオンライン企業に人間の労働とAIの組み合わせを提供し、ゴーストワークに従事してくれる人々の、巨大な隠れたプールを生み出した。オンデマンドでのサービスと仕事の提供は、労働の未来にとって不可欠な部分となりうる。同時にそれは、人々が生計を立てる仕事の経験や意義がそのせいでどのように変わりつつあるかに気を遣い、注意深くデザインし、管理しなければ、図らずも悲惨な結果をもたらしかねない。

ゴーストワークと雇用の未来

雇用形態の改変は、働き方の重大で根本的な転換だ。従来のフルタイムの雇用は、アメリカではもう標準的ではない。かつて、労働者は何十年にもわたって毎日同じ職場に出勤し、キャリアを積み、その見返りとして、安定した給料や医療、病気休暇、退職給付を得ることが期待できた。それが今、児童労働法から職場の安全ガイドラインまで、何世紀にも及ぶグローバルな改革の成果が、白紙に戻されつつある。

実際、アメリカの労働省労働統計局によれば、何らかの福利厚生を提供している今日の雇用者は五二パーセントしかいないという。二〇〇八年の金融危機に端を発する世界的金融不況の結果、配膳(はいぜん)をしたり、医療サービスを提供したり、実店舗で品物を販売したりするのに代わる最善の選択肢は、オンデマンドのギグエコノミーで見つかる、増える一方の仕事であることに、アメリカ人は気づいた。

ところがこのような働き方は、雇用法の出来合いの分類のどれにも収まらないので、Mタークやクラウドフラワーのようなプラットフォームの利用規約は、従来の労働者が享受している保護を消し去ってしまう。それでもその文面は、ソフトウェアをアップデートするときに現れるお決まりのダイアログボックスの中身とほとんど区別がつかず、誰もがろくに読みもしないで「同意する」をクリックする。

ピュー・リサーチ・センターによる最も信頼性の高い推定では、今日ゴーストワークに従事している人は二〇〇〇万人前後だそうだが、契約ベースのゴーストワークのギグを見つけてはこなして生計を立てているジョーンやカーラ、ジャスティン、アイシャのような人がどれだけいるかを裏づける集計はない。

アメリカの労働統計局は国勢調査局の二〇一七年五月の「人口動態調査」(「人口動態調査」は毎月六万のサンプル世帯のその時点での状況を調べるもので、合衆国労働統計局に国民の雇用と失業のデータを提供している)に、「臨時雇用と非典型雇用の形態」の補足調査を加えたが、同局が臨時の仕事の増加を測定しようとしたのは、十数年ぶりのことだった。[18]労働統計局の推定によれば、アメリカの労働者の一〇・一パーセントが、明示された長期契約も暗黙の長期契約もなしに働いているという。

だがこの調査は、非典型雇用形態の労働を主な仕事あるいは唯一の仕事としている人しか対象にしていない。だから、誰かが単一の雇用者の下で一定の給料か時給をもらって毎日九時から五時まで働きながら、その傍らでゴーストワークもしていれば——私たちが出会った、とても多忙なワーカーの間ではごくありきたりの傾向だ──その人の存在を確認するのはなおさら難しく、まして統計に含めることなど望めない。「人口動態調査」に労働統計局が加えた二〇一七年の「臨時雇用と非典型雇用の形態」の補足は、ゴーストワークの台頭の測定を妨げる二つのハードルを示している。

多項選択式の調査では、労働者にとって「長期雇用」が何を意味するかを本当に理解するのは難しい。これほど多くの人が、家賃などを支払うために複数の仕事を持っているときに、「本業」が何を意味するかを知るのも同じぐらい難しいかもしれない。「長期」や「本業」といった昔ながらの労働のカテゴリーについてどう考えるべきかをめぐる混乱は、労働統計局の数字と政府監査院の人数調査結果の食い違いに現れている。前者よりもわずか二年前に出た後者の報告によれば、アメリカの労働者の少なくとも三一パーセントが、フリーランスや独立業務請負の仕事を含む、何らかの非典型雇用の労働形態で働いていると回答しているそうだ。[19]

労働エコノミストのローレンス・カッツとアラン・クルーガーの推定では、自営業者や人材紹介会社によって一時雇用されている労働者が行なう臨時の労働や非典型の契約主導の労働──労働者のいわゆる「**臨時雇用化**」の産物──の割合は一〇パーセントから一六パーセントへと増え、アメリカ経済における過去一〇年間の正味の雇用成長はすべてこの増加のおかげだという。[20] ゴーストワークの規模と成長を把握する上で、いちばん実態に迫れそうなデータは、政府のものではなく、独立系シンクタンクのものだ。

オンデマンドのギグ労働市場に関する最も控えめな推定は、非営利のシンクタンクである経済政策研究所から得られる。同研究所所長でエコノミストのローレンス・ミシェルと彼の率いる研究チームは、アメリカで働いている成人の〇・五〜一パーセント、すなわち**一二五万〜二五〇万人が、オンデマンドのギグエコノミーに参加している**と推定している。

だがミシェルらは、ウーバードライバーに的を絞ったごく限定的な調査と、ウーバーその他の配車モバイルアプリ関連の仕事がギグワークの大部分を占めるという前提に基づいて、その数字に行き着いた。一方、ＪＰモルガン・チェース研究所の調査では、アメリカの成人の四・三パーセント、すなわち**一〇七三万人が二〇一五年から一六年にかけて、オンラインプラットフォームエコノミーの仕事で少なくとも一度は働いた**ことがわかった。[21]臨時のタスクの流動性の高さがこの労働市場の特徴だ。明確な職業上の肩書きはない。序列や昇進もない。ボーナスもない。保証もない。タスクは限定されており、企業が特定のターゲットに到達し、そのターゲットを達成するために業務を委託された人が他のプロジェクトに移ったら消滅するようにできている。

ソフトウェアエンジニアリングやリーガルサービスからコマーシャルメディアやヘルスケアまで、幅広い分野の企業が、今やオンデマンドワークプラットフォームに頼り、ホワイトカラーのキャリアをさまざまなプロジェクトのパッケージに変えている。

すべてデジタル化されたそのような情報サービスと**ナレッジワーク**（知識労働）は、データを使って考えたりデータを操作したりするのに必要な創造的な専門技術を、テクノロジーや法律から金融やエンターテインメントまでの各産業によってオンラインで提供される消費型サービスに変える。

こうした激しい変化のせいで、現場で働くフルタイムの従業員を抱えた大企業の時代は先が見えている。多くの企業がひしめき合いながら、コンピューターやスマートデバイスをAIと組み合わせる情報サービスを売り込もうと競争している。**カタラント**（旧アワリーナード）や**ポップエクスパート**や**アップワーク**といった企業は、APIを使って、他の企業や個人に、大規模なナレッジワークの「**マクロタスク**」をオンデマンドで提供する。

自動化によってもたらされる雇用の未来は、従来の九時から五時までの業務とは比較にならないほどばらばらのものとなることは間違いない。

労働エコノミストのなかには、「**分断された職場**」という新たな現実は、一九八〇年代と九〇年代を通して長期雇用を一連の短期契約に変えたことの最終的な結果だ、と主張する人もいる。[22] とはいうものの、この新しい予測不能の現実を前にしても、世界中の厖大な数のデジタルワーカーはこれまで、日夜キーボードの前に座って、私たちのアプリを実際以上に賢く見せるような無数の舞台裏のタスクをこなすのをやめる気にはなっていない。これは、**ビジネスと雇用の未来が、人間が姿を消してロボットが支配するディストピア的SF映画より**

も、今日のオンデマンドエコノミーに似たものになる可能性が高いことを意味する。

その未来には、人々は何重ものソフトウェアインターフェースをうまく通り抜け、ＡＩの陰でこつこつ働くことを学ぶ必要があるだろう。そこには独立業務請負業者のビジネスのエコシステムがあり、ジョーンのような人が、インドの田舎やテネシー州ノックスヴィルやオレゴン州ポートランドなどの空き部屋やカフェやコンクリートブロック造の住宅――あるいはインターネット接続と、コンピューターと、やる気あるいは金銭的必要性のある人がオンラインで働ける場所なら他のどこでもかまわない――で、キーボードを叩きまくっている。こうした裏方仕事をしているワーカーにほとんど注意が向けられないときには、**オンデマンドワークはたちまち、人を疎外し、卑しめ、孤立させる、不安定なゴーストワークと化しうる。**

私たちが話を聞いたワーカーの全員に、意外な共通点があった。誰もが希望を抱いていたのだ。彼らはオンデマンドの仕事を活用して、いつ働くかや、どんな相手と働くかや、どんなタスクを請け負うかを自分で決めることを希望している。家族のそばにいることを希望している。長い通勤や劣悪な労働環境を避けることを希望している。そして、経験を積んで履歴書を一新したり、新しい可能性への扉を開いたりすることを希望している。

自分や家族には他にほとんど選択肢が見当たらない人が多かったことも事実だ。彼らの住む町でフルタイムの雇用といえば、大規模小売店で時間給をもらって、昇進の機会が実質的にないまま、決められたシフトで働いたり、予測不能の勤務スケジュールに合わせたりすることの場合が多かった。

一方、オンデマンドの仕事をしていれば、打ち合わせの予定を立てたり、ウェブサイトのテストやデバッグ作業をしたり、コンピューターの専門知識を伸ばしたり、セールスリード（見込み客）を見つけたり、フルタイム従業員の人事ファイルを管理したりして、実社会の経験が得られた。いつの日か、自分の仕事日のスケジュールと目的を完全に思いのままにしたいと望まないワーカーなどいるだろうか？

本書は、私たち（人類学者とコンピューター科学者、そして、二人が編成した研究チーム）が、急成長中ではあるが依然としておおむね姿の見えないこの経済部門を詳しく調べた、五年に及ぶ研究を拠り所としている。[23]

本書は、アメリカとインド各地のワーカーの二〇〇回を超える面接と、彼らから集めた何万もの調査回答、オンデマンドワークプラットフォームを対象とした何十回もの行動実験と社会ネットワーク分析、この労働市場に欠かせない他の関係者たち、すなわちプラットフォームをビジネスに変えている人々と、そこでワーカーに業務を委託している人々に関する無類の研究の集大成だ。

そこから浮き彫りになる世界では、安定した仕事と給料が、脈絡のない一連の小規模なプロジェクトとマイクロペイメント（少額決済）に取って代わられ、広範に散らばって働いている名も知れない独立業務請負業者たちを監督するようにプログラムされた自動プロセスが人間の上司に置き換わりつつある。

本書は、ロボットの台頭についてのよく知られたストーリーから離れ、すでに現れてきている、より込み入った未来を詳細に描き出す。そして、ゴーストワークのプラットフォームが、テクノロジーの約束する魔法のような未来を信じる気持ちを、どのように私たちに抱かせているかを示す。

人類学者のメアリーは、耳の尖（とが）った犬や無毛の猫や「ディックピック」の何千枚もの写真を選り分けたりそれにラベルを付けたりしてお金を稼ぐワーカーたちの細分化された世界の、ぞっとするような姿に注意を奪われた。業務を委託している人々に、発注したタスクを請け負うワーカーについて何を知っているかをメアリーが尋ねると、回答は、「わかりません」から「そんなこと、知りたくもない！」まで、さまざまだった。

コンピューター科学者のシッダールタは、何年間もオンデマンドのプラットフォームを利用してオンラインの行動実験を行なっていたが、そこで働くワーカーについてはほとんど知らなかった。ＡＰＩのせいで、彼らが目につかなかったからだ。[24] 報酬をもらってする仕事に自らを提供していたのはどんな人なのか？　「頭を使わないタスク」と多くの人が見なす仕事を、彼らはどんな動機でやり、このはっきりしない形態の雇用でどうやって利益をあげているのか？　彼らにとって、この仕事はどんな意味があるのか？　これらのオンデマンドのプラットフォームを通して、どれだけのタスクがオンラインで流れているのか？　タスクベースの仕事への需要を生み出すビジネスモデルとは、どのようなものなのか？　このタスクベースエコノミーの全体的な仕組みはどのようになっているのか？

私たちの研究チームが二〇一三年にこうした疑問を投げ掛け始めたとき、議論に加わるのはエコノミストとコンピューター科学者とビジネスパーソンだけだった。

これら三つのグループの人はみな、効率を高め、企業の収益を最大化する能力に基づいてオンデマンドワーク市場を評価していた。たまたま人間が話題に上ったとしても、それは消費者に関連してのことだった。消費者の経験の質はどうか、といった具合だ。

企業のために、あるいはAIを進歩させる自分の実験のためにAPIを作っているエンジニアとコンピューター科学者が設計したかったシステムは、高価で余分に思える操作をなくすものだった。そうした操作は、エンドユーザーには苛立たしかったからだ。彼らは、人を、車での送迎であれ、料理の配達であれ、税金に関するアドバイスであれ、何らかのサービスと自動的にマッチングできる、より賢く、より高速のソフトウェアを作るのが仕事で、マッチング作業が繰り返されるたびに得られるデータを使って未来のソフトウェアがトレーニングされ、さらに自動化が進むようにすることを最終目的としていた。

生産性向上へのこのアプローチが、タスクベースの仕事の委託を受けようと競い合う人々にとってどんな意味を持つかを突き止めようとしている人は、ほとんどいなかった。

エンジニアとコンピューター科学者は、いったんＡＩが物事をうまくこなせるようになれば、トレーニングデータを生成してソフトウェアを改良するのに必要なワーカーは消えてなくなるという前提で作業をしていた。何といおうと、企業は臨時の仕事ではなくソフトウェアを創り出すのが目的だったのだから。

その後の五年間、私たち二人はそれぞれの研究分野ではなされていなかったことをした。つまり、この種のものとしては有数の**包括的な研究を行なって、ゴーストワークの範囲と、ゴーストワークをしている人々の暮らしについて調べた**のだ。

本書は、ＡＩの構築でゴーストワークが果たす役割に光を当て、目に見えないけれど、インターネットの機能や自動化の未来にとって欠かせないワーカーの暮らしを明らかにする、前例のない作品だ。

本書は、この新しい経済でのワーカーの経験の本質に迫り、それを細部まで詳しく紹介する。私たちは、インドとアメリカに住むワーカーに的を絞る。両国は世界でも最大規模のオンデマンドワーカーのプールを抱えており、共に、テクノロジーの進歩の、互いに絡み合った長い歴史を持っているからだ。

私たちのチームは、何百人ものワーカーがツイートにフラグを立てることから医師の診察のトランスクリプションをすることまで、あらゆるタスクをしているときに、彼らの住まいや間に合わせの職場で面接や観察を行なった。また、さらに何千人ものワーカーを調べ、どういう活動が典型的で、どういうものが例外かを判断する手掛かりとなる基準を定めた。それから、それぞれ参加者が何千人にも達する行動実験と「ビッグデータ」型解析を何十回も行ない、面接データの結果を大規模な形で確認した。読者は本書を通じて、私たちがこれら二種類の分析の間を行ったり来たりし、両者の強みを組み合わせて、オンデマンドエコノミーで働くこうした人々の姿をより鮮明に浮かび上がらせるのを目にすることだろう。

私たちは四つの異なるゴーストワークプラットフォームを調べた。アマゾン・ドットコムのメカニカルターク（Mターク）、マイクロソフトの社内用のユニヴァーサル・ヒューマン・レリヴァンス・システム（UHRS）、社会問題への関心が高いスタートアップである**リードジーニアス**、さまざまな国の視聴者や耳の不自由な人のためにもっぱらコンテンツの翻訳や字幕制作を行なっている非営利サイトの**アマラ・ドットオーグ**だ。

これら四つのプラットフォームのそれぞれが、異なる製品やサービスとビジネスモデルを提供する。だから、四つを比べながら調べたおかげで、私たちの観察結果と結論が、ゴーストワークの一カテゴリーに特有のものではなく、オンデマンドエコノミー全体に広く当てはまるものであることが余計はっきりした。

商業的に利用可能なゴーストワークプラットフォームの先駆けであるMタークが規範となり、それに倣って他のプラットフォームがヒューマンコンピュテーションをビジネスソリューションに応用することになった。UHRSは、大手テクノロジー企業がみな自社のゴーストワーク需要を満たすために維持している社内プラットフォームの代表役を務める。リードジーニアスとアマラ・ドットオーグは、ゴーストワークがいったいどれほど複雑で高度になりうるかに加えて、企業がゴーストワークのためのより良い状況をデザインする上でどれだけ大きな役割を果たしうるかも例証してくれる。

私たちは、ワーカーたちも調べた。

こうしたプラットフォームで働いている人のなかで、フルタイム雇用では可能だった労働時間数や時間当たりの報酬やキャリア開発と同等のものを実現するために、オンデマンドの仕事を次々にこなしている人々に会った。他にも以下のような人々に会った。大卒で、家にいて子育てをしながら、退屈しのぎに働いている人、家族のなかで初めて大学で学びながら、結婚資金を貯めるため、あるいは、妹や弟の大学進学費用を稼ぐため、週に五〇時間働いている人、障害を抱え、雇用への代替ルートを探している人、社会保障給付を補う資金を得ようとする退職者。また、ゴーストワークプラットフォームを設計したり、構築したり、創設したりしたエンジニアや起業家にも会った。

研究を始めたとき、私たちは知りたかった。オンデマンドワーカーはどんな人なのか？　彼らの仕事は従来の九時から五時までの仕事とどう違うのか？　オンデマンドワークプラットフォームの多くでは、シッダールタのような**リクエスター**（業務の委託者）は、ワーカーについての個人情報はいっさい目にしない。性別、居住地、年齢、職歴はすべて不明だ。そして、ワーカーもリクエスターについては、タスクの説明に記されている以上の情報は何も持たない。タスクの種類は果てしなく増えうるし、日によっても変わりうる。

ＡＰＩは、人間を使って猫の写真にラベルを付けさせたり、研究実験を行なわせたりできるし、同じようなＡＰＩを使って誰かに業務を委託し、料理を配達させたり、車で迎えに行かせたり、ウェブサイトをデザインさせたりもできる。ＡＰＩが呼ばれ、仕事が生み出される瞬間は、消費者とリクエスターのどちらにも、自動化されているように見える。だが、この見せ掛けの自動化から、誰が恩恵を受けているのか？　そして、誰が害されるかもしれないのか？

調査を終えた頃にはわかった。ゴーストワーカーは、フリーランスライターや、研究者、ソフトウェアの開発者、非常勤の教師をして生計を立てている、私たちの友人や家族と変わりはしなかった。彼らのワークライフは脆弱（ぜいじゃく）で不安定なことが多かった。それでも、住む場所や、障害を持っているという周囲の認識、あるいは汚名を着せられたマイノリティへの所属のせいで正規雇用から取り残されている人は、オンデマンドプラットフォームの匿名性とリモートアクセスのおかげで、収入を得やすくもなった。

初期段階にあるオンデマンドワークの第一線を注意深く眺めるにつれて見えてきたのが、なんとか暮らしを立て、自分や仲間のために有意義な就労形態を生み出すために、人々がすでにお馴染みの方策を使っている姿だ。

これらのワーカーは、**協同**することで成功する場合がある。彼らは、難しいタスクを楽にする工夫を教え合い、タスクの発注者についての情報を交換し、新しいタスクがインターネット上に出てくるのを待つ間、睡魔に負けずに起きていられるように助け合う。

私たちは、あれこれ手を出して挫折した末に前に進むことを学んだワーカーたちに出会った。人を搾取するようなビジネスモデルや、労働法、彼らの利益に無関心でいるようにデザインされたAPIの裏をかくことを学んだワーカーたちに出会った。

そして、ワーカーのネットワークが存在するおかげでどれほど恩恵を受けているか、企業がまったくわかっていないことに気づいた。本書では、APIを通して人間の骨折りを無思慮に処理することを、「**アルゴリズムの残虐**」と呼ぶ。相手の立場に立てないことはいうまでもなく、思考さえできないコンピューター処理のことだ。

ゴーストワーカーたちは、オンデマンドワークの危険と可能性を、どんなエンジニアやテクノロジー企業のCEO、政策立案者、労働者の権利擁護者よりもよく知っている。彼らは日々それを経験しながら生きているからだ。そして、その状況を改善することに最も熱心なのが、その改善から経済的にも精神的にも大きな恩恵を受ける彼らなのだ。

私たちは、食品や衣料やコンピューターを生産する企業には自社の労働慣行に対して責任を持ってもらう必要がある。それとちょうど同じで、デジタルコンテンツの制作者にも、消費者やワーカーに対して責任を持ってもらうべきだ。広告・宣伝の分野でも、ニュースを収集・選別・編集することであれ、お気に入りのソーシャルメディアサイトに荒らし（トロール）が投稿した内容についてのユーザーからの苦情をさばくことであれ、私たちのために人間を関与させている場合には、真実を要求するべきだ。

本書は透明性を求めることに加えて、生産性の高い労働者が欲しいテクノロジー起業家や、未来のワークプラットフォームを構築しているエンジニアや、この新しい商業分野の在りようを決める任に当たっている政策立案者への教訓も示す。

だが、私たちが使うスマホのアプリや閲覧するウェブサイトを作動させている目に見えないワーカーたちの、いまだに語られていない物語は、幅広い一般読者の興味も惹くはずだ――「クラウドソーシング」や「マイクロワーク」はいうまでもなく、「ギグ暮らしをすること」や「タークワーク」についての報道を見たり、ロボットの台頭についてはたっぷり耳にしたりしたことがあっても、AIがいったいどのように労働の世界を作り変えているかや、その陰で人々がそもそも何をしているのかを、もっとよく見てみたい読者の興味も。

私たちは、多彩で細やかで、最終的には希望に満ちた説明を提供する。特に、フルタイムとフリーランスの間の溝を乗り越えるだけでも、大きな前進となりうることを示す。この溝が解消できれば、インターネットが生み出す富を、「自動化のラストマイルのパラドックス」に取り組むタスクを負わされた人々と分かち合える状況に、ぐんと近づくからだ。

私たちはまた、アメリカとインドで面接した大勢のワーカーから得た教訓が、すでにゴーストワークをしている、あるいは、まもなくすることになる無数の人の役に立ち、彼らにその仕事を最大限に活用してもらえることも願っている。

そして何より、本書は、働きながら自分にはどんな未来が待ち受けているかを知りたがっている人全員に向けたものだ。

第1部

自動化のラストマイルのパラドックス

第1章　ループ（作業工程）の中の人間たち

ゴーストワークの始まり

二〇〇〇年代の初期、アマゾン・ドットコムは苦境に陥っていた。

当時はまだ若いスタートアップだった同社が抱える書籍の市場は、「eコマース（電子商取引）」がちょうど軌道に乗り始めるなかで、急速に拡大していた。アマゾンはオンライン書店を構築するために、厖大な数の本のデータを出版社のカタログや図書館の目録から直接、電子的に引き出した。だが、その多くが不正確なデータベースエントリーだらけだった。

だから、忠実な顧客基盤を築くには、重複や誤字、新版に添えられてしまっている旧版のカバー画像などをどうしても見つけ出す必要があった。そうしなければ、オンラインで買い物をする気のある消費者のうち、依然として用心深い人々に本を売ることはできない。[1]

当初アマゾンは、臨時労働者を雇って自社のデータベースを整備させた。身近なテクノロジー企業各社に倣って、アメリカに加えてインドでも臨時職員を採用した。インドでは、独立業務請負業者を雇って管理する人材紹介会社を通して、母語並みに英語に堪能な人員を低賃金で確保できたからだ。ワーカーたちは、本のタイトルや刊行年月日や説明の誤りを正すだけではなく、リストに載っている版と表紙が一致することを確認したり、それぞれの本のウェブページにキーワードを埋め込んだりもした（そのようなキーワードは、顧客がアマゾンの検索バーを使ったときに、できるだけ多くの関連アイテムを表示できるようにデザインされていた）[2]。

やがて、アマゾンは最大のオンライン小売業者になるために、書籍の場合と同じような課題を克服する必要に迫られた。同社は数限りない製品の在庫を抱える代わりに、電子機器や玩具（がんぐ）から清掃用品や隙間（ニッチ）狙いの食品まで、扱う製品のリストをアマゾンのサイトに載せて販売する気のある中小企業を、自社のサイトに展開させた[3]。

アマゾンは、自社のオンライン市場を拡大し、他の書籍販売業者を組み込み、さらには本以外の製品まで取り入れるようになると、あらゆる製品の説明をそれに付随する画像と確実に一致させるという、さらなる課題に直面した。アマゾンをはじめとするオンライン小売業者はみな、この手の個別の反復タスク（製品の説明が写真と一致しているかどうかを確かめたり、大きくなる一方の製品カタログをオンラインショッパーが見て回るのを助けるキャプションやキーワードを用意したりすることなど）をこなしてくれるワーカーの小規模な常設部隊を必要とすることになった。

アマゾンはこの労働需要を満たすために、自社のサイトで製品を販売している業者に頼んで、独立業務請負業者を雇ってもらった。また、アマゾン・ドットコムは成長するにつれ、書籍のカスタマーレビューを手直しする必要も出てきた。言葉遣いや構文が不自然だったり不明瞭だったりして、サイトでの顧客のコメントの価値が損なわれないようにするためだ。まもなく、その仕事も独立業務請負業者がするようになった。

アマゾン・ドットコムは二〇〇五年、認証済みアカウントを持つ人なら誰でも、製品リストや誤字脱字だらけのカスタマーレビューを手軽に直せるように構築したウェブサイトを公開した。同社が「アマゾン・メカニカルターク」と名付けたこのサイトを、ユーザーはたちまち「Mターク」と縮めて呼ぶようになった。

Mタークはオンラインの労働市場であり、「リクエスター」は処理してもらう必要があるさまざまなタスクをそのサイトに載せ、ワーカーはそのタスクを処理して報酬を受け取ることができる。このプラットフォームは、クラシファイド（項目別広告）コミュニティーサイトのクレイグスリストに求人情報を載せるのと同じぐらい簡単に、タスクと支払い単価を載せることができた。また、このプラットフォームは銀行の働きもするので、仕事を提供する側は支払いアカウントに入金し、帳簿をつけておけば、ワーカーがタスクを完了したら、自動的に報酬を支払うことができた。

アマゾンは、リクエスターがタスクごとにワーカーに支払う額に何パーセントかを手数料として上乗せし、特定の「クオリフィケーション」を持っていることが保証されたワーカーとマッチングをしたときにはリクエスターに割増料金を請求した（訳註：「クオリフィケーション」については、本書七三ページを参照のこと）。銀行口座とクレジットカード情報と認証可能な住所を提示する気のある人なら誰もが、アマゾン・メカニカルタークに登録して働き、アマゾン・ドットコムというバーチャルなスーパーストアで使えるギフト券のポイントを稼ぐことができた。タスクに対する支払いは、一セント（たとえば、特定の画像にキーワードを添えるタスク）から二五ドル（マーケティング調査一回）まで、さまざまだった。

Mタークはアマゾンの共同創業者ジェフ・ベゾスその人の発案によるプロジェクトだという噂だ。ベゾスがMタークを作ったのは、アマゾンが書籍やその他の耐久消費財の市場を提供できるばかりでなく、労働そのものを、アマゾンのウェブサイトを通して誰もが見つけたり代価を払って発注したりできるサービスにするためだった。[4][5]

世界的な景気後退が起こりかけている徴候だったのだろうか、最初の二年間に一〇万人以上がMタークのプラットフォームで仕事を見つけるためにアカウントを開設した。Mタークはこれらのワーカーへの業務委託と報酬の支払いを自動化し、そのおかげで、タスクが山積みになっているどんな企業も個人も、ログインして仕事を探している大勢の人々に、それらのタスクを委託することが可能になった。

Mタークは、アマゾン自体の製品チーム以外からの仕事も扱うようになってまもなく、アメリカ国内に住所を持つワーカーの口座へ直接入金する現金支払い用の手順を整え、インドのワーカーには、アメリカのドルをインドのルピーに換算した支払い小切手をシンガポール銀行を通して振り出すようにした。Mタークがギフト券へのチャージではなく現金での支払いをすることができるようになると、ウェブサイトに載った仕事を得ようと競い合うアメリカとインドのワーカーの巨大なプールが、他の国々からもっと気軽にアマゾンのギフト券にチャージしようとしている他のワーカーたちと競争する構図ができ上がった。

Mタークは、ニッチを埋めて大きな需要を満たしてくれた。ますます多くの製品をインターネット上で公開していた企業や個人には、ウェブに掲載する自らの情報の正確さを、どうにかして確認する必要があった。職場で立替経費の払い戻しを受けるために領収書の内容を経費精算書に記入する責任を負った人のしだいに多くが、今やMタークのようなサービスに頼り、そのタスクを引き受けてくれる人からどの曜日のどの時間にも助けを借りられるようになった。

地元の情報を提供する口コミサイトの**イェルプ**のような当時のスタートアップや、そうした企業のデータベースのためにコンテンツを書いたり収集・選別・編集をしたりする業務を委託された独立業務請負業者は、たとえば、以前にはレストランの正確な場所を載せた詳細なリストがまったくなかった地域に、そのようなリストを提供できた。

マーケティング代理店やPR代理店は、短い調査書を送信して、新しい製品のアイデアやスローガン、言語連想に対する何百もの反応を得ることができ、しかもその費用はフルタイムの従業員や臨時労働者の一時間当たりの賃金未満しかかからなかった。学者は今や、一時間もあれば一〇〇〇人規模で質問表を送り、より広範な対象を調べ、大学の入門レベルの講座で同じような質問表を配って得られる結果に匹敵するものを手にすることができた。

しかもMタークの調査は、アメリカのほとんどの大学キャンパスで見られる一八〜二二歳の学生よりも幅広い年齢層や地域の人を対象にできる可能性が高いから、なお良かった。

アメリカのクレイグスリストのような人気の高いオンラインのクラシファイドリスティングサービスは、人々がオンラインでできる仕事の広告を以前からずっと載せていたが、Mタークはそれとはまったく違う種類のものだった。

このプラットフォームが提供するタスクの請負業務には、技能や高度なコンピューターの経験はほとんど不要だった。時間と、細部への注意力と、インターネット接続さえあればよかった。マーケティング、調査、トレーニングデータの生成、リアルタイムでのオンラインコンテンツの審査など、いかなる目的であろうと、Mタークのようなオンデマンドワーク市場プラットフォームでなされる仕事の成果は、オフィスの従業員から得られるどんな成果よりも、速く安価で手に入れることができた。

単純なコンピュータープログラミングと、ウェブインターフェースと、規制対象外の雇用慣行というこの組み合わせから利益をあげようとして、まもなく無数の企業が新規に設立され、ゴーストワークのための人材募集を自動化する新しい強力な手段が生み出された。

ゴーストワークは、テクノロジーを使って提供される製品やサービスの消費者からは隠されたおびただしい数の小さなタスクをこなす大勢の人を通して、AIにおける革命に弾みをつけた。ほどなく、ゴーストワークを使ってもっと大きな作業プロジェクトを仕上げる方法を編み出す企業も出てきた。そうしたプロジェクトを本書では「**マクロタスク**」と呼ぶ。どちらにせよ、ゴーストワークは今日、多くの人気ウェブサイトやモバイルアプリを作動させながらも、ワーカーたちを、彼らに業務を委託するのに使われるアプリケーションプログラミングインタフェース（API）の陰に隠し続けている。

APIを使って業務を委託する

MタークのAPIにアクセスできる人は誰もが、登録したワーカーのしだいに規模を増すプールを利用することができた。今やソフトウェア開発者は、アマゾン自体の人であれ、他の企業で働いている人であれ、タスクをMタークのプラットフォームに載せるソフトウェアを書くことができるようになった。

そのおかげで、簡単にワーカーに業務を委託したり、彼らの仕事を評価したり、彼らのプロジェクトをまとめ上げたり、報酬を支払ったりすることが可能になった。しかも、そのすべてをほんの数秒でこなせるのだ。

プログラマーたちはそれまで、コンピューターが実行するコードを書いているだけだった。だが、Mタークのイノベーションによって、コンピューターだけにコードを実行させる代わりに、プログラマーのコードの一部を人間が実行できるようになった。[6] Mタークがもたらした画期的な大躍進は、一連のタスクをまとめて処理し、APIを通して人間によってそれらのタスクを完了させられるようにするというこの基本的なテクノロジーを利用して、この**プラットフォームを人々が人間の労働を「売買」できる労働市場にしたこと**だ。

今や同じソフトウェアを使って、人間の柔軟な判断力と、同じあるいは類似のタスクを繰り返し素早くこなすコンピューターの能力の両方に同時に頼ることができた。プログラマーのソフトウェアとMタークのAPIは実質的に、オンデマンドの臨時労働者の管理者として機能した。このプロセスでは、Mタークのビジネスモデルを再現する、APIとウェブベースのプラットフォームのインターフェースは、上司が提供してくれるはずと私たちの多くが思っているもの、つまり、フィードバックやスケジューリング、作業空間、報酬の支払い、私たちがきちんと仕事をし、タスクを完了させたという確認などの大半を省くようだった。

そうすることでMタークは「**雇用者**」の役割を不要にし、ただちにタスクを手伝ってもらいたいプログラマーや企業を「**リクエスター**」に変えた。

この新しい仕事の仕方がもたらす最も重大な影響は、APIがプログラマーとワーカーとの関係性を取り決めることになるというものだ。たとえば、APIは個々のリクエスターとワーカーに、「A16HE9ETNPNONN」のような、見たところランダムに文字と数字を並べた独自の識別子を割り振る。プログラマーの視点に立つと、この識別子のせいで、人間が互換性のあるものに見えてしまう。**各ワーカーがワーカーIDで表され、信条や特質や経験といった、人を人格のある個人たらしめているものがこの識別子からはいっさい剝ぎ取られているから**だ。

コンピューター科学者なら、あなたの特性がすべて「**抽象化**」されたと言うだろう。まるで、あなたの社会保障番号以外は、あなたについて何一つ知らない人に業務を委託されるようなものだ。APIに起因する抽象化のせいで、ワーカーがどんな人間かを知る必要がないかのように思えてしまう。

ギャンブラーはポーカーチップを使って勝負をしていると、本当はお金を賭けているという事実を忘れてしまいかねないのと同じで、人間をそれぞれの識別子で表すと、プログラマーは自分が人間に業務を委託していることや、自分が書いたコードが彼らの人生に影響を与えていることを忘れてしまいかねない。

チェスをプレイする自動機械という触れ込みの、一九世紀の「**機械仕掛けのトルコ人**（メカニカルターク）」を、アマゾンがやや無神経に自社のサービスの名称に採用したのは、見かけほど不可解なことではなかった。[7] アマゾンは、自社のサービスと、一七七〇年に製作されてから八〇年以上にわたってヨーロッパとアメリカを回った不思議な自動機械との間の類似性を示すつもりだったのだ。

触れ込みとは裏腹に、「機械仕掛けのトルコ人」は自動機械ではなく、小柄なチェスの名手が代々この機械の木製キャビネットの中に隠れて操作していたことが判明した。この「自動機械」が繰り出すチェスの手を裏で考えていたのは、機械ではなくこのループに組み込まれた人間だったのだ。そして、その名が示唆しているとおり、マシンが学習できることの限界を押し拡げるためには、人間の知能が必要となる。ＡＰＩは、マシンを指導してＡＩを進歩させるのには打ってつけのタスクマスターなのだ。

ゴーストワークと機械学習とＡＩの台頭

コンピューター科学者のケヴィン・Ｐ・マーフィーは、機械学習を「データ中のパターンを自動的に検出し、続いて、発見したパターンを使って将来のデータを予測できる一連の方法」と定義している。[8]

序章で紹介した、キャメルバックソファを認識するという機械学習問題を思い出してほしい。よくある機械学習のアプローチは、次のようになるだろう。

まず「トレーニングデータ」と呼ばれるものを収集する。この例の場合には、たとえば家具のカタログやソーシャルメディアの投稿からソファの画像を収集し、ジャスティンのような人間たちに、「キャメルバックソファ」か「キャメルバックソファではない」といったラベルを付けてもらう。

それから機械学習アルゴリズムがソファの新しい画像を、トレーニングデータの中にある画像と比較する。もし新しい画像がキャメルバックソファに近いように見えたら、アルゴリズムはそれをキャメルバックソファに分類する。

さて、新しい画像の照明が悪かったり、角度のせいで背もたれがはっきり写っていなかったり、人が座っていて背もたれが隠れていたりして、機械学習アルゴリズムがどう分類していいかわからなかったとしよう。その場合には、さらに人間の助けが必要となる。

ImageNet の構築

ＡＩ開発の最終的なゴールは、知能――つまり、人間ならできて当然の、物事を判断して行動する能力――を持ったコンピュータシステムを構築することだ。画像の中にどんなものがあるかを理解するのは、汎用ＡＩを目指す野心的な革命の一部にすぎない。なにしろ、一歳か二歳の子供でさえ、画像の中のリンゴや犬を認識できる。

コンピューター科学の教授でスタンフォード人間中心AI研究所の共同ディレクターであるフェイフェイ・リーと共同研究者たちは、AIをトレーニングしてソファのような特定のものを認識させるよりも、ずっと一般的な問題を解決することを望んだ。

マシンをトレーニングして画像の中の主要なものを、それが犬、人間、自動車、山、その他、何であろうと関係なく認識させたかったのだ。それを達成するためには、一人の人間が生成できるよりも多くのトレーニングデータが必要だった――はるかに多くのデータが。

リーたちは手始めにソフトウェアを書き、ワールド・ワイド・ウェブから何百万もの画像をダウンロードした。最初は学部生たちを雇って（臨時労働者を雇うことの大学版）、それぞれの画像にラベルを付けさせた。この方法を試してみると、作業が完了するまでにどれだけかかるか推定できた。およそ一九年だった。

そこで作戦を変更し、機械学習アルゴリズムを開発してみた。画像に付けるラベルを自動的に推測し、マシンの手に余る画像については人間に助けを求めるアルゴリズムだ。このアプローチも失敗に終わった。機械学習アルゴリズムは間違いが多過ぎたからだ。リーたちは他の科学者が後で再利用できるような、非常に正確で絶対的な拠り所となる、いわゆる「ゴールドスタンダード」のデータが欲しかったのだ。実際、もしこの問題がマシンで簡単に解決できるぐらいなら、そもそもこんなデータセットなど必要なかっただろう。

その後まもない二〇〇七年、リーたちはMタークを見つけ、MタークのAPIを利用すれば、画像のラベル付けタスクを自動的に人々に割り当て、支払いもしてもらえることに気づいた。いくつか異なるワークフローを試したが、結局、一六七か国の約四万九〇〇〇人のワーカーを使い、三二〇万の画像に正確にラベルを付けることができた。[9]

二年半後、ワーカーたちの集団的労働によって、高解像度画像の、ゴールドスタンダードの巨大なデータセットができ上がった。どの画像にも、そこに写っているものの非常に正確なラベルが付いていた。リーはそれを「ImageNet」と名付けた。ImageNetが創出されて以来、毎年行なわれたコンテストのおかげで、さまざまな研究チームがこのデータセットを使って、より高度な画像認識アルゴリズムを開発し、最先端の水準を押し上げた。ゴールドスタンダードのデータセットがあるので、研究者たちは自分の新しいアルゴリズムの精度を測定し、その時点での最先端水準と比較できた。その結果、研究者たちは大変な進歩を遂げたので、今では人間よりもうまく画像認識をやってのけるAIもあるほどだ![10]

二〇一〇年から二〇一七年まで開催されたImageNetのコンテストの間に、科学者たちがアルゴリズムとエンジニアリングの分野で達成した進歩によって、近年の「AI革命」に弾みがつき、さまざまな分野や問題領域にその影響が及んだ。ImageNetの質の高い大量のトレーニングデータが、この進歩には欠かせなかった。だからMタークのワーカーこそが、AI革命の陰のヒーローだ。彼らがトレーニングデータを生成し、その量を増やして質を上げてくれていなかったら、ImageNetは存在していないだろう。[11]

ImageNetの成功は、「自動化のラストマイルのパラドックス」が現実のものとなった注目するべき例だ。人間がＡＩをトレーニングしたが、ついにはＡＩがそのタスクをそっくり引き継ぐことになった。すると研究者たちは新たな問題を明らかにして、それに取り組むことができた。たとえば、ImageNetのコンテストが終わると、研究者たちは画像や動画のど・こ・にものがあるのかを突き止めることに注意を向けた。

こうした新しい問題を解決するには、さらに多くのトレーニングデータが必要で、ゴーストワークの新たな需要が生まれた。だが、ImageNetはコンピュータープログラマーや起業家がゴーストワークを活用してトレーニングデータを生成させ、より良いＡＩを開発する多くの例の一つにすぎない。[12]

ゴーストワークの範囲――マイクロタスクからマクロタスクまで

オンデマンドのゴーストワークを生み出すプラットフォームは、ゲートキーパーとしてのサービスを提供し、リクエスターに転身した雇用者が、人間の知能を少しばかり必要とする問題に挑むのを助けている。企業はもう臨時雇用労働者の紹介会社に頼らなくても、グローバルな労働市場にアクセスできた。

Mタークは、「マイクロタスク」で知られるようになった。「マイクロタスク」とは、フェイフェイ・リーのチームが創出したような、素早く終えられるものの大勢の人を必要とするタスクだ。だが近年、「マクロタスク」と呼ばれるもっと大きなプロジェクトとワーカーとのマッチングをする企業が続々と出てきた。

ニュースレターの校正をしたり、ウェブページを制作したり、モバイルアプリを開発したりする人を見つけられる、アップワークやファイバーのようなこれらのプラットフォームも、同じ求人戦略を採用している。すなわち、業務の委託、スケジュール管理、監督、報酬の支払いの、少なくとも一部をAIとAPIに行なわせ、インターネットに接続したワーカーのプールにタスクを割り当てるという戦略だ。

報酬をもらってタスクを完了させる人はみな、プラットフォームベースのゴーストワークの一種をしているわけだ。そしてその全員が今現在、既存の法的雇用分類の枠外で仕事をしている。つまり、ゴーストワークでは誰が「雇用者」で、誰が「被雇用者」に該当するかを定める法律がないのだ。そして、ワーカーが仕事を見つけに行く場であるプラットフォームの位置付けもはっきりしない。だが、プラットフォームがオンデマンドワークの事実上の求人サイトとなったことは明らかだ。この種の仕事をするのがどのようなことなのかは、APIの陰にいる人々に会ってみるまでは、把握するのがはなはだ難しい。

Mターク――マイクロタスクの代表的プラットフォーム

序章に登場したジョーンは、髪を緩く束ね、光沢のある箸のような黒い簪で留め、仕事中、目に掛からないようにしている。八一歳になる母親の世話をするために、二〇一二年にヒューストンの実家に帰って以来、食事を作り、掃除や洗濯をし、車で母親を医者に連れていく生活を続けている。そして過去三年間、収入のほとんどをアマゾンのMタークで働いて得ていた。

故郷に戻る前は、ジョーンはテクニカルライターとしてフルタイムで働いていた。テキサス州で失業保険を申請するためのマニュアルの草稿を書いたり校正をしたりするのが主な仕事だった。帰郷当初は、自分の確定拠出年金からお金を引き出して暮らしていた。母親の健康状態が悪化してくると、家でできる仕事を探した。オンデマンドワークは、自分にぴったりに思えた。そこで、古ぼけた茶色の椅子とパソコンデスク、大型モニターを狭い空き部屋に詰め込み、ホームオフィスにした。それからインターネットを検索して、オンラインでできそうな仕事を探し始めた。

ジョーンは、自分が最初にどうやってアマゾンのMタークのことを知ったのかは記憶にないが、**レディット**で教わったのではないかと思っている。レディットというのは、ゴーストワーカーが、仕事の始め方についてのヒントを出し合うオンラインコミュニティーの一つだ。コミュニケーションの修士号を持つ三九歳の白人女性であるジョーンは、ある意味で典型的なMタークワーカーだ。**Mタークで働く人のほぼ七割が学士号以上を持っている。**だがジョーンは、だいぶ違っているところもある。Mタークのワーカーは若い人が多く、七六・九パーセントが一八～三七歳であり、自分のキャリアを決める最初の仕事を最も盛んに探しているのがこの年齢層だ。

ジョーンは細かいところまで全部覚えているわけではないものの、最初にログインしたとき以来、ワーカーアカウントを設定する手順は変わっていない。彼女は次のようにしてゴーストワークを始めたのだろう。インターネットに接続し、Mタークのメインのウェブサイトに行き、登録ボタンをクリックする。新規だったので、認証可能な名前、メールアドレス、パスワードの入力を求められたはずだ。それ以降は、このサイトの登録者用画面へのアクセスが許可される。ジョーンのダッシュボード（訳註：データやレポートなどの概要を一覧にして表示した画面）には、何十ものタスクが表示される。

タスク（アマゾンは「**HIT**」と呼ぶ。「Human Intelligence Task（人間の知能を必要とする作業）」の略）は、請負の業務だ。ジョーンが一つタスクをクリックすると、そのタスクの短い内容説明と、締め切りと、報酬が表示される。ジョーンはクリックしてそのタスクを請け負い、仕上げることもできるが、新規のユーザーなので、報酬を受け取るには、自分のアカウントが認証されるまで待つ必要がある。アマゾンは、ワーカーに報酬を支払う前に、相手の住所と国籍と銀行口座情報を認証する。こうしてジョーンは、いともたやすくゴーストワーカーの仲間入りをすることができた。

ジョーンのような新しいワーカーには、Mタークのダッシュボードはなんとも雑然としているように見えるかもしれない。複数のメニュータブが目に入る。自分のアカウントの履歴を示すタブや、個々のタスクを確認するタブ、自分の「クオリフィケーション（資格・適性）」が記載されているタブで、それぞれスクロールして詳しく見ることができる。

「クオリフィケーション」というのは、必ずしもスキルのことではない。Mタークの世界では、ワーカーの年齢や性別や居住地といったことの場合がある。アマゾンに求人情報を投稿する人々は、「クオリフィケーション」を利用して、仕事を請け負うことができるワーカーの種類を制限する。

たとえば、四〇代の女性向けの製品についてフィードバックを提供してくれるフォーカスグループを広告会社が求めていたら、その仕事には年齢と性別のクオリフィケーションを加えることができる。アマゾンに追加の手数料を払って、「スモーカー」（三〇セント）や「二〇一六年の投票者」（一〇セント）のようなクオリフィケーションと報酬を載せ、そのクオリフィケーションを持っているワーカーを募集することさえできる。

ジョーンは初めてMタークのダッシュボードを見たとき、安いタスクを無理強いされているように感じたものの、思いとどまることはなかったという。「まあ、最初は割が合わなくても、しばらくやっていれば、それなりの副収入になるかもしれない、と思いました」と彼女は言う。
Ｍタークの利用者の厳密な数を知っている人は誰もいないが、たいてい二五〇〇人ほどのワーカーがこのプラットフォームでタスクを探したりこなしたりしている。[13] 労働組合や労働省といった機関はどれもこの種の情報を追跡していないので、全体的な数値も突き止めるのがやはり難しい。アマゾンは、五〇万人のＭターク登録ワーカーがいるとしている。研究者たちによると、一〇万〜二〇万人がＭタークで働くために登録しているという。[14]
Ｍタークワーカー数の推移を追う研究で最もよく知られている一流の研究者パノス・イペイロティスは、どの時点でも二〇〇〇〜五〇〇〇人のワーカーがＭタークのプラットフォームで働いていると推定している。これは、おおよそ一万〜二万五〇〇〇人のフルタイムの労働者に相当する。[15] この割合をあらゆるオンデマンドプラットフォームに当てはめると、**ゴーストワークの陰には、潜在的に何百万ものフルタイムの仕事が存在している**ことになる。これはもちろん、人々がこの仕事をフルタイムでやりたがっていると仮定したらの話だ。実際には、やがて明らかになるとおり、ワーカーのかなりの割合がオンデマンドのゴーストワークを続けるのは、フルタイムで働かなくて済むからにほかならない。
私たちは、ワーカーが世界中にどう分布しているかを知るために、Ｍタークのプラットフォームにタスクを載せてみた。ワーカーがそのタスクを請け負うと、ビングの世界地図が示され、「自分の居住地をダブルクリックし、ＨＩＴを送信してください――たったそれだけのことです」と指示される。一〇週間で世界各地の八七六三人のワーカーが、居住地を自己申告してくれた。ワーカーは、アメリカでは人口密度の高い地域にも低い地域にも広く分布していたが、インドでは南部に集中していた。これについては後で立ち戻ることにする（巻頭掲載の図1Aと1Bを参照のこと）[16]。

私たちが会ったワーカーの大半と同じで、ジョーンもタスクを探すことで一日を始める。よくやるタスクの一つが文書の分類だ。たとえば報道記事の文を一つか二つというように、文書のごく一部を読み、そのカテゴリーを定めたり、与えられた選択リストから「政治」とか「スポーツ」とかいったカテゴリーを選んだりする。最初に話を聞いたとき、ジョーンはその種のタスクをやっていた。一つデータを分類するたびに、二セントもらえた。彼女は毎週何万もの文書を分類する。

ジョーンはMタークでの最初の半年間をかけて仕事に慣れていった。やがてわかってきたのだが、それなりのお金を稼ぐには、できる仕事を手早く見つけ、その仕事を提供するリクエスターの良し悪しを判断するのがコツだった。彼女は、**Mタークでは一秒も無駄にできないことに気づいた。**インターネット接続が遅かったり、仕事を探すのに手間取ったり、予定外の中断時間が発生したりすると、その分だけ収入が減る。

ジョーンは一年目に四四〇〇ドル稼いだ。たったそれだけ、と思う人もいるかもしれないが、「四四〇〇ドルは馬鹿にならない額です。それまでの収入がゼロだったときには」と彼女は言う。二年後、彼女のMタークでの稼ぎはほぼ四倍の一万六〇〇〇ドルに達していた。Mタークのワーカーには、タスクを完了させて一時間に七ドル二五セント（訳註：アメリカの連邦法で定められた最低賃金）以上稼ぐほどスキルのある経験豊富で幸運な人が四パーセントいる。[17] 今ではジョーンはその一人だ。

全神経を集中していないと、収入で上位に入れない。とりわけ収入が多いゴーストワーカーは、何時間もダッシュボードを注視し、タスク情報の載ったページを延々とスクロールする。ジョーンは、Mタークを主な収入源にしようとしている他の大勢の人と同じで、無料ソフトウェアツールやワーカーのオンラインフォーラムを活用し、仕事をしても支払いを受けられない検索コストを減らしている。[18]

ワーカーは、実入りの良いタスクや素早く簡単にこなせるタスクが画面に現れた瞬間に受けられる態勢でいなければならない。そうしないと、他のワーカーがリンクをクリックし、先にタスクを請け負ってしまうからだ。「これには、今までやったどんなデスクワークよりも必死に取り組んできました」とジョーンは言う。彼女はスピードを上げるため、ウェブブラウザーの設定を調整して、Mタークのダッシュボードに一度に二五のタスク（HIT）が表示されるようにし、キーボードに作成したショートカットキーを使ってページを素早く切り替える。

ジョーンは絶好調のときには一時間で約一一〇〇HITをこなし、約二二ドル稼げる。こういう仕事は恐ろしく退屈だと思われがちなのを承知しているが、タスクが多種多様なため、知的刺激を感じている。特に楽しいのが編集関係の仕事で、テクニカルライターとしての経験が物をいうからだ。

「得意だし、簡単にできます」と彼女は言う。それでもつまらなく感じる仕事や、同じことの繰り返しのように思える仕事の場合は、テクノミュージックを聴いたりテレビを見たりして集中力が途切れないようにする。私たちが話を聞いたときには、車好きの人向けの「トップ・ギア」という番組を数シーズン分まとめて見ている途中だった。「人は『ネットフリックスを見ながらくつろぐ』なんて言いますけれど、私の場合は『ネットフリックスを見ながらMタークで働く』です」。

Mタークは一タスク当たり一セントという最低料金を設定しており、リクエスターはそれぞれの仕事に対してそれ以上の額を決めてワーカーに提示する。平均するとリクエスターはタスクに対して、時給換算で一一ドルの報酬を設定するが、少額しか支払わないリクエスターが最低料金の仕事を大量に市場に出すため、ワーカーが稼ぐことのできる金額が全体として下がってしまい、ワーカーは報酬が少ないタスクを掻き分けるようにして、まずまずの仕事を見つけなければならない。

「どん底へと向かう、絶え間ない競争です」とジョーンは言う。一部の推定によれば、Mタークや、それに似たクラウドフラワーのようなサイトのリクエスターの収益は、一年当たり合計で一億二〇〇〇万ドルになるという。[19] ワーカーはリクエスターが支払うお金を手にするが、アマゾンはMタークが「**リウォード**」と呼ぶもの――ワーカーの報酬であり、特別手当(チップに相当)も含む――の二割に当たる額を、このプラットフォームの運営料金としてリクエスターに請求する。アマゾンは、一〇人以上のワーカーを必要とするＨＩＴには、さらに二割を請求する。[20]

Mタークでは、従来のような雇用者と被雇用者の関係は見られない。ワーカーはおおむね匿名で、たいてい自律的に働く。つまりリクエスターは、仕事を実行する人を指定できないし、いったんワーカーがタスクを請け負ったら、それをどうやり遂げるかを指示することもできない。一方、Mタークからの収入にかかる税の処理は、ワーカーがいっさいの責任を負う。彼らは、フリーランスでコンサルティングをしている人なら誰でもお馴染みの「フォーム１０９９」という書類を独立業務請負業者として内国歳入庁に提出することになっている。だがリクエスターには、仕事を素早くやってもらえる上に従業員を正式に雇うコストを払わずに済むという利点がある。そしてワーカーにも、タスクを終えてしまえば同じ仕事をやり続けなくても済むという利点がある。

また、ワーカーは必要に応じて仕事を自分の生活に合わせることができ、勤め人の仕事にときおり見られるような長い通勤や不快な職場環境に身を委ねないで済む。さらに、必要なだけお金を稼げば、ただちに働くのをやめられる。だが、タスクを完了しても必ず支払いを受けられるとはかぎらない。Mタークのワーカーが終えて提出した仕事は、人間かアルゴリズムが審査し、合格あるいは不合格の判定を下す。不合格だと、報酬は支払われない。個々のワーカーの承認率（合格になったタスクの割合）が、このサイトでの**レピュテーションスコア**（信頼性の得点）の役割を果たす。Mタークでは多くのタスクが九五パーセントを超える承認率をワーカーに求めているので、**一度でも不合格になると、それ以後はタスクへのアクセスが限られ、お金を稼ぐ能力に深刻な打撃を受けかねない。**

ゴーストワーカーなら誰もがそうであるように、ジョーンも不安定な収入でやっていかなければならない。ある日たっぷり稼がせてくれたリクエスターが、翌日にはいなくなっていることもある。

ジョーンはMタークに登録してまもなく、そう悪くない報酬のタスクを次々に請け負うことができた。そのタスクを載せていたのは**テイスト・オブ・ザ・ワールド**で、Mタークのワーカーの間では、人気のトラベルサイトであるトリップアドバイザーが偽名を使っているのだというのがもっぱらの噂だった。

テイスト・オブ・ザ・ワールドは何十万ものタスクをMタークに載せた。重複しているホテルの記載を削除したり、ウェブサイトのリンクを確認したり、人気の高い旅行先の説明を書いたり、現地のお薦めのレストランのリストを作ったり、誤字を直したりといった仕事だ。経験豊富なワーカーなら、テイスト・オブ・ザ・ワールドの平均的なタスクをこなして時給換算で一〇ドル稼げる上、他にも恩恵を受けられた。

「ほとんど毎日仕事があったし……一度に何時間も掲載されていました」とジョーンは言う。飛びつかなくても、すぐに消えてなくなりはしなかったということだ。コンピューターの前を離れて夕食を作り、戻ってきたときにも、テイスト・オブ・ザ・ワールドのタスクは相変わらず残っていた。厖大な数のタスクがあったからだ。

ところが、突然現れたこの企業の仕事は、やはり突然消滅した。ジョーンがMタークを利用し始めてから一年もしないうちに、テイスト・オブ・ザ・ワールドはMタークフォーラムに、「当社は十分な人員を確保しました」と投稿したという。「それっきりでした」とジョーンは力なくつけ加えた。

ゴーストワークに対する支払い方法は、プラットフォームごとに少しずつ違う。アマゾンには、ATMと社内の売店を兼ねているようなところがある。Mタークの新規のワーカーは、一〇日間の据置期間が過ぎないと、完了したタスクの報酬の支払いをしてもらえない。一〇日にわたってプラットフォームでタスクを提出して、リクエスターから首尾良く合格判定を得たら、アメリカのワーカーは報酬の全額を、アマゾンのギフト券にチャージする形で受け取るか、アマゾンペイのアカウントに入金するか、選べる。報酬をアマゾンペイのアカウントから自分の銀行口座へ振り込むこともできるが、それにはアマゾンに振込手数料を払わなければならない。外国人ワーカーは、アマゾンのギフト券へのチャージでしか報酬を受け取れない。

例外はインド国民で、彼らはMタークのゴーストワークで現金を手に入れることもできる。これは、アマゾンがアメリカとインドのオフィス所在地間でしか業務や送金を許されていないからにすぎない。インドのMタークワーカーは、アマゾンのギフト券へのチャージも選べるが、同社は無秩序に拡がるインドの未整備の地区の多くには、確実な配送を行なっていない。もしインドのワーカーが報酬を自分の銀行口座に振り込んでもらいたければ、まず、生年月日を伝え、アメリカの社会保障番号に相当する納税者番号（PAN）のカードをスキャンして提出しなければならない。アマゾンがPANカードの情報を認証するのには一週間以上かかる。それが済んでも、インドのワーカーはもう一手間掛けなくてはならない。自分の銀行口座の情報を送ってアマゾンに認証してもらう必要があるのだ。この認証が済むと、インドのMタークワーカーはアマゾンに追加料金を払って、小切手を振り出してもらったり、口座に振り込んでもらったりできる。

ジョーンは、Mタークをフルタイムの仕事にするつもりだったわけではない。たまたまそうなっただけだ。今では独立業務請負業者の生活に身を落ち着けており、長期的なゴールはいくつかの収入源を併せ持って、経済的な安定を得ることだ。これは、私たちが会ったワーカーの間では共通の目標だった。実際、Mタークワーカーの七五パーセントが、他にも最低一つは収入源を持っている、と回答した。

ジョーンの場合には、Mタークで働く傍ら、羊毛を紡ぎ、手編みの製品を地元で売っている。また、テクニカルライティングの腕も磨いて、マクロタスクサイトのアップワークでもっと競争力のあるフリーランサーとして評価を得ることを目指している。さらに、オンラインのカスタマーサービス職のような、パートタイムの在宅勤務の仕事に就くことも考えているものの、母親の世話をしながらでは、どうすればいいのか、まだわからずにいる。そして、Mタークワーカーの七五パーセントと同じで、マイクロソフトのユニヴァーサル・ヒューマン・レリヴァンス・システム（UHRS）のような、他のプラットフォームでもゴーストワークをする。

もっとも、彼女の主な収入源は一年以上にわたってMタークだったというが。

ユニヴァーサル・ヒューマン・レリヴァンス・システム（UHRS）
——企業のファイアウォールの陰で行なわれるマイクロタスク・ゴーストワーク

序章に登場した四三歳のカーラは、子供たちを産む前には、電気技師として働いていた。そして、二人目の子供が生まれたときに仕事を辞めた。だが、数年間家庭にとどまっているうちに、職場で抱いていた連帯感や目的意識が懐かしくなった。仕事に戻りたい、せめてパートタイムでも、と夫に切り出したが、夫は彼女が家庭と仕事を両立させられるかどうか危ぶんだ。「無理だろうと心配だったんです」とカーラは言う。だが、彼女は譲らなかった。そしてとうとう、二人はどうにか折り合いをつけた。カーラは在宅で働くことにしたのだ。そして今では、マイクロソフトの社内用のプラットフォームであるＵＨＲＳで働いている。

他の大手テクノロジー企業数社と同様、マイクロソフトも独自のマイクロタスク・ゴーストワークプラットフォームであるＵＨＲＳを社内に持っている。Ｍタークの仕組みを手本にしたものだ。技術革新を推し進める企業は、製品のベータテストをしたりコードを確認したりするために、大勢のワーカーを必要とする。また、独占非公開（プロプライエタリー）のデータの膨大な蓄積から引き出したトレーニングデータの抱える問題を取り除いて、自社のサービスのアルゴリズムやＡＩを改善するためにも、ゴーストワーカーに頼っている。

テクノロジー企業は、人々が自社のサイトをどのように利用しているかについての情報を収集し、保管する。検索数の多い語句、ポピュラーソングの選択、マウスカーソルの動きを調べれば、製品開発がはかどる。顧客データが新時代の石油ならば、ゴーストワーカーは掘削装置を動かしているわけだ。

Ｍタークと、ＵＨＲＳのようなテクノロジー企業の社内プラットフォームとの最大の違いは、Ｍタークがプラットフォームのワークサイトを提供するだけでなく、労働力を募集したり販売したりしているのに対して、大手テクノロジー企業のプラットフォームでは、第三者、つまり非正規雇用労働者の供給事業を管理する**ベンダーマネジメントシステム（ＶＭＳ）**が、ゴーストワークの労働力を募集し、提供する点だ。

これはVMSが、**秘密保持契約の下でゴーストワークをする気のある人を見つけるブローカーの役割を果たし、不透明性のさらなる層を作り出している**ということを意味する。[21] たとえばグーグルはVMSを使って、自社の謎めいたゴーストワークプラットフォーム「EWOQ」の人員を確保した。リープフォースのような独立業務請負業者紹介会社を通して業務を委託された人々がEWOQで働き、新しいウェブページを見つけて格付けし、広告とユーザーの検索語句のリンクをうまく調整していたのだ。[22]

報道記事や、私たちが面接したり調べたりした多数のオンデマンドプラットフォームワーカーによれば、**ツイッターとフェイスブックはMタークとほぼ同じように機能する社内用ツールキットを使い、VMSが提供するワーカーを自社のプラットフォームに投入し、コンテンツをモニタリングしたり審査したりしている**という。[23] カーラはマイクロソフトのために、UHRSで同じようなタスクをしている。

カーラはUHRSでゴーストワークを始める前は、アメリカ企業のバックオフィスのファイルを処理する小さな会社に勤めていた。その会社は、アメリカの仕事を扱う多数の、いわゆる「**ビジネスプロセスアウトソーシング（BPO）**ショップ」の一つであり、ベンガルール（バンガロール）の観光客がひしめき合うカボンパークに程近い、エレクトロニック・シティ地区の中心にあった。[24] 同社の最大の契約相手が、アメリカでも最古・最大の部類に入る労働団体だったのだから、皮肉なものだといえるかもしれない。

カーラと三人の女性が、BPOショップの机四つの狭いオフィスで肩も触れ合わんばかりに座り、データ入力の重複を削除したり、誤字を直したり、その労働団体の連絡先データベースをアップデートしたりといった、こまごましたタスクをしていた。彼女は、チャタヌーガやホーボーケンといった都市の正しい綴りや郵便番号をウェブのあちこちから拾ってくるという、バーチャルな探し物レースを楽しんだ。重要な手掛かりを追い、適切な検索語を入力し、取り組んでいるタスクに関連した情報を見つけるのが好きだった。

三年前もそうした検索能力を発揮しているうちに、カーラはマイクロソフトの社内用プラットフォームのUHRSに行き着いた。まず、グラスドアという企業レビューサイトで調べ、あるVMSへのリンクを見つけた。

「そのリンクをクリックしました。すると、ここなら、自分の持っているウェブ検索やその他のコンピューターのスキルをうまく維持できそうだったんです」

カーラはUHRSで働く資格を簡単に取得できた。どのVMSにも、ゴーストワーカー志望者を審査する独自の手順があるが、結局は言語運用能力（英語で文章を書く能力がしばしば重視される）とオンラインで情報を見つける技量を問われることが多い。たとえばUHRSでは、応募者は、言語とウェブ検索スキルの短いテストに合格すると、数分のうちに専用の個人アカウントを割り振られる（UHRSでは、ワーカーアカウントは家庭用ゲーム機の

Xボックスにログインするために使われるマイクロソフトのアカウントと何の違いもない)。アカウントが有効になると、ワーカーはこのプラットフォーム専用の研修を最後まで受け、UHRSでMタークのダッシュボードに相当するものについてのいっさいを学び、プロジェクト(UHRSでは「**HitApp**」と呼ばれる)を探し始めることができる。

どのHitAppを請け負えるかは、その時点でのワーカーのIPアドレスと、VMSに登録されている国籍と言語次第だ。ワーカーは、HitAppの仕事(「**ジャッジメント**」と呼ばれる)を最低一つは完了し、適切にこなせることを示すと、残っているHitAppがマイクロソフトのマーケットプレース・エリアから、ワーカーのマイHitAppエリアに転送される。マイHitAppというのは、自分が請け負えるマイクロタスクを見ることができるホーム画面だ。カーラは自分の部屋の隅に机を置き、働きだした。

UHRSでゴーストワークのリクエストを出せるのは、マイクロソフトのフルタイムの従業員と、同社の新製品を開発するために働いている公認パートナーだけだ。それでも、マイクロソフトのフルタイム従業員は一二万を超える。その誰もがいつでもこのループの中のリクエスターになり、ゴーストエコノミーのワーカーに依頼して、自分のタスクを手伝ってもらえるということだ。

ジョーンにはMタークの仲間たちといくつか共通点があったが、それと同じで、カーラにもUHRSの同輩と似ているところがあるものの、違う点もある。UHRSでは、ワーカーの八割近くが一八〜三七歳で、七割以上が男性だ。だが、カーラ同様、ワーカーの八五パーセント超が学士号以上を持っている。

Mタークの場合とよく似て、誰が登録してUHRSでお金をもらって働くことができるかを定めている明確な労働法はない。マイクロソフトのような多国籍企業のためのゴーストワークはみな、必然的にグローバルな事業になる。世界中のUHRSワーカーが請け負えるマイクロタスクがあるのは、マイクロソフトが二〇を超える国で七〇の言語で提供するさまざまな製品やサービスをサポートするという、差し迫ったニーズを抱えているからだ。

UHRSでワーカーが請け負うことのできるマイクロタスクの種類は、マイクロソフトが販売している製品を考えれば驚くまでもない。ワーカーは音質を評価し、音声録音を審査する。書かれた文書を点検し、アダルトコンテンツが混じっていないか確かめる。翻訳もよくあるタスクだ。音声認識と機械翻訳でマイクロソフトが強いのは、アルゴリズムをトレーニングするための正確なデータセットを生成するゴーストワーカーのおかげだ。彼らは、ある言語（たいていは英語）の一文の短い録音を聴いては、母語に翻訳してエクセルのファイルに入力し、データセットを作る。

UHRSでありふれている種類の仕事には他に、市場調査（年齢、性別、居住地といった制限がついている場合が多い）と、「**センチメント（感情）分析**」と呼ばれるタスクがある。センチメント分析では、ワーカーは、一連の単語や自撮り画像、動画、音声ファイルを見たり聴いたりし、それぞれのデータに、その単語や人、行動、音声の雰囲気について抱いた感じを表す言葉を加える。こうした人間の解釈が、後に同じ情報をアルゴリズムに提示するときのトレーニングデータになる。

自宅で働いているカーラは、分類タスクをするとき、頻繁に息子たちの助けを借りる。アメリカの口語の知識が必要なタスクでは、特にそうすることが多い。息子たちは、カーラがよくあるウェブサイトを見つけるための最善の語句を分類したり選び出したりするのを手伝う（たとえば、高価な結婚祝いを見つけたい人なら、「上質の陶磁器」や「豪華な食器」といった語句を入力するだろうか?）。子供たちは、カーラが「アダルトコンテンツ」を見つけるタスクを請け負ったときにも手助けする。これもありがちな仕事で、情報学研究者のサラ・T・ロバーツはそれを、**「商用コンテンツモデレーション」**と呼んでいる。[25]

この種のコンテンツモデレーションをするには、カーラのような人にループに加わってもらう必要がある。それは、語句の意味は明白に思えるかもしれないものの、誰が読んだり書いたりしているか次第で、捉え方はさまざまだからにほかならない。AIはカーラと息子たちとの間のもののような、人間のやりとりを学習して手本にできるが、新しいスラングや語句の意外な用法に対応するためには、たえずアップデートしてやらなければならない。

VMSに対処するときの問題点の一つは、ワーカーが質問があるときや何かがうまくいかなかったときに、VMSが提供できる技術サポートが限られていることだ。タスクに関して疑問が出てきたり問題が起こったりしたときにワーカーにできるのは、マイHitAppエリアにある「このHitAppに関する技術的問題を報告する」というリンクをクリックすることぐらいのもので、オンラインでサービスに対する苦情を入力した人なら誰にもお馴染みのテキストボックスに問題を入力し、誰かがその問い合わせに返事をして助けてくれるのを待つしかない。

カーラは、他のUHRSワーカーがオンラインフォーラムで語っているのと同じことを口にした。マイHitAppエリアは、いつダウンするかわからず、何の説明もないまま、ワーカーは自分のタスクから締め出されかねない、というのだ。VMSはプラットフォームそのものを作動させているわけではないから、不具合を直すことも、何が起こっているのかを説明することもできない。そして、こういう事態が発生したときには、UHRSのエンジニアはきまってワークプラットフォームの復旧作業に追われ、ゴーストワーカーからの問い合わせに答える暇がない。エンジニアたちはワーカーの苦境に同情していたとしても、それに対応するのは契約上、彼らの仕事ではない。ワーカーを困らせている問題への対処をめぐっては、VMSと、VMSのゴーストワーカーを使っているテクノロジー企業との間で大々的な責任の押し付け合戦が繰り広げられている。

同様に、ワーカーが終えて提出したタスクの質について言い争いになっても、VMS側が仲裁することはない。**ほとんどのゴーストワーク契約は、揉め事の解決責任をすべてワーカ**

ーに負わせるように書かれている。VMSはたいてい、ワーカーにオンラインフォーラムを提供するが、ワーカーは秘密保持契約によって囲い込まれている。たとえば、EWOQを通してグーグルのタスクに登録しているワーカーは、UHRSを通してマイクロソフトのタスクを請け負っているワーカーと会ったり話したりすることができない。だがワーカーは、UHRSに特有の疑問や問題があれば、ゴーストワークをしながらUHRSでの仕事について活発に語り合っている人々に頼ることができる。

最後にもう一点挙げておくが、UHRSの新規ワーカーは、最初の報酬を受け取るまで三週間待たなければならない。テクノロジー企業はたいていVMSにお金を支払い、VMSがワーカーに支払う。UHRSもMタークと同じで、ワーカーがサイトに登録してからの最初の数週間を使って、彼らのアカウント情報を認証したり、仕事の出来を確かめたり、彼らのVMSユーザーアカウントへの送金手順を整えたりする。この期間が過ぎ、最初の支払いが行なわれた後は、ワーカーは二週に一度報酬を受け取る。

カーラの義父母らは、彼女が一家のコンピューターで時間を使い過ぎていると不満に思っている。もっといっしょに時間を過ごしてもらいたがっているのだ、と彼女は言う。だが彼女は、自分の思いどおりに振る舞い、自由に使えるお金も稼げるのが嬉しい。カーラにとって、UHRSでの仕事の大半は、たえず新しいことを学ぶ機会だ。また、IT部門とのつながりを保ち、一つの仕事を維持する手段にもなる。UHRSで働いていると、オンラインで情報を見つけるための最新のソフトウェアと手法を知っているという自信がつく。

さらに、UHRSで働いていれば、カーラはそこでの仕事を履歴書に書き込むことができる。そうしないと空白期間が生じて、まったく就労していなかったことになってしまう。

「私の年齢の女性には、職場に復帰したり新しい仕事に就いたりするのは難しいです。赤ん坊を追い回すことしか知らないとか、とても知識が追いついていかないとか、誰からも思われていますから」

そして、夫も彼女の仕事の価値を認めるようになり、あれこれ方法を見つけて支えてくれている。二人揃って夜に家にいるときには、夫がお茶と軽食を持ってきてくれる、と彼女は笑顔で語る。

「私が働いているのを見て、私が彼にするように、ちょっとした心遣いを見せてくれるのがとても嬉しいです」

BPOのかつてのオフィス仲間は誰もカーラに続いてゴーストワークを始めなかったが、それでも彼女は検索スキルを向上させる方法についてはみんなと言葉を交わす。週に一度、街に出掛けて彼女たちと会い、役に立つ情報を交換する。本人の言葉を借りれば、自分が「**実社会の一部**」であると感じられるからだ。

Mタークとの事例は、マイクロタスクが人間の柔軟な判断力に依然としてどれほど頼っているかを明らかにしてくれる。だが、仕事の分割に向けたこのアプローチは、もっと大きなプロジェクトにも使える。これから紹介する二社の事例からわかるように、ループの中のどこにいつ人間を配置するべきかを見極めれば、ビジネスチャンスの拡大につながる。これらの企業によって、マイクロタスクとマクロタスクの境界線が曖昧になっている。その結果、ぎょっとするような問いが浮上する。

ゴーストワークに転換できない仕事などあるのだろうか?

リードジーニアス――マイクロゴーストワークとマクロゴーストワークの境を曖昧にする

二六歳のザッファーは生まれてこの方、面積約二六〇平方キロメートルのハイデラバードにある、「オールドシティ(旧市街)」の中心部で過ごしてきた。

オールドシティは、ムシ川の土手沿いに五〇〇年前に造られ、かつて城壁に囲まれていた一画で、インド全土でもとりわけ大きく古いイスラム教徒の居住地だ。ザッファーの父親は、ハイテクシティの縁に巡らせた高速道路の工事現場で働いた。ハイテクシティは人口密度が高いIT経済特区で、アウトソーシングされてインドに押し寄せてくる仕事の洪水に対応するために一九九〇年代に建設された。

最初のITブームでは仕事の機会はたいてい、ハイデラバードの多数派であるヒンドゥー教徒の上層カーストに流れたので、ザッファーの親類の多くは、他の大勢の男性インド人イスラム教徒と共に、ペルシア湾岸のアラブ首長国連邦に出稼ぎに行き、運転手や料理人、ビーチに建ち並ぶ店の販売員など、少しでも賃金の良い仕事を探した。

だがザッファーの父親は、二人の息子にはそれとは違った人生を送ってもらいたかった。だから、息子たちに大学の学位を取らせ、ホワイトカラーの仕事に就かせようとした。ザッファーの兄は金融を学び、ハイデラバードの富裕層が住む郊外の銀行で窓口係として働いている。ザッファーはITを学び、地元の専門学校で学士に相当する工学の学位を取得した。

ハイデラバードのテクノロジー企業の仕事は、流暢（りゅうちょう）な英語を話せる人、それも特に、イギリス英語やアメリカ英語のイントネーションで話せる人のところに行く。そのため、ザッファーのように、英語を話すスキルを磨く機会がほとんどなく、限られた工学教育しか受けていない若い男性イスラム教徒は、不利な立場にある。

ザッファーは一年ほどかけて、ハイデラバードの大手テクノロジー企業のいくつかで、コールセンターや技術サポートの働き口に応募したが、いつも二次面接止まりだった。だから、オンデマンドプラットフォームのリードジーニアスについての記事を目にしたときに、さっそく応募した。

リードジーニアスはセールスパーソンにセールスリード（見込み客）の情報を売る企業間サービスだ。その手の情報を売る企業は他にもあるが、リードジーニアスが非凡なのは、同社のワーカーの柔軟な判断力と解釈のおかげだ。

こんなふうに考えるといい。基本的なウェブ検索をすれば、新しい見込み客の連絡先情報が得られるが、その情報が役に立つかどうかはＡＩには判断できない。そこで人間の登場となる。人間はどれであれ二つの企業についての情報（たとえば、創業してから何年になるかや、他の場所にも店舗があるかや、一方のオーナーが訴訟の最中か、など）を見て、どちらのほうがセールスのターゲットとして優っていそうかをセールスパーソンが判断するのを助けることができる。

リードジーニアスは、オンデマンドワークではめったにないような形で見守られたり大切にされたりしていると感じる労働力を育てることで、**マイクロタスク**（反復的で、あまり頭を使わない小さな仕事）の壁を破って**マクロタスク**（思慮深い調査が必要な仕事）にまで手を広げられた[26]。

ザッファーはリードジーニアスに登録した。やり方は、他のゴーストワークのサイトへの登録とほとんど同じだった。新規だったので、「申し込み」というボタンをクリックし、「応募者アカウント」を作る。タイピングと校正の簡単なテストを受け、年齢、性別、居住地などに関する質問にいくつか答える。履歴書を提出する。リードジーニアスは、家族のために働くといった非公式な労働経験も認められることを、応募者に知らせるようにしている。新規登録者の多くが、公式の労働がない場所に住んでいることを認める、ささやかな気遣いだ。

次の段階で、リードジーニアスと他のオンデマンドプラットフォームの採用慣行の違いが明らかになる。すでに職階が上がっているワーカーによる厳しい面接が行なわれるのだ。このプロセスは、終了まで最長で三週間かかる。応募者は、この面接と、さらにいくつかの試験に合格して初めて、仕事の勧誘をしてもらえる。

応募者は、それを受け入れると、動画オリエンテーションに参加し、その後にテストを受ける。これにも報酬が出る。報酬を支払ってワーカーをオリエンテーションに参加させる点でも、リードジーニアスは他の販売業者や公開のゴーストワークプラットフォームと一線を画している。新規採用者は全員、九〇日間の試用期間から始めるが、この最初の九〇日を無事乗り切り、少なくとも毎週二〇時間、ログインしてチームとつながりを保つという条件を満たし続け、自分のシフトの時間を守れば、一時間当たりの報酬が自動的に八パーセント上がる。

ワーカーは、二〇時間という勤務時間を確保できる代わりに、自前でコンピューターとインターネット接続を用意し、マイクロソフトのワードやエクセル、グーグルドキュメントといったオフィスソフトウェアで作業をしたり、スカイプのような、インスタントメッセージやボイスチャットのソフトウェアを使いこなしたりできるようにしなくてはならない。

ザッファーは、自分で買ったノートパソコンを使って仕事をしている。ホームオフィスとして使っている玄関脇のスペースに置いたデスクトップコンピューターの前に座りづめになるよりも、仕事のシフトに中断を入れながら、家のあちこちに移るほうが気楽だからだ。

リードジーニアスで働いている人の八五パーセントは、ザッファーと同じで一八〜三七歳の年齢層に入っている。[27]「**リサーチャー**」と呼ばれるリードジーニアスのゴーストワーカーの七割強は、最低でも学士号を持っている。全世界では、このプラットフォームのワーカーの四九パーセントを女性が占めるが、私たちが調べたインドのワーカーの間では、女性よりも男性のほうが一割多かった。

ワーカーのほぼ七五パーセントが、リードジーニアスの他に、少なくとも一つのプラットフォームを使ってオンデマンドワークをしている。ザッファーはリードジーニアスに応募したとき、まだMタークでフルタイムで働いていたが、一日二〇ドルという自分の目標を一か月以上も達成できずにいた。リードジーニアスによれば、リサーチャーの三人に一人が三人以上から成る世帯を支えているという。そして、私たちの調査からは、リードジーニアスのワーカーの六割以上が、基本的ニーズを満たすために、このプラットフォームに加えて他に少なくとも一つの収入源に頼っていることがわかった。

リードジーニアスは世界中でワーカーを抱えている。同社の最大規模のリサーチチームは、インドとフィリピンにいる。報酬は、リードジーニアスが業務を委託されて見つけるセールスリードのビジネス市場次第だ。つまり、UHRSの場合と同じで、ワーカーの報酬は二つの要因の組み合わせで決まる。

その要因とは、「**労働力のアービトラージ**」と呼ばれるもの（世界中のグローバルな取引につながっているが、賃金が低い国に暮らしている労働者から、質の面で遜色（そんしょく）のない労働を企業がどれだけ安価に得られるか）と、それに劣らず重要なのだが、企業の製品やサービスを「**ローカライズ**」する価値だ。自社の製品やサービスをグローバル市場に出そうとする企業は増える一方であり、世界各地で現地の言語や慣用句や独特の行動習慣に通じたワーカーに対する需要が生まれている。[28]

リードジーニアスは、自社のリサーチチームを従来の職場と同じように序列化している。トレーナー、ジュニアマネジャー、プロジェクトマネジャーといった、段階的に責任レベルが上がる職階があり、キャリアアップのための全社的な道筋が定められている。上のレベルのワーカーは、チームを編成しては、個々の顧客の要望に応える。それは多くの場合、ウェブ検索してセールスリード情報を集め、選り分け、磨きをかける作業の繰り返しのようなものだ。

チームは、メンバー全員が同じ標準時間帯にいて、たいていは同じ国の中で働くように組織されている。プロジェクトマネジャーも同じ時間帯に住んでいるので、質問に答えることができる。ワーカーは、毎週二〇〜四〇時間を費やすことができなくてはならない。いったんプロジェクトチームに入ると、緊急事態が発生しないかぎり、少なくとも三〇日はそのチームにとどまることを求められる。ワーカーは、プロジェクトマネジャーの評価を受ける。常識的な範囲でだが、失敗から学ぶ余地が与えられている。仕事の仕上がりが不完全だったり不適切だったりすると、「**ストライク**」という判定を受ける。三か月間に三回ストライクの判定を受けると、プラットフォームから外される。

ワーカーにはほとんどのプロジェクトのためのダッシュボードがあり、そこにはあらかじめセールスリードの依頼が読み込まれている。MタークやUHRSの場合と同じだ。リードジーニアスの企業顧客は、プライバシーとデータのセキュリティーのために、ワーカーに自社内のウェブサイトに入ってもらうことがある。ダッシュボードは、プロジェクトに直結しているワーカーとマネジャーと顧客との間の、あらゆるコミュニケーションのハブでもある。ワーカーは、疑問が生じたときにはマネジャーに助けを求めることができるし、背景にライブチャットのソフトウェアを作動させておいて、実店舗で働いているときとちょうど同じように、言葉を交わすことができる。ザッファーは何時間も、どのセールスリードをチームに送るかについて、難しい判断を素早く下し続ける。

リードジーニアスは企業間取引の企業なので、日々の業務は想像しづらいかもしれないから、一例を挙げよう。

アメリカには、リードジーニアスなどのプラットフォームにお金を払い、公開されている情報に含まれる氏名を集めてもらう法律事務所がある。ザッファーのようなワーカーが、たとえばマサチューセッツ州ケンブリッジという都市を受け持ち、インターネットに接続して、地元紙を調べ、法律に違反した人についての記事を探す。飲酒運転で逮捕されたり、離婚相手への扶養料の支払いを怠ったりした人が載っているかもしれない。本人が仕事を探しているときに、採用を考えている人がインターネットで調べると、そうした忌まわしい詳細が目に留まる可能性がある。

リードジーニアスのワーカーたちは、法律に違反したとして名前が公になっている人々を網羅するリストをまとめ、それを弁護士に渡す。すると弁護士は、リストに載っている人々に電話をし、料金を払えばインターネット検索から不都合な情報へのリンクを削除すると持ち掛ける。あるワーカーによれば、この種のセールスリード情報を生成する仕事は尽きることがないという。なぜなら「人は、後で隠したくなる罪を必ず犯すものだからです」。

これは、インターネットと共に出現した、悪徳弁護士の新しい手口といえるかもしれない。この種の情報生成は、コンピューターには単独ではこなせない「スマート」な検索テクニックを必要とする。

ワーカーの一日は、申告してあった作業可能時間が過ぎると終わる（その時間のことを、リードジーニアスは「シフト」と呼ぶ）。そして、私たちが調べた他のワーカーの間で見られたように、リードジーニアスのチームメンバーたちも、シフトを終えると、地元に住む同僚たちと集まる。

リードジーニアスは隔週火曜日、カリフォルニア時間で正午までに（このスタートアップの本社はカリフォルニア州にある）、デジタル決済サービスのペイパルやペイオニア、さらにはビットコインまで使ってワーカーに報酬を支払う。だが、MタークやUHRSの場合と同じで、ワーカーは支払いを受けるためには銀行口座振込をしてもらわなければならないので、リードジーニアスを信用して個人情報を伝え、自分の銀行口座を登録して、直接会うことも言葉を交わすこともけっしてないであろうような人々が運営している、地球の裏側にある企業の本社から、きちんと国際送金を受け取れることを願うしかない。

ザッファーはリードジーニアスで働きながら十分お金を貯め、結婚式を挙げて一か月近く休暇を取ることができた。また、母親が三輪タクシーの事故で負傷したときには、回復するまで三週間以上仕事を休んで介護することができ、その後また、すぐにリードジーニアスに戻った。同社は彼に、復帰したければ働き口を用意することを保証してくれていたのだ。

ザッファーは結婚する直前、リードジーニアスにジュニアマネジャーの地位を提示されたが辞退した。その地位に就くと夜のシフトや三〇時間の勤務が求められるので、そういう状態で新婚生活を始めるのを婚約者が望まなかったからだ。

アマラ――翻訳をゴーストワークにする

三七歳のカレンは、比較文学の学士号を持っている。夫、三歳の息子、一〇か月の娘と、オレゴン州ポートランドに住んでいる。

動画に字幕を付けるウェブベースのインターフェースの**アマラ**は、カレンにとって最初のオンラインの仕事ではなかった。以前、VMSのライオンブリッジを通して仕事を引き受け、

(彼女の推測では)グーグルのために、検索エンジンの評価をしていた。オンデマンドのバーチャルアシスタントサービスのファンシーハンズの仕事もした。それは、航空券の手配から家具の購入まで、助けを必要とする人から寄せられる、ライブのウェブチャットのリクエストやテキストベースのリクエストを何でもさばく仕事だった。だが、どちらの仕事も、たえずタスクを探す必要があったので、長続きしなかった。

カレンは、二人目の子供が生まれると、もっと創造的な仕事を探し始めた。そして、eハウやリブストロング・ドットコムのような顧客を持つメディア企業(彼女は「コンテンツファーム(訳註:質の低いコンテンツを大量に生成して配信する企業)」と呼んでいた)でハウツーものの記事の執筆と編集をやりだした。だが、そのメディア企業には「クビにされた」という。彼女の仕事に「基準未満」という評価をつけたのに、次の仕事では何をどう改めるべきかというフィードバックをくれなかった管理者たちと、張り詰めた電子メールのやりとりをした後のことだった。厳密にいえば、フリーランスのワーカーが「クビにされる」ことはありえないが、カレンの言うように、「法的な地位がどうであれ、クビにされたという感じでした」。それからクレイグスリストで他の編集関係の仕事を探していて、アマラの広告に出合った。

アマラは翻訳と動画の字幕制作のサービスで、ゴーストワークのメカニズムと、スライシング(分割)と翻訳された動画コンテンツの再編を自動的に管理する機能とを組み合わせている。アマラは、反復的なマイクロタスクと、ワーカーに創造的な解釈をプロジェクトにもたらしてもらう、もっと規模の大きいマクロタスクとの境界を曖昧にする。アマラを通して受けられる仕事は、有給の仕事と、報酬目当てではない、他人のためのボランティア活動との間に社会の大多数の人が引く明快な線にも疑問を投げ掛ける。

アマラの構想は二〇〇六年まで遡る。当時、参加型文化財団（PCF）という非営利の組織でいっしょに働いていたニコラス・レヴィル、ティフィニー・チェン、ホームズ・ウィルソン、ディーン・ジャンセンという友人どうしの思いつきだった。[29] 四人は、コンテンツを管理するゲートキーパーや広告主抜きで、人々がもっと手軽に動画や創造的な作品をインターネット上で共有するのに役立つツールを作るために、少額の助成金をもらった。

その頃、オンラインで動画を配信しようとしたら、リアルプレーヤーとウインドウズ・メディアプレーヤーしか選択肢がなかった。PCFは以前のソフトウェアツールを土台にして作り上げたアマラを、二〇一一年に公開した。アマラはウェブベースのプラットフォームであり、人々が自分の画面で再生されている動画の会話や場面に、協同して言語の翻訳を加えるのを助ける。

PCFがインターネット上でアマラを公開してからまもない二〇一一年春、活動家たちがアマラを使って、人権危機を記録した動画を翻訳した。特に注目されたのが、「アラブの春」と福島第一原子力発電所の原子炉メルトダウンのときだった。これでアマラは一躍脚光を浴びた。

映画製作会社や、ＴＥＤの講演を制作している非営利団体のテクノロジー・エンターテインメント・デザインが、世界中の視聴者のために動画に字幕をつけたいメディアクリエイターやＴＥＤ講演のプレゼンターに「迅速な字幕制作」を提供する方法を探して、ＰＣＦに話を持ち掛けた。[30] 二〇一三年半ばには、ＰＣＦのエグゼクティブディレクターのニコラス・レヴィルと経験豊富なテクノロジーストラテジストのアレリ・アルカラは、このニッチを埋めるためにアマラ・オンデマンド（ＡＯＤ）を共同で創立した。

アマラは、ゴーストワークの成長に折り込まれている二つの現実を体現している。第一に、ゴーストワークが存在し、持続していることを見ただけでわかるのだが、アマラは、柔軟な判断力を必要とするワークフローから人間を完全に放逐するのはかつてないほど易しいという主張が誤りであることを示している。第二に、ソフトウェアよりもむしろ人間のほうが、ゴーストワークを支える貴重な構成要素であることをはっきり認めたいという願望を、一部の企業が抱き始めている事実を裏付けている。

カレンはボランティアとしてアマラで働き始め、耳の不自由な人々のために、ユーチューブの動画や短いドキュメンタリーや大学の講義の字幕を作成した。彼女がこのようなマクロタスクを気に入ったのは、私たちがアマラの他のワーカーたちに聞いたのと同じ理由からだった。彼女は自宅で子育てをするのが楽しかったものの、同僚たちと大人どうしの交流をする機会を見つけたくてしかたなかった。アマラ・オンデマンドで働くようになると、仕事はすでに馴染み深いものだったが、今度は報酬ももらえた。

アマラでの時間当たりの報酬は、対象となる言語への需要次第で変わる。より多くの人が使う言語、特に、裕福な国向けの言語の字幕制作をしたり、そうした言語へ翻訳したりすると、報酬が増える。だから、たとえばカレンが見たり聞いたりした内容を英語の文章にして動画に字幕を付ければ、アマラは動画一時間当たりおよそ六八ドル支払える。カレンは初めて動画に字幕を付けようとしたとき、たった一分のコンテンツを終わらせるのに一時間かかった。だが、数をこなすうちにスピードが上がり、字幕の言葉がもっとすらすらと頭に浮かぶようになり、報酬が平均に達した。

英語のコンテンツの字幕制作をしているアマラのワーカーは、動画一分当たり約一ドル稼ぐ。今ではカレンは一度に一五分ほどの動画に取り組むが、それで一時間当たり一五ドル強になり、それは地元のスターバックスでコーヒーを淹れて稼げる額のほぼ二倍に相当する。しかも、フルタイムの仕事に就かなくても、時間当たりでそれだけの報酬が得られる。だが、カレンによれば、いちばん良いのはチームワークだそうだ。

カレンはオンラインの仕事に手を染め始めた頃は、単独で働いていた。だが今では、チームで協同して動画の字幕制作プロジェクトに取り組んでいる。アマラ・オンデマンドは一本の動画を担当するチームを小さなグループに分ける。グループの大きさは、翻訳プロジェクトの言語と規模次第だ。最近カレンが請け負ったもののような、国際映画祭に出品される長篇映画なら、アマラは数人のチームリーダーを割り当て、ジョブリクエストの送信と、チームの編成と、プロジェクトの監督をさせる。

準備ができると、メンバー全員がチームで働くように正式な招待を受ける。関心のあるメンバーは、動画の仕事に参加できる日時を知らせる。チームメンバーは、招待を受け入れると、チームにあてがわれている動画から好きなものを選び、他のメンバーとクリップやメモを共有できる。アマラのオンデマンドチームは、おおむね対等の立場で働き、字幕の草案を作成したり、他のメンバーが作成した訳を編集したりする。

アマラで働いている人の七五パーセント近くが一八〜三七歳の年齢層に入る。六割以上が女性だ（私たちが調べた他のすべてのプラットフォームとは男女比が逆だった）[31]。七八パーセント超が学士号以上を持っている（そして、四割超が修士号以上を取得している）。八割が、このプラットフォームに加えて少なくとも他の一つの収入源に頼って自分のニーズを満たしている。また、七割弱にとって、アマラはオンデマンドワークにアクセスするために使う唯一のゴーストワークプラットフォームだ。

アマラは依然として、チームのコミュニケーションの大半を電子メールかライブチャットのチャンネルを介して行なっている。チームメンバーは自分のプロフィールを作成して、いっしょにプロジェクトに取り組んでいる人々に、名前や写真や略歴を示すことができる。チームメンバー間の全体的な調子は友好的で、親しげなメールを送り合う人々さえいる、とカレンは言う。それまでオンデマンドで働いてきた彼女の経験とは、あらゆる点で雰囲気がまるで違う。

だが、アマラ・オンデマンドで働くのと、他のプラットフォームで働くのとには、他にも大きな違いがある。チームメンバーがあるタスク（動画）に取り掛かり、それがあまりにもきついこと、あるいは、自分には興味が持てないことに気づいたら、アマラはそのタスクを簡単に辞退できるようにしている。カレンも、あるタスクを引き受けた後で断ったことが一度だけあるという。それは、サミュエル・ベケットの戯曲の録画だった。

「アマラはその字幕を必要としていました。でも、その仕事は、難しいったらありませんでした。登場人物はみなとても早口で、会話はそれこそ『ベラベラベラベラ』という感じで。誰かが字幕を付けなければならなかったんでしょうけれど、それって、もう、とうてい想像できません」

カレンは、どうやってその字幕を制作しようかと頭を悩ませた時間の分だけ、報酬をもらえた——どうしたものかと、食い入るように動画を視聴していた、かっきり五分間の報酬を。このように、簡単にプロジェクトを引き受けたり辞退したりできる体制になっているので、そうでなければ気後れしてしまいそうなトピックも、チームメンバーは試しやすい。

アマラは、ワーカーにとって使い勝手が良いだけではなく使うのが面白いソフトウェアを、労を惜しまず作った。なにしろ、最初はボランティアに気に入ってもらう必要があったからだ。アマラ・オンデマンドのチームメンバーは、動画の字幕制作や翻訳に必要なソフトウェアはすべて与えられる。ジャンセンとウィルソンは、人気のあるダンスビデオゲーム「ダンスダンスレボリューション」を手本にして、動画に字幕を付けたり、大きくカラフルなボタンや単純なインターフェースといった機能を加えたりした。

　このソフトウェアは、タブキーを使って動画のコンテンツを閲覧しやすいようにできている。チームメンバーは動画のクリップを見ながら、画面のテキストウィンドウに会話の翻訳や動作の説明を入力する。それから字幕をクリックしてアマラ・エディターにドラッグし、字幕をその動画のセグメントに添付する。メンバーは、必要なだけ何度でも動画を止めたり再生したりできる。「基本的に二つのキーを使って再生したり止めたりしながら、字幕を動画に同期させるだけです。とても優れたプログラムです」。コンピューターゲームをするのと同じぐらい易しいといえる。

　言語を自動的に認識して翻訳するのは、ある意味で簡単に見える。人々は、シリやコルタナやアレクサのようなツールが日常的に発揮している機能に慣れているからだ。

　人間の発する音声の認識と翻訳の自動化は、ＡＩの根本的な部分であり、「自然言語処理」と呼ばれる分野に発展した。自然言語処理は、人々がさまざまな言語で書いたり話したりする例をインターネットが大量に蓄積する能力によって大いに助けられた。それでも、動画の会話を理解するのは、今なおコンピュータープログラムには難しいタスクであり、俳優の言葉の雰囲気や意味が変わってくるアクションシーンではなおさらそうなので、コンピュータが別の言語に翻訳することなど望むべくもない。もっとも、コンピューターに対して公平を期するためにいっておくが、人間もチームで取り組まなければこれを達成できない。

非営利のアマラは、ウーバーのような企業や、その後に続き、自らの市場の「ウーバー化」の一環として自社を売り込んできた一群のスタートアップに対する、抑えの利かないベンチャーキャピタルの熱狂を尻目に、独自の道を歩んでいる。

リードジーニアスとアマラは、マッチングのためのソフトウェアを売るだけではないことを認めるのを厭(いと)わないビジネスモデルを、揃って体現している。両者は、人々の柔軟な判断力に頼ることを旨としている。また、ゴーストワークを活用して、画像にラベルを付けるよりもはるかに大きなタスクをやり遂げる。そうしたマクロタスクには、少なくとも今はまだ、自動化の手が及ばない。

仕事をアップロードする――フルタイムの従業員がマクロタスクを管理するとき

ワーカーと別の企業のタスクのマッチングをするに当たっての、リードジーニアスとアマラのビジネス慣行を見ると、ここでループに組み込まれている他の人々にどうしても注意が行く。彼らもやはり、人目につかない。彼らはリクエスター（小企業の個人事業主、あるいは、それよりも大きな企業のフルタイムの従業員）であり、ゴーストワークプラットフォームで働き手を見つけて業務を委託することによって、自分自身の仕事量を管理する。彼らもまた、ゴーストワークのループに搦め捕られた人々の一集団であり、締め切りの厳しいプロジェクトや新しいプロジェクトを片付けようとしているのだ。

　アップワークやしだいに数を増すその競争相手たちのような営利のプラットフォームは、ゴーストワークの管理にハイブリッドのアプローチを取る。Mタークと同じで、APIアクセスを許し、業務の委託や評価、報酬の支払いの自動化を可能にしている。だが、個人や企業がタスクをサイトに手作業で載せることや、タスクを請け負うワーカーたちともっと接しながら、極度に細分化されたマイクロタスクというよりも、いくつか先のキュービクル（仕切られた作業スペース）で行なわれていてもおかしくないような雑務をこなすことも許す。

　こうしたサイトによく載るタスクには、グラフィックデザインや動画制作、コンテンツ作成などがあるが、ウェブサイト制作やソフトウェアエンジニアリングのような、もっとエンジニアリング重視のタスクもあり、一時間当たり一〇〇ドル以上の報酬を払うものも含まれている。より大きく複雑なタスクには、より多くのやりとりが必要なので、アップワークはリクエスターに、リアルタイムでワーカーとチャットをしたり、彼らに電子メールを送ったりすることを許す。これは、より複雑なタスクには有用だ。とはいうものの、このプラットフォームはワーカーとリクエスターの間のやりとりを、依然として仲介している。そうすることで、両者を隔ててもいる。そのせいで、リクエスターの目に映るワーカーは人間性を奪われてしまいうる。まるでワーカーは、プラットフォームのソフトウェアの一部にすぎないかのように。アップワークのようなプラットフォームは、今や、自動化されたプロセスや半自動化されたプロセスが、単純なものから複雑なものまで、あらゆる仕事を割り当て、管理していることを示している。

アップワークのようなサイトでワーカーに業務を委託している人々に会ってみると、彼ら自身はフルタイムの従業員であることがわかったのは、皮肉な話かもしれない。

彼らはゴーストワークプラットフォームに頼って、さまざまなマクロタスクを下請けに出していた。たいていは、四つの理由からしかたなくそうしていた。職場で人手不足や仕事量の過剰を一度でも感じたことのある人なら、どれもお馴染みの理由だ。

第一に、フルタイムの従業員は、プロジェクトに必要な専門の技術や知識が自社内にないので、クレイグスリストやモンスター・ドットコムといった求人サイトに臨時の仕事を載せるのと同じような感覚で、オンデマンドプラットフォームを使っていた。そうした技術や知識は、コピーを書くことから、エンジンの振動を解析することまで、ありとあらゆる領域にわたった。

あるエンジニアリング企業のシニアマネジャーは次のように説明してくれた。彼はたいてい、詳細なエンジニアリングデザインをしてもらうために、オンデマンドワーカーに業務を委託する。「大型の誘導電動機の振動専門家を探していました。これは、デザインだけではなくエンジニアリングも専門にする人を探していたときのことです」。

主にコンテンツザインと執筆とアニメーションにオンデマンドワーカーを使う、あるオンライン教育企業のマーケティングマネジャーは、こう言っている。「社内でうまくいかないときには、フリーランサーを見つけてやってもらいます。けれど、社内にまったくスキルがなくて、フリーランサーに業務を委託するしかない場合もあります」。

第二に、従来の人材紹介会社を通すよりも、オンデマンドワーカーに業務を委託するほうが、ずっと速いし、費用も間接費も少なくて済む。これは、利益を最大化し、最終利益を増やそうとしている企業にとって、最も魅力的な特徴だ。

あるマーケティング企業のコミュニケーションスペシャリストは、オンデマンドワーカーに業務を委託したときに節約になることを具体的に指摘し、金額を推定した。「フリーランサーに委託する最大の利点は、最低限のコストできちんとした仕事をしてもらえる点です。諸手当を出したり、オフィススペースを割り当てたりしないで済むので、最大四〇パーセントの節約ができます」。

先程のマーケティングマネジャーも、節約できる額をたちまち推定することができた。「プロジェクトに関して［人材紹介］会社に頼んだら、たとえば、二五〇〇ドル請求されますが、アップワークを使えば、そのプロジェクトを七〇〇ドルか八〇〇ドルで仕上げられます」。

第三に、オンデマンドワークを利用する理由として頻繁に挙げられるのが、仕事量の予想外の急増だ。そういう場合、企業のフルタイムの従業員は、新しいタスクが生じたときに、他の仕事で手がいっぱいなので、企業はオンデマンドワーカーに業務を委託して手伝わせる。先程のマーケティングマネジャーは、こう言っている。「迅速に仕上げる必要のあるプロジェクトが出てきたときには、フリーランサーに業務を委託します。社内のチームが手が回らなかったり、一度に大量の仕事をこなさなければならなくなったりしたら、フリーランサーに加わってもらいます」。

ゴーストワークに業務を委託するフルタイムの従業員は、仕事量の増加の背景にあるさまざまな理由を挙げた。季節による変動や目前に迫った締め切り、ときにはその両方が重なることもあった。あるダイレクトメール企業のプロジェクトマネジャーは、次のように述べた。「我が社の仕事は周期的で、季節による変動さえありますから、書き入れ時には誰もが目一杯働いています。そんなとき、私たちは手を挙げて、フリーランサーを雇わなければ、と言うわけです」。

私たちが面接した人々が挙げた、オンデマンドワーカーに業務を委託する最後の理由は、彼らのほうが、人材紹介会社を通して委託する独立業務請負業者よりも、あるいは、場合によってはフルタイムの従業員よりもなお、質の高い仕事をするから、というものだった。

ある広告会社のマーケティングマネジャーは、「私の経験では多くの場合、彼らの仕事の出来は社内従業員の出来を上回っていました」と言う。仕事の質が高い理由はいくつかある。第一に、オンデマンドワーカーは個人で働いており、仕事を繰り返し委託してもらいたがっている。後で見るように、オンデマンドワーカーへ業務を委託するときの短所のいくつかを克服するために採用マネジャーがよく使うのが、繰り返し仕事を任せられる、**オンデマンドワーカーの信頼できるプール**を維持するという方法だ。オンデマンドワーカーはこれに気づいているので、そうした信頼できるプールに入れるように、質の高い仕事をする。新規のリクエスターからのタスクはどれも、そのリクエスターの再委託リストに載せてもらうための一種の適性試験のようなものだ。

質の高い仕事をする第二の理由は、オンデマンドワーク市場で仕事を得るための競争だ。仕事は最新のスキルを持つワーカーの所に行く。一方、フルタイムの従業員は、自分のスキルが古くなっても、ただちに深刻な結果を招かずに済む。あるヘルスケア企業のプロジェクトマネジャーは、次のように言った。「非常に優秀な技術者の一部は、［フリーランシング］部門にいると思います。特殊な種類の人、多芸多才な人、より多くのシステムや新しいシステムの習得に熱心な人でないと務まりません。［フリーランシングをしていると］スキルセットが磨かれ、常に抜かりなく注意を怠らずにいるようになります……そのスキルセットのおかげで、彼らは企業にとって需要が高まります」。

リクエスターは、ワーカーの優れたスキルと労働倫理は心底ありがたがっているものの、状況が許せば自分でやったかもしれないタスクをアウトソーシングしていることを、暗黙のうちに、あるいはときには口に出して認める。多くの場合、マクロタスクを生み出している人々と、それをこなしている人々との区別は、完全に恣意的なものに思えた。

フルタイムの従業員がしていることと、彼らがオンデマンドワーカーに委託するかもしれないこととの間にたいした違いがないのなら、フルタイムの従業員はさまざまな特典を享受し、その仕事を行なうのに伴うリスクをまったく引き受けなくていいのはなぜなのか?

武器にされた無知

ゴーストワークは目立たない形で急速にフルタイムの仕事に取って代わっており、中間層の暮らしの文化的初期設定として、また、安定をもたらす土台として、フルタイムの長期雇用を維持するという、一世紀にわたる努力を覆しつつある。

ループに組み込まれた人間は、互換性があるように見える。すでに指摘したように、APIのせいで、ワーカーは名前と顔ではなく一連の文字と数字で表される。人間性が奪われたこの領域では、ゴーストワークを売る企業で、自社に登録している独立業務請負業者が誰かを把握しているものはほとんどない。このような**人間性の剝奪**の一部は、ロジスティクスのせいにできる。オンデマンドワーカーはあまりに数が多過ぎて、個々の顔が見えない、といえるかもしれない。だが、人間性の剝奪はゴーストワークエコノミーの常軌を逸したバグではなく意図的な特徴なのだ。

オンデマンドプラットフォームがワーカーを知りたがらなかったり、彼らについてあまり気にしたがらなかったりするのには、法律に関係した理由がある。だが、これまでに示したゴーストワークの幅広さを考えると、拡大する一方のAIの陰で、人間がどれほど必要とされているかを無視するのは難しい。

二〇〇七年にルーカス・ビーワルドとクリス・ヴァン・ペルトが創業したクラウドソーシングとデータマイニングの企業であるクラウドフラワーは、本書の序章で取り上げたウーバーの「自撮り画像セキュリティー」を裏で支えている。同社はイーベイやモジラ、ツイッター、フェイスブックなどの大規模な企業顧客を他にも抱えている。

クラウドフラワーのゴーストワーカーは、写真の承認やカスタマーサポート、コンテンツモデレーションなどのマイクロタスクをこなす。二〇一二年、クリストファー・オテイというクラウドフラワーのワーカーが同社の労働慣行を非難し、同社を相手取って訴訟を起こした。オテイと、メアリー・グレスという別のワーカーがこの訴訟の原告となったが、裁判が終わるまでに推定で一万九九九二人のクラウドフラワーのワーカーがこの訴訟に加わった。

オテイの訴えの根拠は、彼によるとクラウドフラワーはフルタイムの従業員並の働きを期待しておきながら、独立業務請負業者と同等の報酬と手当しか出さないことだった。オテイは、クラウドフラワーで働いていたとき、「自分のする仕事に関して、何の権限もありませんでした。仕事はすべて、クラウドフラワーのプラットフォームで行なわれました。勤務時間を選べませんでした。仕事を与えられたときに働かざるをえませんでした。提示される仕事のあらゆる面を、会社がそっくり管理していたのです」。

労働の条件をどれだけクラウドフラワーが決めているかを踏まえれば、同社は彼や他のワーカーに対して、**公正労働基準法**に従って最低賃金を支払うべきだ、とオティは主張した。クラウドフラワーの弁護団は、同社のワーカーは「随意の独立業務請負業者」なので、厚生労働基準法の適用外だ、と反論した。結局、二〇一五年にクラウドフラワーは五八万五五〇七ドル払って和解した。したがって、ワーカーの雇用形態についての疑問は未解決のままとなった。

二〇一五年以来、オンデマンドワークを売買している企業は、インターネット上の出会いの場の提供と、やってもらいたい仕事のある人と、働く意欲と能力のあるワーカーとのマッチングサービス以外のことをしているように見える活動は、用心深く避けてきた。オンデマンドのゴーストワークプラットフォームはみな自らを中立的な当事者と見なし、エコノミストが「両面市場」と呼ぶものを管理する仲介者の役割を果たすソフトウェアだと主張している。

彼らは、プラットフォームの市場の一方の側でワーカーを探しているリクエスターと、もう一方の側で仕事を探しているワーカーとを結び付ける。そしてそこには、決まった勤務時間も、仕事現場も、誰が公式に監督している上司なのかという合意もないので、急成長を遂げているこの業界全体で、どれだけのゴーストワークがなされているかや、誰が報酬を支払っているのかや、どのワーカーがタスクを完了させているのかを推測するのは難しい。

経済学者でノーベル賞受賞者のロナルド・コースが、そもそも企業の存在する理由としてはるか昔に特定した「**取引コスト**」は、新しいオンデマンドシステムの登場とともに消えてなくなるように見えた。プラットフォームは自らとリクエスターをワーカーからある程度遠ざけておき、正式の雇用者の法的責任を負わずに済むようにする。

あなたの仕事が当てはまるカテゴリーがないとき

「自動化のラストマイルのパラドックス」は、ゴーストワークを利用してサービスを提供することへの転換がまさに過熱し始めていることを示唆している。[32]現時点で、オンデマンドのゴーストワークサービスを提供する企業が何百もあり、消費者がインターネット上で過ごす間中、刻々と生み出す何テラバイトもの「ビッグデータ」を評価し、選別し、ラベルを付け、精製しているし、少なくとも部分的にはAPIに管理された、もっと大きなタスクを提供する企業も爆発的に増えている。[33]それでも、ゴーストワークを消耗品のように扱えば、ゴーストワークは何の保護も受けられなくなる。

ゴーストワークの広大な範囲を十分に認識したり、その価値を認めたりするのは、当事者には難しくなりうる。ワーカー自身が、自分の仕事やワーカーとしての地位をどう分類していいかわからないから、なおさら厄介であり、ゴーストワーカーが何を望んだり必要としたりしているかを突き止めるのが、いっそう困難になる。

ゴーストワーカーは、共有する職場も勤務時間も職業的アイデンティティーもなく、自分の立場を見定められず、さまざまな関心を軸とする、気軽で非公式なコミュニティーや社会集団を形成している。これは、各自がその日費やせる時間次第で、多種多様な人やプロジェクトに惹かれて自分のネットワークに出入りするオンライン環境の、一般的な特徴だ。働く時間や、いっしょに働く人や、どんなプロジェクトを引き受けるかを選べるように、それぞれのワーカーを公平に扱い、支援する正式な雇用形態を整えるというのは、前例がない。そうした特権はたいてい、選りすぐりのフルタイム労働者だけのものだ。それ以外の人はみな、九時から五時までの長い退屈な仕事の束縛に自分の人生を押し込むか、そうする気のある人に道を譲るかせざるをえない。

種々雑多なタスクをフルタイム従業員の視野や職務範囲の外に押しやるために、一見すると使い捨てにできる、代替可能な臨時雇用ワーカーのプールを企業が使うのは、今に始まったことではない。ゴーストワークは、しっかりと根付いた歴史的傾向の最新の現れにすぎないことは、ほぼ確実だ。

第2章 出来高払いの仕事からアウトソーシングへ——自動化のラストマイルの略史

ニューヨーク州選出の上院議員ロバート・F・ワグナーが起草した一九三五年の全国労働関係法は、労働者がより良い労働条件を求めて組合を結成したり、団体交渉をしたり、ストライキを実施したりする基本的権利を保証する、アメリカ初の連邦法となった。たいていの人は、このいわゆる「**ワグナー法**」が、近代的な雇用形態のために初めて公に義務付けられた社会契約とセイフティーネットだと思っている。だが、労働者の権利を定義し、それを国家の仕組みに織り込む作業は、じつはその一〇〇年前に始まっていた。

ワグナー法が取り組んだ一九世紀の工場労働者の境遇と、その法律に保護されていない今日のオンデマンドワーカーの境遇とは、細い、ほとんど目に見えない糸でつながっている。

本書に記されているゴーストワークは、一九〇〇年代に布切れを縫い合わせてドレス用の飾りを作っていたニューイングランドの農家の系譜に連なっている。一〇〇年以上前、彼らもおおむねワグナー法の保護の適用外に取り残されていた。フルタイムの雇用形態とその他すべてを隔てるこの断層線は、一九六〇年代に宇宙へ人工衛星を送り込むロケットのジェット燃料の最適な重量を計算していたカリフォルニア州の若い女性たちともつながっている。

　そして今日、この断層線は、インターネットの発明以来、フォーチュン500（訳註：「フォーチュン」誌が選ぶアメリカの企業売上高上位五〇〇社）に入る多国籍企業のために、データベースやコールセンターを管理したり、経理を処理したりするタスクを与えられた、世界中の臨時労働者のプールにも延びている。

　フルタイム雇用が成功の文化的な目安であり続けている理由や、それが今日ゴーストワーカーに重くのしかかっている様子を理解するには、過去を調べる必要がある。

　この章では一九世紀末に遡り、それから二〇世紀を見ていく。そこで注目する技術革新のそれぞれの瞬間が示しているように、政治指導者や経済界の黒幕、労働者の権利擁護者、当時の社会規範が、スキルを必要とする専門的業務（つまり、機械の能力を超えるもの）とスキルを必要としない業務（つまり、自動化に向かう臨時労働）との分離を繰り返し引き起こしていった。

　産業資本主義と工業生産の初期には、組立ラインの労働者が工場を動かしていた。だが、機械には処理できないタスクがあったので、製造業者は手作業で仕事をする人も大勢必要とした。
工業生産の半自動化された世界でのフルタイム雇用の環境は、労働者が組合を組織して集団行動を起こして初めて、人間の労働にふさわしいものになった。あいにく、フルタイム雇用の価値と地位が認められると、企業は出来高払いの仕事や、後には臨時労働や契約労働のその他の形態を、「消耗品」、つまり、保護が保証されていない仕事と位置付けやすくなった。

どういう種類の労働者に投資し、どういう種類の労働者には投資しないかは、誰が仕事をしているか、そして、その仕事がスキルを必要とすると見なされるか、それとも、自動化の機が熟しているものに見えるか次第で決まった。だから、圧倒的に男性が多く、高度な訓練を受けた専門家だった冷戦時代のエンジニアは、企業の秘書のプールを埋めている女性の計算者よりも、本質的にスキルがある、貴重な労働力だと思われていた。

一九七〇年代以降は、四半期収益報告書に追い立てられる企業は、フルタイムの従業員を資産ではなく負債と見ることが多くなった[1]。企業は分散データベースをはじめとするインターネットのテクノロジーと人材紹介会社を使い、**できるものは何でもアウトソーシングした**ので、フルタイムの従業員は自分の仕事が、世界各地でアウトソーシングを受けている独立業務請負業者や、廊下の先のキュービクルにいる契約社員に行ってしまうかもしれないと心配するのだった。

臨時雇用の労働者への依存を増すという企業の動きが主流になり、その過程で、使い捨て可能な労働力と見なされていたものが再定義された。過去一世紀にわたるワーカーたちの話は、「フルタイムの雇用」が何を意味し、その意味がどこに由来するかを物語っている。また、各業界が仕事を自動化することにこだわっているときに、矛盾するようだが、ゴーストワークへの需要が急増し、それに続いて雇用者と労働者の間の社会契約がずたずたになる理由を説明する上でも、彼らの話が役に立つ。

ワグナー法以前——初期の資本主義を活気づけた使い捨て可能な労働力

ワグナー法はアメリカで最初に成立した雇用法ではない。

南北戦争の前、誰が奴隷制度の下で無報酬での労働を強制されうるかと、誰が自分の労働に対して報酬を得る権利があるかが成文法で定められていた。鉄鉱石や綿花やその他の原材料を加工していた北部の都市は、奴隷労働の恩恵に浴しながら、製品を製造して豊かになった。財産として評価されていた奴隷たちは、代替可能な労働力であり、いったん仕事の目的を果たしてしまえば使い捨てにできた。

奴隷州か自由州かの別なく、アメリカのあらゆる地域で、資本主義の拡大と産業革命による成長は、奴隷を**臨時の労働者**とすることを拠り所にしていた。[2] 白人男性の資産家だけしか、自分の時間に対する報酬を要求する権利を確実に想定することができなかった。[3] 一八六五年に南北戦争が終わるまで、委託を受けて働く人は報酬を受け取る権利があるという、ごく当然に思える事実が、アメリカでは当たり前ではなかったのだ。

南北戦争後、産業資本主義と賃金を稼ぐ機会が急速に拡大していたときでさえ、戦争に引き裂かれたこの国の大多数は、自給農業と工業化の間の薄暗がりで暮していた。当時は、自分自身の労働が文字どおり食卓に食物をもたらした。人々は狭い土地でなんとか生計を営んでいた。各世帯は、収穫物のうち、自ら消費せずに済むわずかな残りや、卵、羊毛などを売り、縫い物や開墾の腕を活かして収入の足しにし、日々の買い物の大半を賄った。旱魃や洪水、不作、飢饉を切り抜けるのは、人口のほとんどにとって日常の務めだった。

東部海岸に点在して栄える港湾都市では賃金労働ができそうだったので、多くの世帯が、(特に南部の)不安定な自給農地を離れて移り住んだ。これらの都市は、照明や暖房や食糧に不自由しない快適な暮らしを送るだけの収入を手にする可能性を象徴していた。南部から来た解放奴隷の黒人とヨーロッパからやって来た移民という安価な労働力の新しいプールのおかげで、北部の工場所有者は労働者の賃金を低く保ったまま、事業を拡大することがなおさら容易になった。[4] 移民と元奴隷という、貧しいけれど健康で丈夫な人々の流入と、近代的な産業資本主義に資金を出す、若い国家の最初の新興実業家たちを背景に、組立ラインと出来高払いの仕事の取り合わせが誕生した。

産業革命の双子のエンジン——組立ラインと出来高払いの仕事

労働者を組立ラインに配置しても、組織化されたさまざまな職業と職人のペースを一夜にして追い抜けたわけではない。[5] ベルトコンベアと機械式滑車がくねくねと配置され、その傍らで労働者が持ち場に立って別個のタスクをこなす工場が標準的になるまでには一〇〇年以上かかった。それに比べてあまり頻繁に注目されることがないのだが、製造業の大半が大量生産ラインに移行した後でさえ、一部の仕事は文字どおりの意味でも比喩的な意味でも、組立ラインの工程の外にとどまっていた。

産業革命時代の初期の工場は、銃砲や錠前、椅子、キャンディー、靴、服などを、どんなギルドや職業団体の専門職人の手仕事よりも一〇〜二〇倍速いペースで生産できた。だがどの場合にも、手作りの消費財のこうした大量生産バージョンは、仕上げに依然として**人間が必要**だった。これは生産工程ではけっして新しいことではなかった。ギルドでは昔から徒弟と、下請けの助力者のシステムを使い、親方の仕上げる製品をなるべく増やしてきた。

新しい組立ラインシステムは、職人ギルドではどこでも見られた下請けの慣行を発展させたが、一つ違いがあった。工場の所有者は、原材料と労働力の「サプライチェーン」の両方を掌握していたのだ。個々のワーカーはもう、互いに生産を調整することはなかった。彼らは、どこに立ち、何をし、最終的な工業製品に組み込まれるべく、自分の労働をどのように捧げるかを指示された。このように**組立ラインは、人間と機械の新たな分業を導入したので**

はなく、個々の労働者が働くペースを決める権限と、彼らが他の労働者と調整したり、他の労働者に仕事を委託したりする能力を取り上げたのだった。[6]

産業革命が進み、繊維など、特定の製品の生産が機械によって自動化され始めると、出来高払いの仕事を得る機会は爆発的に増えた。出来高払いの仕事（「家内労働」「問屋制家内工業」「家内工業」「歩合制」などとも呼ばれる）は、機械が限界に突き当たったときに人間によってなされる、商品の製造あるいは加工の過程だった。

出来高払いの仕事は、生産を止めたり、工場の現場からリソース（資源）を転用したりせずに、別の場所で実行できる、小さな分配可能なタスクに分割された。[7] 組立ラインは昔からの分業に頼っていた。都市の辺縁に暮らす女性と子供が、使い捨てにできる出来高払いの仕事の労働者プールで大半を占めていた。[8] **工業の出来高払いの仕事は、報酬をもらって行なうオンデマンドのゴーストワークの、事実上第一号だった**わけだ。

成年・未成年の女性が当時のアイロン機や蒸気式ミシンの大半を操作していた。[9] 彼女たちはボタンやカーテンループ、シャツの装飾、ベルトなどを縫い付ける「仕上げ職人（フィニッシャー）」だった。[10] 仕上げが工場内に移ったのは、大規模な生産の場合だけだった。ほとんどの衣料を生産する小規模な縫製は、「歩合制」で仕事を請け負う農村が相変わらず頼みだった。

仕事部屋は、当時「苦汗制度」と呼ばれていた環境や、今日もなお営まれている搾取工場ではもっと典型的に見られる込み合った場所ではなかった。居間いっぱいにミシンが何台も詰め込まれた農家で、父親から小さな子供まで、家族全員が生地で何かしていた。家族は運転手にお金を払って、裁断された布を運んできてもらった。輸送距離に応じて、一二枚ごとに手数料を支払った。運転手たちは、ピッツバーグのような工業中心地の境界内ぎりぎりの所にある、ほとんど通行不能の田舎道をなんとか走り回り、出来高払いの仕事の仲介者の役割を果たした。彼らは「鶏や子供でいっぱいの粗末な木造家屋」をかわすように車を走らせた[11]。彼らがピッツバーグからやって来ると、金属がぶつかり合う音や、足踏みミシンが唸る音が聞こえた。

当時の経済学者や産業理論家は、出来高払いの仕事は大量生産が拡大すれば消えていく、テクノロジー上の非能率なものだと考えていた。

たとえば、一七六四年頃に発明された水力紡績機は、木の枠組みに一二〇ものスプールを取り付けることができ、繊維を引き出して撚りをかけ、糸を紡ぐ。この機械は、何十人もの人が何百時間も働くときと同じ量の糸を生み出すことができ、人間に取って代わった。そして、一七九二年にイーライ・ホイットニーが発明した綿操り機は、一人の人間が手で行なうときの二五倍の速さで綿花から種を取り除き、紡績機で使えるようにした。

これら二つの発明が合わさり、産業革命の初期段階に綿織物の生産を増大させ、その消費を広めた。工業生産の成長を追っているアナリストのほとんどは、機械化が進み、より高いスキルを持った労働者の管理にテクノロジーが科学的に応用されれば、出来高払いの仕事はいずれ消滅すると思っていた。

ところがこれらのアナリストの誰一人として、**自動化が臨時労働への需要の短期的な急増を生む**とは考えていなかった。

綿の場合を例に取ろう。アメリカの奴隷所有者は、南北戦争が始まる頃には、以前の五倍の奴隷を必要としていた。綿の需要と、機械にはできないことをし続ける人間の必要性が大幅に高まったからだ。水力紡績機のようなテクノロジーは、人間の労働の必要性を消し去りはせず、労働需要を新たな臨時労働者層に振り向けた。繊維工場では子供たちが、出来高払いの労働者として貴重になった。子供は手が小さいので、機械の動きを鈍らせる糸屑などを、動いているスプールの間から取り除けるからだ。だが、これらの機械の傍らで働き、自動化のラストマイルの溝を埋める能力は、「スキルを必要としない」ものとして片付けられた。紡績機を操作するのは、まったく思考を必要としない単純労働だと考えられた。もっとも、子供たちが勢い良く動いている機械から機械へとてきぱき動き回る姿を描いた初期の記録を見れば、この仕事は、鋭敏な頭と機敏な体を必要としていたことがわかるのだが。

たしかに、工場が機械化されると、出来高払いの仕事は消えてなくなり、かつてはギルドが主導していた熟練職人による生産と児童労働は過去のものとなる。あるいは、ヨーロッパ全土で起こっていたように、組合が、熟練職業ギルド制度の下でかつて行なったとおり、労働者が下請けをするのを妨げ、出来高払いの労働者をやがて自分たちの仲間に迎え入れることになった。

それにもかかわらず、こうした逆風のどちらも、出来高払いの仕事を生産サイクルから完全に排除することはけっしてなかった。特に、最新の機械類を導入する余裕のない、小規模な製造現場ではそうだった。[12] ピッツバーグのある縫製工場の所有者が一九〇七年に言っているように、「女性たちを抱えるとはるかに多くの費用がかかるだろう。新たに一階借りて女性たちの使うミシンの置き場所を確保しなければならなくなる。ミシンを購入し、ガス代と暖房費を払い、そのうえ、ひょっとしたら今以上の賃金を払う羽目になるかもしれない」。[13]

現場で働く場合だろうが、自宅で働く場合だろうが、女性の臨時労働の価値を認める気がないことに関しては、組合も工場の所有者たちと結局同じだった。

一八九一年に組織された、アメリカ最大で最も革新的な組合である全米衣料労働組合は、同組合が「アウトワーカー（下請け仕事をする人）の脅威」と見るものを根絶し、彼らを「組合の成長と不可分の部分」にしようとしたが、うまくいかなかった。[14] 組合の組織者たちは、工場の現場の欠員を若い女性に埋めてもらうことに的を絞った。だがこうしたアプローチは、女性が出来高払いの仕事を通してどれだけ頻繁に契約ベースで働いているかを考慮に入れていないばかりか、その頻度に気づいてさえいなかった。工場労働が敬遠されていたのは、若い未婚女性にはそれが依然として道徳的にいかがわしいと考えられていたからであり、実質的には女性を家庭での炊事や掃除、子供や老人の世話というフルタイムの仕事から引き離すことになるからだった。
もし全米衣料労働組合に入っている工場で働けば、女性たちは四ドル五〇セントという毎週の収入の二倍を稼ぎ、ひどく骨の折れるミシン仕事を離れることができた。だが組合の戦略は、女性が契約労働や家庭ベースの出来高払いの仕事を離れたときに直面する具体的な負担やコストを認めることも、それに優先的に取り組むこともなかった。
組合は、若い女性を採用して工場の現場に導入するという目標をさっさと放棄した。そして、女性労働者を労働組合に加入させるには、女性の家事労働量を減らすために家庭での男女平等を提唱するのが、必要とされる戦略かもしれないとは、誰も思いもよらなかった。[15] そうした戦略を取る代わりに組合は、仕事のペースを速める新しいテクノロジーの採用を妨げることに注意を向けた。出来高払いの仕事をやめさせ、スキルの有無にかかわらず、労働者たちのために、前より報酬が良くて安定した雇用体制を工場所有者たちに、現に作らせてのけた組合もあった。職業別労働組合の核となる加入者と基盤である、白人の壮健な男性が、いつもきまって真っ先に（そして、ときには彼らだけが）、以前ほど不安定でない仕事を獲得することができた。[16]
二〇世紀最初の二〇年間、食肉包装工場で不具合を起こした機械によって手や足をずたずたにされた子供や、作業現場の火災が起き、鍵の掛かったドアの中に閉じ込められた繊維労働者、マッチ棒用のリンを採掘していて有毒ガスに包まれた労働者を扱う見出しが、国内各地の新聞を埋めた。どの州も独自の規制を定め、企業に負傷した労働者に対する補償をさせた。多種多様な法律が制定されたことで逆に、工業化時代の日雇い労働者をないがしろにする慣行がどれほど広まっていたかが、浮き彫りにされた。

だが、連邦による職場規制を強く求めるのに必要な世間の支援の高まりを労働組合の組織者が受けるのには、アメリカの大恐慌で広範な経済パニックが起こるのを待つしかなかった。

「週末」の発明——フルタイムの仕事が優先されると、請負業務が割を食う

一九三五年の全国労働関係法（ワグナー法）は、労働者が雇用者に法的に異議を申し立てる道を拓いた。それは、武装した私兵を雇って労働者を脅したり殴打したりさせる工場や鉱山の所有者と、危険な労働条件を理由にシフトを放棄し、戦う気で戻ってきた労働者たちとの間で増える行き詰まり状態を解消するための第一歩だった。この法律によって、全国労働関係委員会も設置され、被雇用者が組合を作ったり、経営陣と交渉したりする権利を、雇用者が妨げないようにするために、中立の第三者としての役割を果たすことになった。

ここが重要なのだが、このワグナー法は、農業労働者と家事労働者など、一部の部門の労働者を対象としていなかった。また、「管理者」と見なされる被雇用者や、連邦や州や地方政府に雇われた労働者にも当てはまらなかった。そして、召使や農場労働者、小企業経営者の身内といった、独立業務請負業者と考えられる労働者も除外された。

ワグナー法が制定されたタイミングが肝心だった。この法律は、急速に拡大し、しだいに危険になっていく製造と採鉱の世界をターゲットにしていた。一九三〇年までに、全国各地の工業の仕事現場での事故で多数の労働者が亡くなっていた。ワグナー法が制定されたのは、一九二九年の株式市場の暴落が引き金となった大恐慌が猛威を振るっていたときでもあった。一五〇〇万人以上、つまり当時のアメリカの成人労働人口の二割強が失業し、家族が提供できるもの以外には、暮らしを守る手段がなかった。平均的な国民は、不当な労働条件のつけを、どの街角でも目にすることができた。

ワグナー法に勢いを得て、その後の改革への扉が開かれた。一九三八年に公正労働基準法の制定を提唱した労働組合の組織者たちは、「週末」を発明し、アメリカの歴史上初めて、週四〇時間労働制を義務付け、最低賃金(一時間当たり二五セントで、これは今日の貨幣価値では一時間当たり四ドル五〇セント前後になる)を保証したといっていいだろう。

この法律はまた、週四〇時間を超える分の労働に対して、通常の賃金の「一・五倍」の残業手当を被雇用者に支払うことを雇用者に命じた。農場あるいは家族経営の店舗で働く者を除いて、もう未成年者を雇って危険な作業に当たらせることはできなくなった。この法律が成立する前は、子供は小柄なので、とりわけ危険な労働環境のいくつかで、優先的に採用されていた。だが、公正労働基準法には別の意味で重要な側面もあった。臨時労働のじつに多くがこの法律の対象にならず、それが請負業務への依存の拡大につながったのだ。

公正労働基準法は「雇用者に雇われたあらゆる個人」に適用された。これはたしかに理に適っていた。経済拡大のほとんどは、製造業の組立ラインや、地中からの原材料の採取によって生じる危険な賃金労働を伴っていたからだ。だが残念ながら、出来高払いの仕事は、連邦の規制の隙間からこぼれ落ちてしまった。

公正労働基準法が成立した当時は、組織労働者は出来高払いの仕事を独立業務請負の仕事として保護することに、何の関心もなかった。オフィスや工場など以外の仕事はどれも、仕事現場ベースの労働組合員数を少しずつ減らしたり、大多数の労働者から仕事を奪い取ったりするのに使うことができたからだ。組織労働者は、もし多くの女性を説得して家庭ベースの出来高払いの仕事を離れさせ、都市に移って労働組合に入っている職に就いてもらえなければ、そうする男性に的を絞ることになる。

組合は、一九三五年に全国労働関係法が、その三年後に公正労働基準法が制定された後、鉱業と製造業に基盤を確立した。当時、二五〇〇万人近いアメリカの労働者が組合に所属していた。だが他の産業にまで組合を拡張しようとする活動は、第二次世界大戦に直面して、次の一〇年間は行き詰まった。戦争努力のせいで若い男性は工場からヨーロッパの前線へ回された。組合は基幹となる組合員を失ったように感じた。いくつかの組合は雇用者と協定をまとめ、ストライキや団体交渉の実施を戦争が終わるまで延期することに同意した。

「リベット打ちのロージー」という、工場などで働くたくましい女性の有名なアイコンを、戦時中に金属、運輸、化学の各産業を存続させた臨時労働者の象徴と見なすことはたやすかっただろう。彼女は兄弟や恋人が戦争から帰還したらすぐに、家庭に戻るものとされていた。したがって組合は、生産ラインでフルタイムで働く一家の稼ぎ手の役割に男性が戻るまで、労働者の権利拡張を擁護する必要性を感じなかった。[17]

戦争が終わり、製造業界がガラスやプラスティックや金属の新製品のための生産ラインを増やすと、組合も再び仕事に取り掛かった。一九四六年には五〇〇万のアメリカ人があらゆる製造部門で、大規模な予告ストライキや、労働組合のない工場の組織的ボイコット、非公認ストライキに参加した。[18]

全米自動車労働組合会長のウォルター・ルーサーは、戦後次々にストライキを組織した。一九四五年に行なわれた最初のストライキは、ゼネラルモーターズの労働者が三〇万人以上参加した。さらに五年にわたってゼネラルモーターズとフォードとクライスラーを相手に、大規模なストライキや交渉を繰り返す必要があったものの、ルーサーのいわゆる「**デトロイト条約**」は、一九五〇年までにフルタイムの被雇用者が雇用者に見込めるものを書き換えた。

自動車業界の労働者は、年間賃金に付帯する生活費手当や、完全積立の退職年金、社会保障負担、休暇、さらには医療給付と失業給付を勝ち取った。[19] 自動車メーカーはそれと引き換えに、毎年恒例のストライキの五年にわたる猶予と、生産に対する完全な権限（これはその後の労働者にとって最も不利なものとなる）を獲得した。労働者は、フルタイムの労働者のタスクを自動化された工程を通して分割することを目指したスケジューリングや、工具の再設計、製造工場の改造に、もう疑問を差し挟むことができなくなった。

デトロイト条約は、退職金積立制度と医療給付をアメリカのフルタイム雇用に結び付けるのに貢献した。こうした手当はどれ一つとして連邦政府の命令で支払われるわけではなく、この社会的セイフティーネットは他の被雇用者には提供できなかったが、デトロイトの労働者の成功に、他の産業の被雇用者たちは希望を新たにした。

だがこの条約は、製造企業がイノベーションの許すかぎりなるべく迅速に機械を導入して、人間を取り除く形で工場の現場を再編成することに焦点を絞る上での障害を取り除きもした。そして全米自動車労働組合がより良い雇用条件を求める戦いで勝利を収めていたのとちょうど同じ頃、不幸にも、他の部門の企業は反撃を組織し、組合運動全般に挑んでいた。

共和党が主導権を握る議会は、トルーマン大統領の拒否権行使を覆し、ロバート・A・タフト上院議員とフレッド・A・ハートリー・ジュニア下院議員が起草した労使関係法を一九四七年に成立させた。全米製造業者協会のロビー活動を支えにしたこの**タフト＝ハートリー法**は、第二次世界大戦後に拡大していた労働組合の力に、直接狙いを定めたものだった。今日も相変わらず大部分が実施されているタフト＝ハートリー法は、労働力の割り当てに関する経営陣の決定を標的とする「管轄権ストライキ」や作業停止を禁じた。このせいで、雇用者がテクノロジーを利用して労働力の特定の部分を削減するのに、労働組合が組織的に対抗するのがはるかに難しくなった。そして今度はそのせいで、一部の同僚を失ったときに自分自身のワークフローにどう影響しかねないかを、労働者が口にすることはおろか、考えることさえできなくなった。[20]

組合活動に対してこのような制約が課されたのに加えて、仕事現場はもう「クローズドショップ」としてやっていかれなくなった。つまり、**企業は新しい従業員を雇い、労働組合に入る資格のない、もっと低い管理職員や専門職員の地位を作り、非組合員の被雇用者階層を増やすことが許された**のだ。同時にタフト＝ハートリー法は、公正労働基準法の条項を覆し、上司が職場で反労働組合のメッセージを伝えることを許可した。

タフト＝ハートリー法が成立してまもなく、議会の保守派は団結して、全国労働関係法への変更を求めた。タフト＝ハートリー法の幅広さを考えれば、それは些細なものに思えた。だが全国労働関係法に対するこの微調整は結局、タフト＝ハートリー法が見舞った打撃のどれにも劣らぬほどの不利益を、非組合員労働者の間での労働組合の努力に及ぼすことになる――新聞配達少年だけに的を絞った変更に見えたのだが。

新聞王ウィリアム・ランドルフ・ハーストは一九四四年、最高裁判所で敗訴した。新聞配達少年は個人事業主のようなものであり、独立業務請負業者として働いているのだから、公正労働基準法の下での雇用保護規制を免除されているという主張では、判事たちを説得できなかったのだ。これは特筆に値するが、新聞配達少年は新聞を配達するだけではなかった。彼らは新聞の主要な販売員の役割も果たし、その仕事のせいで、交通量の多い通りを行き来しなければならず、自らを身体的な危険にさらすことがよくあった。[21] 最高裁判所は公正労働基準法の精神が、他者に経済的に依存し、その他者のために経済価値を生み出している労働者なら誰にも当てはまると解釈した。[22]

街角の新聞配達少年を公正労働基準法の下での職場保護を受けてしかるべき労働者と認める最高裁判所の判決に痛手を負ったハースト・コーポレーションは、ロビー活動を行なって、ワグナーの全国労働関係法に対するタフト＝ハートリー法の修正条項の下で、「被雇用者」の定義を狭めようとした。

ハーストは、オフィスや工場など以外で働いていたり、営業活動の核心から離れたものと見なされたりする独立業務請負業者を明確に除外するように強く求めた。もともとのワグナー法に対する議会の修正は、そのような除外はしなかったものの、裁判所に、企業は仕事をさせるために雇った人々を公正な労働慣行と雇用給付の対象とするものと想定する代わりに、「コモンロー（慣習法・判例法）」による雇用形態を分類するために厳密な審査を行なうことを義務付けた。

従業員として雇われた人と、委託を受けて独立で業務を遂行する人との違いは、当時は今より明確に見えた。その頃の主要な雇用モデルは、物理的な職場と、四〇時間のシフト勤務、五〇年にも及ぶことのある雇用者と忠実な労働者との関係を軸としていた。上司と従業員は、いっしょに歳を重ねることもあった。

だが、最高裁判所による公正労働基準法の解釈には、それとは違う労働モデルを想定する余地が残っていた。最高裁判所は企業に、その企業のために働いている人に対する責任を負わせた。彼らが、どこでどれだけの時間働くかは関係がなかった。

それでも結局、ハーストは要求したとおりの変更を実現させた。公正労働基準法はあらゆる労働者を対象とするという一九四四年の最高裁判所の解釈によって開かれた扉は、タフト＝ハートリー法の、フルタイムの雇用と独立業務請負業者との明白な区別と分類によって閉ざされた。

この変更は、急速に拡大するサービス産業の各部門と、電気通信と航空宇宙と小売りの分野で今や急発展を遂げていたいわゆる「情報エコノミー」にはいっそう貴重な、労働組合に加入していない使い捨て可能な労働力の新しい階級も生み出した。要するに、**広告から宇宙探査まで、あらゆるものを販売している企業が、長期のフルタイムの従業員に投資せずに成長できるようになった**のだ。

臨時労働の人間コンピューターがアメリカを月に送り込む

「スキルを持たない」と見なされても、労働組合化された単純労働の外で働いている労働者の保護の浸蝕は、徐々に進んだ。誰の仕事が保護を必要とし、誰が保護する価値があるかについての社会の思い込みを利用し、それに付け込みながら、水が亀裂に流れ込むようにして進んでいった。

公正労働基準法とタフト＝ハートリー法の免除項目の中には、どのような労働者が失業から守られる必要があるかと、何――あるいは誰――が自動化を免れられそうかについての、二〇世紀半ばの思い込みについての手掛かりが埋もれていた。たとえば、今日ならどこにでも見られ、大学生の無給のインターンシップとでも考えられるようなボランティア活動を、公正労働基準法は除外していた。

ボランティア活動は人の職業的アイデンティティー確立の核となる、徒弟制度と考えられていた。中世以来、神学と医学と法律学の職業、いわゆる「学問的職業」は、もっぱら知識階級がたどる道筋と見なされていた。これらのスキルを伴う職業は、職場での保護を必要としなかった。これらの職にある人は、学士号より上の学位を持っているため、経済的な不安定性から守られていた。だから大学教育は、鉱坑や工場を後にしたい人なら誰にとっても、中間層への入口と見なされるようになった。

ほとんどの医師や弁護士や聖職者は、小企業として仕事をし、たいてい自営の、労働組合に加入していない専門家であり、個人営業を通して資源をプールしていた。これらの職業の労働条件は、少なくとも近代産業資本主義の初期には、公正労働基準法をめぐる議論とは無関係に見えた。だからこの法律は、「雇用者に雇われたあらゆる個人」には当てはまったが、独立業務請負業者や知的職業階級に入るために訓練を受けているボランティアには適用されなかった。独立業務請負業者とインターンはどちらも、はっきりしたカテゴリーに属していないと考えられていた。独立業務請負業者は、目の前のタスクをするためだけに存在しており、ハンマーかシャープペンシルのように扱われた。それとは対照的に、インターンは将来、役員室に入るべく教育を受けていた。

二〇世紀初期には、高度な訓練と資格証明書と専門職の行動規範を伴う職業はどれも、スキルを必要とする専門職として高く評価されていた。工場の現場で単純作業に従事する労働者は、連邦の規制を通して自分の地位と職場を保護できる、労働組合に加入した労働者と同じ意味になった。

公正労働基準法の「非適用対象外」と判断された人は誰もが、定められた労働時間を超えて働いた分については時間外手当の支給を見込むことができた。[23] だが、これらの規制には例外が押し込まれていた。給料をもらっている事務職や管理職は、被雇用者のうちでも報酬が少ないにもかかわらず、法律によって四〇時間以上働くことを求められ、時間外勤務手当を受け取る資格がなかった。オフィスで創造的な仕事や非定形的な仕事をしている専門職も、適用対象外となった。[24]

こうした適用除外のおかげで、独立で業務を遂行する臨時雇用の労働者が人材紹介・派遣サービスの常備軍となり、そのサービス自体が実入りの良い産業になった経緯が説明しやすくなる。適用対象外となる契約ベースの臨時労働の大半は、日の当たらない所で増大し、第二次世界大戦が終わったときに、専門職が経理や科学研究、法曹、エンジニアリング、金融といった情報サービス産業を構築するのを支えた。[25]

法律と医学の分野の教育は依然として、社会的に望まれており、高いスキルの必要なホワイトカラーの専門職への唯一の入口だった。だが、あらゆる種類の管理職が増えたので、神学と法学と医学の職は経済的な機会とりっぱな社会的地位を獲得する唯一の道ではなくなった。[26]管理職には、職業の安定という正札が付いていた。

ヴァージニア州ラングレーのラングレー記念航空研究所の人間コンピュータープールを例に取ろう。**「コンピューター」という用語は、手計算をする人を指して一六〇〇年代から使われてきた。**[27]一九四六年までに、何千もの若い女性がアメリカ各地で、ラングレー空軍基地のもののような研究センターで募集され、合衆国人事委員会のために「人間コンピューター」として働くべく訓練された。[28]彼女たちは、ナチスドイツが送る暗号文の解読から、試験用ロケットエンジンの生み出す推力や、その速度を上げるための重量と高さの調節の計算まで、あらゆることを陰で支える「計算プロセッサー」だった。[29]ラングレー初の女性コンピュータープールは、一九三五年に置かれた。公正労働基準法の下、連邦政府の陸軍省は、独立業務請負業者を公務員として雇用する裁量を与えられた。

一九四六年までに、ラングレー空軍基地のキャンパスは、NASAの前身であるアメリカ航空諮問委員会(NACA)として再編成されていたが、「数学者」という専門職の肩書を持っている女性は、ほんの一握りしかいなかった。[30] 女性の大多数は、戦後数年間、依然として給与の低い「準専門職」と呼ばれていた。そのなかには、二〇一六年の人気映画『ドリーム』の主人公で、後にアポロ一三号の発射時限を計算することになるアフリカ系アメリカ人のキャサリン・ジョンソンもいた。[31]

「コンピューター」は低賃金で職階も低かったので、研究所のコスト減になった。管理者は、彼女たちに未経験労働者向きの契約ベースの仕事をさせることを正当化できた。なぜなら、雇われた女性の誰一人として、高校あるいは職業訓練しか受けていないので、「専門職」とは考えられなかったからだ。

ジョンソンとその同僚で主要な「コンピューター」のドロシー・ヴォーンは、ラングレー研究所の「西エリアコンピューター」棟を運営していたが、P-1という等級で雇用されていた。この等級は、二人に一年当たり二〇〇〇ドルを保証した。これは、彼女たちが南部の人種別高校の教師として働いていたときに望みえた額の二倍以上に相当する。だが、雇用条件を読むと、二人がラングレーでは価値ある労働者とは見られていなかったことがはっきりする。そこには、二人は「貴方の働きが必要とされる期間」雇用されるが、その期間は「今般の戦争中とその後六か月を超えることはない」とあった。[32]

当初、独立業務請負業者にとって、休暇は選択肢に入っていなかった。アメリカとソヴィエト連邦の宇宙開発競争が続いているかぎり、祝日でさえすべて仕事日と考えられていた。[33]ジョンソンとヴォーンは最終的には専門職の等級に進み、フルタイム従業員の地位を得た。だが、男性が大多数を占めるラングレー空軍基地の専門職エンジニアが初の量産型コンピューターＩＢＭ７０４を使いこなせるようになると、「コンピューター」のほとんどは随意雇用の労働者として解雇された。

ＩＢＭ７０４は、依然としてオーバーヒートしがちだったものの、何百人もの女性が検算に必要だった計算を確実に実行できる最初のコンピューターとなった。ＩＢＭの大型汎用コンピューターがラングレーに導入されてから一〇年近くたってようやく、エンジニアたちは仕事を完全に機械に任せ始めたが、機械のアウトプットを再確認するために、人間の「コンピューター」のプールも現場に抱え続けた。そのせいで、ジョンソンやヴォーンのような女性は、矛盾するようだが、臨時雇用でありながら不可欠な存在となった。もっとも、ラングレーは例外ではなかった。

カリフォルニア州パサデナにあるＮＡＳＡのジェット推進研究所（ＪＰＬ）の人間コンピューターたちは、ラングレー空軍基地の女性たちと同じで、一九四〇年代と五〇年代に、独立業務請負業者あるいは臨時労働者として募集された。彼女たちはＪＰＬで、太平洋上空でのアメリカの最初期のミサイル発射や爆撃機飛行、さらにはアメリカ初の人工衛星や月への誘導ミッションを支える計算をすべて行なった。火星に送り込まれる惑星探査車マーズ・ローバーの最初の打ち上げ計画さえも準備した。[34]

ラングレーの独立業務請負業者と同じで、JPLの女性の大半には、限られたキャリアの進路しかなかった。彼女たちのほとんどは、第二次世界大戦中に公共事業促進局を通して有給臨時職員として働き始めた。JPLは、周辺の大学の数学科や物理学科に、「COMPUTERS URGENTLY NEEDED（コンピューター急募）」と、すべて大文字で呼びかける広告を貼り出し、パートタイムの助手を募集した。[35]見出しの下の説明は、若い女性をターゲットとしたものであることを、はっきり示していた。「コンピューターは高度な経験も学位も必要としないが、数学と計算機にまつわる能力と関心を有する必要がある」。[36]

当時、事務職が修士号以上の高度な学位を必要としなければ、女性も対象となることを意味した。たいてい女性は、高校卒業（あるいは、それほど多くはなかったが大学卒業）から結婚までの年月以上、職にとどまることを望まなかったし、ホワイトカラーの雇用者にしても同じだった。結婚しているかどうかに基づく差別を防ぐ法律がなかったので、なおさらそうなりやすかった。国の反対側にあるラングレーの管理職と同じで、JPLの管理職にとっても、結婚する予定を明かしたり、妊娠したりした女性を解雇するのは、完全に合法だった。

連邦政府との契約を通して報酬をもらっていた人間コンピューターのように、契約ベースで雇われた労働者は、才能を伸ばしてやるほど価値のある従業員とは見られていなかった。彼らは互換性があり、新しいスキルはほとんどもたらさず、プロジェクトが終われば離職するものと考えられていた。

ゴーストワークの初期の形態は、二〇世紀を通して盛んに見られた。時計の針を進めると、一九八〇年代には、ケリーガールサービスやマンパワーといった人材紹介会社が、ほとんどの企業がフルタイムの労働者として抱えているよりも多くの労働者を、契約ベースで紹介していた。一九九〇年代には、マンパワー社の臨時労働者プールは、ゼネラルモーターズのフルタイム従業員を数で上回った。[37]

社会学者のエリン・ハットンは、臨時雇用労働者によるフルタイム従業員の大規模な置き換えは、テクノロジーの変化の単なる副産物ではないという、説得力のある主張をしている。彼女は、人材紹介会社や臨時労働者紹介会社の部門の、独自のサービス産業としての成長を図示している。この部門は何を売っていたのか？　**家族の世話や、限られた教育機会や、地理などの制約を受ける若い女性やその他の人々を採用して、企業のコストを削減する**という提案だ。

労働者を企業利益の妨げとして扱うこの「負債モデル」は、雇用の「資産モデル」を打ち負かした、とハットンは主張する。資産モデルは、一九四七年にタフト＝ハートリー法が成立した後、製造部門から抜け出せなかった可能性がある。インターネットが誕生した頃にはすでに、臨時労働者によって無期限に人材を確保する契約主導のサービスへの依存へと、アメリカが急速に進みつつあったことは明らかだ。

使い捨て可能な労働の次の波——アウトソーシングと契約社員

二〇世紀後期には、電気通信と大型汎用コンピューターが、出来高払いの仕事の次のバージョンへの道を拓いていた。**アウトソーシング**だ。企業は、データ処理管理やカスタマーサービス、さらには従業員記録の管理さえも、世界のどこへでも移すことができた。その場所が、グローバルな通信ネットワークの信頼できるノードにありさえすればいいのだった。

ブリティッシュ・エアウェイズのような、グローバルノース（訳註：主に北半球にある先進諸国）の大手多国籍企業は、事業活動のかなりの部分を切り分け、グローバルサウスの英語圏の旧植民地にある小企業に委ねた。そうすることで、従来の雇用分類に伴う義務やコストや労働者のセイフティーネットを取り除いた。

インドのような国民国家は、グローバルな衛星システムや免税のIT工業団地の拡大を国費で行ない、複合企業との契約条件に色を付けた。グローバルなサプライチェーンにおけるこれらの新しいリンクは、航空会社のフライトスケジュールや保険監査からフルタイム従業員の給料支払小切手まで、あらゆるものを処理させるために、地元の人を思いのままに雇用したり解雇したりした。

一九九一年のインドの経済自由化には、国内のすべての主要都市での工業団地（インド・ソフトウェアテクノロジーパーク）の開発が含まれていた。[38] ケンブリッジ大学とオックスフォード大学で学んだ経済学者で、後に首相となるマンモハン・シン財務大臣は、貿易相手国のソヴィエト連邦に長年支えられてきたインドの社会主義経済は、鉄のカーテン崩壊を生き延びるために、自国の市場を自由化し、規制を緩和する必要がある、と主張した。

彼の経済戦略のカギは、可能なかぎり多くの外国投資を呼び込むことだった。だから、上下水道のような無料の公益事業を欠くインドの都市に、高速のブロードバンドのインターネットインフラや送電網があって、テクノロジーパークにサービスを提供しているのだ。すぐに利用できるインターネット接続の急速な増加と、英語を話す地元の労働力や、長い歴史を持つ科学と工学の高度な教育訓練拠点とが相まって、インドはビジネスプロセスアウトソーシング（BPO）の最初の中心地になった。

だが、アウトソーシングはけっしてコスト削減のためだけではなかった。労働組合化に対して抵抗が強まっているせいであり、長年続いている労働法規を免れるためでもあった。

企業は、臨時雇用労働者の広範に及ぶネットワークにますます頼るようになるにつれ、現場のフルタイム従業員の数を減らした。彼らは、団体交渉をしたり、労働者の手当の増額を強く求めたりする資格があるからだ。

多くの企業が一九八〇年代に、ほとんど検証されていない経営管理論に従い、「投資収益率」（業界用語では「ROI」）と「コア・コンピテンシー（企業の中核的能力）」で定義される自社の真の価値で株主を感心させるために、オフィスの清掃からソフトウェアプログラムのデバッグ作業まで、**「非本質的事業活動」**と定義できるものはすべて削減した。

合衆国労働省の賃金・労働時間局のディヴィッド・ワイル元局長はこのプロセスを、「職場の分断」と的確に言い表した。[39] どこででも、誰によってでも、従来より少ない金額でやってもらえることは今やすべて、タスク化され、アウトソーシングされた。コストを削減し、フルタイム従業員を減らすためにアウトソーシングを利用する気のある企業を、株主は報いた。

ところが、どれほど合理化が進んでも、監査や書類の分類・整理、起草、フォーマット化、運送などのタスクは、依然としてする必要があった。**誰かが。どこかで。**アウトソーシングはなんとも皮肉だった。仕事をはるか彼方の臨時雇用の労働者に委託するだけにとどまらなかったからだ。アウトソーシングは、廊下の先のキュービクルを通してでも起こりえた。

契約社員の増加

マイクロソフトは一九八〇年代後期、成長するテクノロジー業界での地位ではなく、そこでの人員配置の手順に見られる問題含みの傾向のせいで、スポットライトを浴びる羽目になった。臨時労働者や独立業務請負業者を使うのは、テクノロジー企業にとってけっして新しいことではなかった。それらの労働者は、企業の短期的なニーズを満たし、正社員が休暇を取っている間、代わりに仕事をしたり、日常業務の範囲外の専門技術や知識を提供したりするはずだった。

ところがマイクロソフトは、正社員がしているのと事実上同一のタスクを臨時労働者に割り当てていた。これらの「**契約社員**」は何年にもわたって同じ責務を果たし、同じ管理職の下で働き、フルタイムで仕事をしていた。一九八九年には、内国歳入庁はこの体制を疑問視し、マイクロソフトの人員配置の手順を検査した。同庁は結局、マイクロソフトの独立業務請負業者のうち約六〇〇人は正社員に分類し直されるべきであると判断した。なぜなら、彼らの仕事は完全にマイクロソフトの管理下にあったからだ[40]。

だが、事はそこで終わりにはならなかった。

マイクロソフトは人材管理と臨時労働者の給与管理を人材紹介会社にアウトソーシングし、臨時労働の身分への変更を拒んだ労働者を解雇した。人材紹介会社は、より安価な労働力をマイクロソフトに供給した。なぜなら今や、契約社員は公式には別の企業の従業員なので、マイクロソフトは彼らに手当やストックオプションを提供しなくても済んだからだ。

だが一九九二年には、そうも言っていられなくなった。臨時労働者の一団が、彼らはコモンロー上の被雇用者であり、正社員と同じ手当を支給されてしかるべきだとして、マイクロソフトを相手取って集団代表訴訟を起こしたからだ（ビスカイーノ対マイクロソフト）。

マイクロソフトは、次のように反論した。これらの労働者は、彼らが臨時労働者であり、手当を受け取る資格がないが、「より多くの報酬」と「柔軟性」で埋め合わされることを示す契約書にサインした、と。その後の数年間、マイクロソフトは大変な手間をかけて、臨時従業員を正社員と差別化した。たとえば、違う色のバッジを身に付けさせ、違うメールアドレスを与え、社内の売店での割引をなくし、駐車場は使わせず、社交行事からは締め出し、同社の金銭給付も医療給付も当然与えなかった。

八年近い訴訟の後、ついにマイクロソフトのおよそ八〇〇〇人の契約社員は九七〇〇万ドルの和解金を受け取った。それは大勝利のように思えるかもしれないが、代償も無視してはならない。つまり、訴訟が示談になった点だ。裁判所の判決が出なかったので、これらの契約社員がどんな種類の労働者で、どんな種類の保護を受けてしかるべきかという疑問は、完全には解決しなかった。

たしかにこの契約社員裁判は、法曹界やビジネス界のリーダーにとって、臨時労働者や独立業務請負業者をどのように扱うべきか、あるいは扱うべきではないかを示す画期的な例になった。だが、「フルタイムの仕事」の正式な定義から漏れている仕事をする厖大な数の人々の苦境を救う上では、この裁判は何の役にも立たなかった。

紡績機の糸屑を取り除いていたティーンエイジャーや、月探査ロケットのための計算をしていた人間コンピューターや、インドで業務電話に対応しているコールセンターのオペレーターの増減が示唆するように、**テクノロジーの進歩はいつも、使い捨てにできる臨時労働者のプールを頼りにしてきた。**

雇用形態の分類の曖昧さ

この過去からの根本的な転換ではなく、過去との連続性をたどると、ゴーストワークをその背景も含めた全体像の中で捉えることができる。

歴史が示しているように、有限のプロジェクトの間だけいてくれるものと思って人を雇ったり、自動化されたプロセスは効率的だとされているので労働者に取って代わりうると思って人を雇ったりするのは、それほど新しいことではない。一八〇〇年代後期にはマサチューセッツ州ローウェルの繊維工場が農家にお金を払い、繊細過ぎてまだ工場の現場では量産できない布製品を手作りしてもらっていた。同様に、検索エンジンの検索語句を究めようとしている今日の企業は、オンデマンドワーカーに業務を委託し、自社の最新の格付けアルゴリズムや関連性アルゴリズムやクローリングアルゴリズムをテストさせている。

臨時雇用は、何が神学や法学や医学のような学問的職業あるいは「スキルを伴う」仕事に入るかや、どの労働者がフルタイムの仕事を得る資格や必要性があるかについての、文化に大きくかかわる概念によって、さらに価値を下げられた。縫い物をする農家の妻や、手計算で数を集計する若い黒人女性、海外の大陸でデータの入力をする「その他」の人々、出荷されるかどうかわからない教育用ソフトウェアの試験的なパッケージの開発を手伝う独立業務請負業者を切り捨ててしまえたのは、一つには、彼らの性別、肌の色、国籍、職業訓練、居住地のどれか、あるいはすべてのせいだった。

今日オンデマンドの仕事をしている人は、使い捨てにできるゴーストワークの最新バージョンだ。彼らは、しばらく必要とされる一方で、あまりにも簡単に価値を下げられてしまう。なぜなら、彼らのするタスクはたいてい、平凡なもの、あるいは機械的な反復作業として片付けられてしまうし、委託されてそういうタスクをしている人は、文化的影響力をまったく持っていないからだ。次章で説明するように、オンデマンドワーカーは、この根本的な矛盾を抱えて生きていると同時に、根本的な転換の表れともなっている。

テクノロジーが工業化時代全体に及んでいるなかで、その欠点の実態を念入りに見てほしい。人間の労働の意義や価値を偶発的に揺るがし、どの種の雇用形態が重要で、誰が労働者として保護されたり投資されたりしてしかるべきかをめぐる論争を巻き起こすのは、自動化そのものではなく、「自動化のラストマイルのパラドックス」だ。

脱工業化のサービスエコノミーへの移行は、アナリストが「ナレッジワーク（知識労働）」と呼ぶものの第二のブームも引き起こした。ナレッジワークとは要するに、データを使って考え、データを人為的に操作するのに必要な創造的専門技術や知識を、テクノロジーや法律から金融やエンターテインメントまでの諸産業によって、オンラインで提供される消費型サービスに変換することだ。

カール・マルクスからアダム・スミスまで、さまざまな思想家が、人間の労働から「スキルを排除する」上で機械が決定的な役割を果たすところを想像した。マルクスに言わせれば、自動化はワーカーの人間性を奪う。スミスにしてみれば、機械のペースが速まり、その及ぶ範囲が拡がれば、神々しいまでに独自の人間らしさが、なおさら明確になる。それぞれの時代の産物である両者は共に、自動化に本来備わっている、あらゆる定型業務を制覇する能力は、必然のものだと考えていた。

科学には人類を過酷な労働から救い出す根本的な秩序と力があるというこの信念は、啓蒙運動と、それに続く急激な工業化の特徴だ。ところがナレッジワークは、エンターテインメントから税にまつわるアドバイスまで、常時稼働の無形の情報サービスを絶え間なく生み出す。家の修理のような実用的で物理的なサービスの台頭にも、テキストベースのヘルスケアサポートのような非物質的ナレッジワークのブームにも、従来の組立ラインや二〇年がかりの昇進制度では対応できない。この仕事の世界は、スキルの階層制に沿った「有意義な雇用形態」の経済的格付けを平然と無視する。

初期の産業主義者は、労働を機械とフルタイムの従業員とに分けようとしたが、その分割は、両者の隙間を埋める労働者を捉えられず、彼らの価値を認めることなど望むべくもなかった。同様に、テクノロジーのエンジニアや企業は、生産の自動化をしようとしているときに、エコノミストのフランク・レヴィとコンピューター科学者のリチャード・マーネンが、約束されたとおりにサービスがうまく機能するのに必要な「**エキスパート思考**」と「**複雑コミュニケーション**」と呼ぶものを行なうために、不特定の期間だけ介入する人への需要を生み出した。[41]

「自動化のラストマイルのパラドックス」に搦め捕られたこれらの労働者は、地平線に漂っている自動化された想像上の未来に付随した、何かしらのぼんやりした出口を指し示される。だが**臨時労働者たちは一〇〇年後も、視界から隠されて十分に評価されることも価値を認められることもありえない、繁忙な生産ループのひだの中に押し込められたままになる**。

二〇世紀の企業が生産を自動化したのは、同時代の人々と同じで、テクノロジーには生活を向上させる力があると信じていたからだ。[42] 労働者は出費がかさむ負債であるという、経営の決まり文句を信じていた企業もあった。アウトソーシングが増え、臨時雇用が拡大すると、人員削減は機械と重複する場合に限られると考えるのは難しくなった。まもなく、誰もが取り替え可能に見えてきて、残っているフルタイムの従業員こそが真の資産であるという暗黙の考え方が強まった。

もっぱらフルタイムの従業員の保護に集中するという労働組合の方針は、二〇世紀の大半を通じて理に適っていた。歴史的にいって、フルタイムの従業員を組織するというのは、同じ仕事現場で働く人々を説得して協力させ、交渉の場で経営陣や上司と向き合うときのために、賃金や手当や労働条件の基準を定め、声を揃えて要求をさせることを意味した。組織労働者と労働組合の時代の初期には、組立ラインの労働者の保護に注意が向けられた。一つには、製造業の黎明期にできた組立ラインや鉱坑は、命懸けの職場だったからだ。労働組合と大衆の広範な支持のおかげで、アメリカは世界でも早々に一連の包括的な法案を可決し、社会契約を確かなものにした。具体的には、休暇付きの週四〇時間労働、職場の安全・衛生上の義務、社会保障と傷害保険、さらに後には、雇用者負担での医療、退職年金、病気休暇、休暇などだ。

二〇世紀の初頭には、組織労働者は、組立ラインで働いている従業員の立場を擁護することに注意を集中していた。それにはもっともな理由があった。工場や鉱坑の雇用条件は劣悪だった。労働時間は長かった。安全保護も傷害保険もなかった。労働者が抜け出して休憩を取ったり早退したりできないように、工場の出入口には錠が下ろされていることがしばしばだった。だが、アメリカの出来高払いの仕事[43]のほとんどが手作業で行なわれる家庭の環境とは違い、工場の現場は労働者が監視したり異議を唱えたりできた。

これまた重要なのだが、工場の組立ラインは労働組合の組織者に、組合員基盤を獲得して、組織活動を賄う組合費という持続可能なビジネスモデルを構築する道を提供した。労働者の安全よりも利益を重視する上司に勝つ機会を得たければ、労働者は自らを組織化し、団結して交渉しなければならなかった。労働者は工場にフルタイムでいたので、ストライキやサボタージュや契約審議といった戦略を可能にするのに労働組合の組織者が必要としていた、現場の連帯や共通の了解を確立するのがはるかに簡単だった。

アメリカの一部の労働組合は二〇世紀の大半を費やして、女性や有色人種だけでなく、一九三〇年代以来連邦の規制の対象外になっていたサービス労働者や家事手伝い、在宅介護助手その他大勢の擁護に立ち上がる必要性を認識していった。だが、臨時労働に注意が向いたのはおそらく遅過ぎで、鋼鉄ではなくカフェ・ラッテを売る企業が臨時雇用労働に移行した、ずっと後のことだった。

労働者の権利擁護者は、自分のする種類の仕事で職場はおろか、言語さえ共有しない労働者の間に連帯を築く戦略を、まだ練り上げていなかった。オンデマンドで仕事をしている人はたいてい、交流することを妨げられており、次章で明らかになるように、オンデマンドワーカーとしてのアイデンティティーに、大幅に異なるメンタルモデルと思い入れを持っている。

今日のオンデマンドワーカーは、根本的に新しい種類の労働者だ。

彼らは臨時労働者という身分だからこそ、なくてはならない。彼らはどの企業とも固定的なつながりを持っていないから、さまざまな企業が利用できる労働者の共通のプールが生み出され、企業はこの、経験と利用可能性と多様性の共用の源泉を活用して、常に新しいプロジェクトを創出できる。

今や企業が、この臨時労働の「**コモンズ**（共有資源）」の利用可能性に依存しているのは、顧客に提供できるものをたえず新たに考案しなければならないからであり、また、注意と再調整に対する一日二四時間、週七日間途絶えることのないこの需要は、フルタイムの従業員たちだけでは満たせないからだ。

はっきりさせておきたいが、今日の臨時労働への依存は、避けられないものではなかった。労働組合は、民間部門と公共部門の両方の独立業務請負業者を組織することに力を注げたはずだ。裁判所と連邦政府は、重工業や鉱業以外で請負業務が盛んになるのを許すような適用除外に、もっと強く反対することができたはずだ。合衆国労働省は仕事を異なる形で分類し、既存の業務形態に当てはまらない独立請負の人の数を、より正確に数えることができたはずだ。そして、企業は一般大衆からの圧力を受けて、株価の上昇と、雇用形態の分類とは無関係に、あらゆる労働者が恩恵を受けるような利益の分配とのバランスを取ることができたはずだ。

だが、それらのどれ一つとして実現しなかった。

二〇〇五年に契約社員の訴訟が和解したときには、グローバル経済はもう、物作り主導ではなくなっていた。製造業は依然として主要な雇用の場ではあったが、はるかに多くの企業が顧客の経験を生み出したり管理したりするサービスの提供で利益を得ていた。その結果、APIを通してナレッジワークを割り当てること(「クラウドソーシング」ともいう)が、実行可能なビジネスモデルになった。これらの企業は今では、労働者の多様なプールを組み合わせ、半自動化されたシステムに頼って仕事の割り当てをそれぞれのデスクトップの間でやりとりしながら、プロジェクトに取り組んでいる。

ネットワーク化されたテクノロジーと、アウトソーシングやベンダーマネジメントシステム(VMS)を通して用意した人員配置を利用し、既存企業もスタートアップも臨時労働者を雇って素早くプロジェクトを進め、消費者向け製品のプロトタイプやベータ版のテストを迅速に繰り返すことができた。これらの労働者は、プロジェクトの締め切りまでしかかかわらないというのが、その前提だった。

これは指摘しておく価値があるが、最大手の「フルタイム雇用者」数社は、じつはアクセンチュアのような人材紹介サービスや人材派遣サービスであり、これらの企業のいくつかは、働き口の提供者の世界ランキングで上位に入る。[44] S&Pグローバル・マーケット・インテリジェンスの分析によれば、二〇一七年には世界で従業員数が多い企業の上位二〇社のうち五社が、アウトソーシング企業と「労働力ソリューション」企業だったという。[45]

それに対して、二〇〇〇年には雇用者の上位二〇社のうち、ITのアウトソーシングサービスを行なっていたのはIBMだけだった。どれだけの数の臨時従業員が人員を必要とする企業で働いているかを知るのが難しいのは、仲介する人材紹介会社が、企業の人件費を負担している(あるいは隠している)からだ。それは一目瞭然だ。

アウトソーシング部門は過去二〇年間、盛況を極めている。二〇〇〇年から二〇一六年までに、アウトソーシング契約の年間の金額は一二五億ドルから三七〇億ドルへと、三倍に増えた。[46] 多くの企業が厖大な量のデータをクラウドに移したので、大型のテクノロジープロジェクトが二桁成長を続けているおかげもあって、アウトソーシング市場は二〇一七年と二〇一八年にも拡大することが見込まれている。

アウトソーシングとベンダー管理の人材紹介会社という仕組みがあるので、臨時労働者を確保するコストは、株主向けの四半期報告書では、コピー用紙と文字どおり同じ形で説明される。企業が従業員を削減することを発表すると、株価は急騰する。だが、契約社員の訴訟で明らかになったように、解雇から数週間のうちに、企業が臨時雇用予算を増やすことは珍しくない。企業は人材紹介会社を通して、元従業員の労働力を「買い戻す」ことで、プロジェクトを完了するのも人件費を削減するのも簡単になる。

そして、シリコンバレーの無数のスタートアップを含め、ベータテストの実施からバイラル・マーケティング(訳註:インターネットの口コミを利用したプロモーション手法)までいっさいを独立業務請負業者に頼るのに慣れている新しい企業は、書類上で「身軽」な体裁を保ちながらも、人材紹介会社と契約して頭数は同じの臨時労働者を使って業務を行なうことができた。

「記録上の雇用者」である人材紹介会社を通してアウトソーシングや独立業務請負業者に頼ることで、いわゆる「プラットフォームエコノミー」の舞台が整った。

製品を発売するために「手に入れる」ものへと労働者を変える雇用慣行は、ゴーストワークのコードに織り込まれている。

企業は過去一〇年間に、個人の消費者あるいは他の企業と、空港までの乗車からスマートフォンアプリを利用したメディカルトランスクリプションまで、あらゆるものとのマッチングをする**オンデマンドサービス**を始めた。それらの企業は自らを、雇用の場や臨時労働者紹介会社としてではなく、洒落た革新的なテクノロジーとして売り込む。だが、それらや類似の多数のオンデマンドゴーストワークプラットフォームは、意図的にかどうかは別にして、一一五〇億ドル規模の臨時雇用業界を静かに乗っ取りつつある。本書で詳しく説明するプラットフォーム、すなわちオンラインで臨時雇用労働者のプールへの直接のアクセスを提供しているプラットフォームは、けっして例外的な存在ではないのだ。

消費者は新しい経験を望んでいるので、ほとんどの企業は自社の新しい製品やサービスを、最新で最高のものとして市場に出そうと努力している。だから、たえずプロジェクトを企画しており、そうしたプロジェクトは、ただちに満たさなければならないニーズを抱えていたり、投機的だったりする。どの労働者も、その瞬間には必要とされるが、プロジェクトが完了すれば使い捨てにできるのだ。

第2部

苛酷な仕事

第3章 アルゴリズムの残虐とゴーストワークの隠れたコスト

無頓着なデザインとその意図せざる結果

ほとんどのオンデマンドワーカーは、アプリケーションプログラミングインタフェース（ＡＰＩ）の在りようの一部として不公平なワークフローを受け入れるが、ソフトウェアのバグのせいで、仕事がいっそう不安定なものに感じられかねない。

二〇一三年、システムに不具合が起こり、ジョーンのＭタークアカウントは唐突に使用停止にされた。オンデマンドワーカーにとって極め付きの悪夢だ。

「ソフトウェアの問題についての連絡メールはまったく届きませんでした。わかったのは、もうログインできないことだけです」と彼女は言う。「カスタマーサービスに電話したら、サイトが問題を解決するまで待つしかない、と言われました。その停止のせいで二〇〇ドル近く損しましたよ。報酬の良い仕事を失ったんです。私の仕事の質のせいではなく、Mタークの問題のせいで」。

ジョーンのようなオンデマンドワーカーは、不具合が生じたときに、何が起こっているのか知りようがない。まして、**助けの求めようなどまったくない**。ジョーンは四〇時間にわたって締め出された後、ようやくアカウントを取り戻した。だが彼女は、この経験で用心深くなった。「この先仕事ができるかどうか、収入を維持できるかどうか、まったくわからないままの四〇時間でした。しかも、その理由は全然明かしてもらえませんでした」。

二〇一四年、ウェブデザインコンサルタントで著述家のエリック・マイヤーは、演算処理設計の欠陥を説明する「**故意でないアルゴリズムの残虐**」という言葉を造った。[1] 相手の立場に立つ能力の欠如のことだ。この言葉は、ジョーンのゴーストワーク体験を鋭く捉えている。マイヤーがこの言葉を最初に使ったのは、フェイスブックが「イヤー・イン・レビュー（一年を振り返る）」という機能を公開したのに対するブログ記事の中だった。

その機能は、ユーザーにその人の一年のハイライトを写真で示すというものだ。マイヤーの場合には、このアプリは設計どおりの働きをし、彼の一年間の写真を示した。問題は、彼の五歳になる娘のレベッカがその年、脳腫瘍で亡くなったことだった。後にマイヤーは、オンライン雑誌の「スレイト」に発表した小論の中で次のように書いている。「娘の写真だ。

亡くなった娘の。そう、私の一年は、たしかにそんなふうに見えた。私の一年は、今はもう目にすることのできない幼い娘の顔のように見えた」。それが意図的な攻撃ではなく、コンピュータープログラムがもたらした不幸な結果であることを彼は認めている。「アルゴリズムは本来、無思慮だ。特定の判断フローをモデルとするが、いったん作動させれば、それ以上の配慮がなされることはない」。

アルゴリズムやプラットフォームやAPIの設計に思慮が欠けていて、何も知らない消費者にそのまま提供されると、エリック・マイヤーのような人が、その意図せざる結果の被害者になる。「**無思慮のプロセス**」が職場、それも特に、ほとんど交渉力がなくて、失うものの多い低所得者の職場に導入されると、その意図せざる経済的・社会的結果は重大だ。[2]

ゴーストワーク市場では、仕事を完了させるのに伴う取引コストが消滅するわけではない。そうしたコストは、オンデマンドワーカーとリクエスターが背負い込むことになる。ソフトウェアは調整できるものの、それ以上に大きな問題がある。それは、**不具合が起こったときに、システムがワーカーを無視すること**だ。現時点では、オンデマンドプラットフォーム企業と、そうした企業を利用してワーカーに業務を委託している企業に、ワーカーに対して責任を持つことを義務付ける契約条件はない。この新たな雇用形態での支払い義務でさえ、不具合を起こしがちなソフトウェア任せになっている。

もう少し具体的に説明しよう。

仕事を探し、タスクの行ない方を学び、問題が生じたときにそれを伝えるためのコストは、ワーカーが負担する。人材を見つけ、信頼を築き、ワーカーに対する責任を果たすためのコストは、リクエスターが負担する。こうした取引コストの、不釣り合いなまでに多くが、ワーカーにのし掛かる。これらのコストが発生するのは、プラットフォームとそのAPIの設計における不注意が招いた、アルゴリズムの残虐のせいだ。

プラットフォームとリクエスターが共に使うソフトウェアのシステムは、あまりに厳格で容赦がない。だから、ワーカーに業務を委託し、彼らの仕事を評価し、報酬を支払うことに伴う複雑さに、一つ残らず公正に対処することができない。そのため、市場のどちらの側の人間も、こうした複雑さを解決するという課題には、自腹を切って取り組むしかない状態に置かれている。ただし、コストの負担が大きいのはワーカーだ。

ビジネスを行なうコスト

オンデマンドエコノミーの核心には、**ゴーストワークに頼れば取引コストが削減でき、したがって、利益が増える**という前提がある。取引コストとは、モノやサービスの生産と交換を管理するのに伴う出費のことだ。現代の経済理論に大きな貢献をしたノーベル賞受賞者のロナルド・コースは、取引コストという概念を社会に広めた(もっとも、その用語自体を造ったのは、彼ではない)。

彼の一九三七年の画期的論文「企業の本質」は、ワグナーが全国労働関係法を成立させたわずか二年後に発表された。コースはその論文の中で、企業は市場摩擦を減らすために、労働者を見つけて雇い、訓練するといった業務を調整しなければならない、と主張した。コストを削減して利益を得る唯一の道は、企業をできるかぎり円滑に運営することだった。彼は、現代的な私企業を通して大規模な生産を行ない、能率的な組織図から利益をあげる方法を理論化した、実質的に最初の経済学者だった。

ゴーストワークエコノミーは、ワーカーを探し、マッチングし、訓練し、連絡を取り、確保しておくのに伴う、高価な摩擦をなくすことができるソフトウェアとして、自らを売り込む。ところが、コースなら警告したかもしれないが、労働者どうしや、労働者と雇用者の間のコミュニケーションと調整は、必要であるばかりでなく、じつは、お金をかける価値が十分あるのだ。

ゴーストワークはアルゴリズムとAIとプラットフォームインターフェースを結び付け、「生産を管理する起業家・調整者」[3]としての企業の機能にとって代わることができると、どれほどいわれていようと、それに反する証拠がある。ゴーストワークの取引コストは、消えてなくなったりしない。代わりにリクエスターとワーカーが背負い込むだけだ。

リクエスターは、新しいプロジェクトを詳しく調べ、新しい従業員に任せるときに通常発生する管理業務をうまくこなさなければならない。彼らは、いったんコードに変換してAPIを通じて伝達すればもう説明は不要と思っていたタスクを説明するのに、さらに時間と労力を費やす。

ワーカーはそれと比べても、不釣り合いなまでに高い代償を払う。時間を失い、報酬さえ失い、不当な扱いを受けても訴える機会がない。リクエスターに回された取引コストの多くは、ワーカーが背負わされたものを反映している。**ゴーストワークは、当事者の誰にとっても円滑に機能していないことを、彼らが直面するそれぞれのハードルが実証している。**

仕事をリクエストする——取引コスト

リクエスターが直面する困難のうちで最もよく報告されているものは、ワーカーとタスクのマッチングのプロセスで起こった。

リクエスターは、タスクを載せると応募者がどっと押し寄せるので、それを審査・選別しなければならない、と回答している。規模が大きい複雑なタスクのときには、なおさらだった。あるPR会社のコミュニケーションスペシャリストは、次のように述べた。「応募者の多さには圧倒されます。仕事をしたくてしかたがない人ばかりですし、彼らが本当にプロジェクトを実行できるかどうかを判断するのは、難しい場合がありますから」。

裏を返せば、ワーカーたちは全神経を集中させているということだ。彼らは良い仕事がないか、たえず目を光らせているので、リクエスターのもとに応募者が殺到してしまう。だから、ワーカーを選ぶのが難しくなる。あるマーケティングマネジャーは、こう言っていた。「世界中から応募があるときは特に、厖大な数の人を篩に掛けるのは、大変な手間になりかねません」。

ワーカーの審査は、時間のかかる手作業で、電話やスカイプでの通話を行なうことが多い。あるスタートアップのコミュニケーション担当ヴァイスプレジデントは、適切に審査を行なうことの重要性を論じた。「専門的なスキルは持っていても、コミュニケーションのスキルが乏しいワーカーが多いので、この点は徹底的に審査しなければいけません。彼らが作ったウェブサイトは、見栄えが良かったものの、後で別の人にそのサイトで仕事をしてもらったら、お粗末なコードや未完成のコードが見つかった、というケースもありました。だから今では、ワーカーの選抜にはいっそう慎重を期しています」。

第1章で説明したように、評価やレピュテーションスコアという形でガイダンスを提供するプラットフォームもある。リクエスターがこの情報をどの程度利用するかはさまざまだった。使っているというリクエスターもいれば、割り引いて受け止めるというリクエスターもいるし、たいてい認証も確認もないので、操作されていることもありうると考えて完全に無視するというリクエスターもいた。

評価やレピュテーションスコアには、別の問題もある。一つのプラットフォームから別のプラットフォームへと移すことができないのだ。

ワーカーは、あるプラットフォームで輝かしい評価を受けていても、別のプラットフォームに移ったら、またゼロから始めなければならない。多くのリクエスターは、評価やレピュテーションスコアはそれまでの仕事の一覧ほど当てにならないと回答し、プラットフォームが以前の仕事を見るのを難しくしていると嘆く。前述のエンジニアリング企業のマーケティングマネジャーは、その気持ちを明確に吐露している。「フリーランサーのプロフィールは、もっとオープンであるべきだと思います。フリーランサーがこれまでに働いた企業が、自社のためにどんな仕事をしたのかを、彼らが示すのを本当に許すことがないのは理解していますが、仕事の成果の詳細がわかれば、とても助かるでしょう」。

一般に、リクエスターはワーカーを確保するためにオンデマンドプラットフォームを使うが、応募者の審査は時間がかかると感じている。その結果、リクエスターはなるべく審査の回数を減らし、すでに審査したワーカーに再度業務を委託するように努めることが多いようだ。人材紹介会社を介する場合には、その会社が負担する取引コストであるワーカーの審査は、オンデマンドプラットフォームのモデルでは、こうしてリクエスターに回される。

リクエスターがワーカーを選ぶと、次のステップは業務を実際に完了させてもらうことだが、ここでもリクエスターの側に、多くの取引コストが発生する。取引コストの多くは、業務が完了するまで、委託されたオンデマンドワーカーが一時的に企業の一部となることから生じる。彼らは実質的には、何の研修も受けていない新しい従業員で、初日にリモートでタスクを割り当てられる。研修のコストはリクエスターとワーカーの両方が負担する。だが、もしワーカーの仕事が標準に達しないと不合格とされ、報酬がもらえない。一方リクエスターはあっさり、報酬を払わないことにして、別のワーカーを探すことができる。

真っ先に出てくる課題の一つは、こうした状況で信頼と責任に基づく関係を確立することだ。二人の人間の間で信頼を築くには時間がかかるが、これはオンデマンドワーカーを使うときの大切な強みの一つである、労働力に迅速にアクセスできることと相容れない。すでに説明した、プラットフォームが使う評価とレピュテーションスコアのシステムは、ＡＰＩを通して信頼を伝える試みだが、解決策としては不完全だ。

ある工業製品供給企業の物資調達マネジャーは、次のように語った。「必ず信頼の問題が出てきます。彼らを信頼し、本人の言うとおりの技能を本当に持っているものとして採用するか、あるいはもっと重大なタスクの場合には、まず、一〇～一五分会話してみるかのどちらかです。実際、これぐらいしか、しようがないんですよ。どこかの時点で、相手のプロ意識に賭けるしかありません」。

こうした信頼の問題は、責任の問題にも絡んでくる。従来の人材紹介会社モデルでは、もし労働者の仕事が、採用した企業の基準に達しなければ、紹介会社が責任を問われる。だが、オンデマンドの状況では、責任というものがほとんどない。ギフトや骨董（こっとう）品を売っている、あるオンライン小売業者は、次のように述べた。「人材スカウト会社を九社当たりましたが、必要な言語能力のある人も、プログラマーも見つかりませんでした。それからやっと一人見つけ、それが良い人で、仕事もよく知っていました。けれど、いよいよ本格的に始めようとしたところで、姿を消してしまいました」。

その小売業者は、そのワーカーが消えてしまった時点で、お手上げだった。さらに、もしリクエスターとの関係が悪化したら、オンデマンドワーカーは、別のリクエスターと新たに仕事を始めることができるから、ワーカーの側の責任感はさらに希薄になる。前述のオンライン教育企業のマーケティングマネジャーは、こう言った。フリーランサーたちは「態度がいいかげんです。［フルタイムの従業員］の場合には、仕事をしているときに自分が審査され、評価されていることを承知しています。ところが、フリーランサーとなると、彼らにとって、その仕事は一つのプロジェクトにすぎず、次にどこか別の企業と新しいプロジェクトをやります。だから、そんな態度になり、そのせいで信頼の問題がたっぷり出てくるわけです」。

あらゆるワーカーがどのリクエスターからも仕事を受けられるようにするというのは、ほとんどのプラットフォームが下す設計上の決定だが、それが責任をあやふやにするという、意図せざる結果を招いてしまった。責任が不在であるために、リクエスターはさらに取引コストを負わされる。彼らはワーカーを管理しなければならない。細部に至るまで管理する必要さえある。

別のマーケティングマネジャーは、ワーカーを徹底的に監視することで、責任の不在に対応した。「フリーランサーたちに、毎日進捗状況を報告するように言いました。彼らはリモートワークをしているので、管理するのが大変ですが、毎日報告を送ってもらうと助かります。日々の報告のおかげで、少なくとも、締め切りが守れなさそうなときには事前に知って、手を打てますから」。

オンデマンドワーカーは普通はリモートで働くので、仕事を委託する企業の文化を見て取り、吸収し、それに即して行動するのが難しいことがある。たとえば、前述のエンジニアリング企業のマーケティングマネジャーは、次のように言っている。「一番の問題は、あの人たちはうちの組織の人間ではないので、うちのスケジュールや手順、ガイドライン、物の書き方をほとんど知らない点だと思います。どの会社にも違う文化があるので、フリーランサーには単一の文化に従うのが本当に難しくなります。それぞれ異なる文化やガイドラインを持つ五つの異なる会社の仕事をしているかもしれませんから」。

企業文化は、納品される仕事に対してリクエスターが抱く期待に影響を与えうるし、それが今度はワーカーが生み出す実際の製品に影響を与えうる。業務を委託する企業の文化を吸収できなかったり、吸収する気がなかったりすると、オンデマンドワーカーはその企業にふさわしくない仕事を納品する結果になりうる。

先程のマーケティングマネジャーが、あるデザイナーと仕事をしたときがそうだった。「以前は良い仕事をする人だったのですが、弊社は彼の鮮やかな色使いを受け入れられませんでした。ですから、もっと青や灰色や暗い色合いを使うようにアドバイスしたんですが、彼は逆に明るくて刺激的な色を使いました……弊社の仕事のやり方を何度も説明した後でさえ、どうしても弊社の基準に従うことができませんでした」。

広告業の別のマーケティングマネジャーは、こう述べた。企業文化をオンデマンドワーカーに説明することは、APIに組み込むのが難しいので、これまたリクエスターが背負い込む取引コストとなる。「フリーランサーにうちの文化をしっかり理解してもらうことは期待できません。フリーランサーとは、性質上そういうものです。だから、彼らのアウトプットが必ず弊社の基準を満たすようにできるかどうかは、じつは私次第なのです」。

信頼と責任と文化は、労働環境全般のうちの社会的側面だ。一方、オンデマンドワーカーに業務を委託するときの主な技術的課題の一つは、彼らに必要なツールとデータへのアクセスを与えることだ。リクエスターの圧倒的多数は、ワーカーが仕事をするときには自分のソフトウェアツールを使うのが当然と思っている。あるダイレクトメール企業のコミュニケーションスペシャリストは、次のように言った。「ええ、彼らは委託された仕事をこなすことができると、私たちは考えています。そして、もしそれには特定のツールが必要なら、ええ、彼らはそれを持っているものと、私たちは考えます。持っているのがフリーランサーであることの一部でしょう。独立して業務を請け負っているのですから。私たちはフリーランサーにツールを提供することはありませんし、彼らの研修をするつもりもありません。フリーランサーを使うのは、そうした投資を避けることができるからです」。

フルタイムの従業員なら、仕事をするのに必要なソフトウェアツールはすべて支給されるだろう。だが、オンデマンドの労働現場では、このコストはワーカーに回される。あるコンサルティング企業のマネジャーによれば、「建築製図はできるけれど、CAD（コンピューター支援設計）ソフトは持っていないと、誰かが言ったとしましょう。これではまるで使いものになりません。ですから、彼らが仕事を終えるのに必要なツールを必ず持っていることを確認しなければなりません。その人が持っていなければ、別の人を見つけます」とのことだ。リクエスターは最終利益を改善できる。オンデマンドワーカーにはソフトウェアツールを提供しなくてもいいからだ。

リクエスターの圧倒的多数が同じテクニックを使い、自分たちが信頼できるワーカーのプールをプラットフォームから遠ざけておき、前述のような問題を克服したり、少なくとも緩和したりしようとしていた。リクエスターは、同じワーカーに何度も業務を委託したり、彼らを試したりして、この信頼できるプールを構築する。[4]

リクエスターは、まずプラットフォームにやって来てワーカーを見つけ、確保する。手間暇かけて彼らを審査し、合格した人にタスクを与える。タスクが完了すると、出来が良かった人が、業務を委託した企業の、信頼できるワーカーの内部データベースに加えられる。そして、またオンデマンドワーカーが必要になったときには、信頼できるワーカーのプールの中から探し始める。

リクエスターの視点に立つと、このアプローチには利点がたくさんある。

第一に、お金を節約できる。リクエスターはプラットフォーム上でワーカーに会い、もし相手が優秀ならばプラットフォームの外で関係を結び、将来の仕事はプラットフォームに出さないで済む。プラットフォームはたいてい、リクエスターがワーカーに支払う報酬の一定割合に相当する額をリクエスターに請求するので、リクエスターはプラットフォームを迂回すれば出費を減らすことができ、最終利益が増える。

第二に、信頼できるプールのワーカーに業務を委託すれば、一度だけワーカーを審査して企業の文化や基準を示し、あとは必要に応じてそのプールのワーカーを繰り返し使うことで、審査などを省いてコストを削減できる。

第三に、信頼できるプールのワーカーに業務を委託すれば、オンデマンドワーカーを使うときにリクエスターが直面するリスクを軽減できる。性格や働き方のせいで折り合いが悪くなる可能性が低くなる。

第四に、ワーカーはもし以前にも業務を委託されたことがあれば、リクエスターと信頼関係を築くことができる。あるいは、少なくとも、信頼関係の構築を始められる。一般に、リクエスターは、ワーカーとの関係を築くことが重要で有益だと感じている。そうしたほうが、より良い結果につながるからだ。

リクエスターは、自分が背負い込まされた取引コストを軽減するための、比較的単純明快な方法を見つけたからかもしれないが、オンデマンドワーカーの利用を他者に勧めるという人が大多数を占めた。先の広告会社のマーケティングマネジャーは、「一〇段階評価で八を付けます。彼らがする仕事の質や持ち込むスキルは、プロジェクトをクライアントの期待に沿うようにする上で大きな推進剤になります」とまで言っている。

市場の反対側では、ワーカーがゴーストワークを「一〇段階評価で八」とするとは思えない。

ゴーストワークの隠された痛みの尺度(ペインスケール)

取引コストの負担は、かつては企業の肩に掛かっていたが、今ではゴーストワーカーにそっくりのし掛かる。医師の診察室で見かけるような、ペインスケールを思い浮かべてほしい。一方の端には笑顔が、もう一方の端には泣き顔が描かれた尺度だ。アルゴリズムの残虐はワーカーに痛みを与え、その痛みはこのスケールで表すことができる。

ワーカーの負担は、紙で少しばかり切り傷ができたときのような、ただの苛立ち程度のときもある。仕事を探したり、仕事内容を理解したりするためにかかる時間は、そうした小さな切り傷のようなものだ。だが、ちょっとした苛立ちが悪化して、大きな痛みを伴う状況に陥る場合もある。ワーカーの時間とエネルギーがどんどん奪われる状況だ。フィードバックがまったく得られないまま仕事をしたり、同輩や同僚から孤立して働いたりすることが、ペインスケールのこのレベルに相当する。

ほとんどのワーカーにとって、ペインスケールでの最大値に匹敵するのが、報酬を払ってもらえないリスクだ。彼らの大半は、自分のアカウントに何かが起こり、やった仕事への支払いを受けられなくても、手の打ちようがない。

ゴーストワークプラットフォームと個々のリクエスターは、自分がワーカーに与える痛みの責任はいっさい引き受けない。それが残酷な現実だ。ここが肝心なのだが、Mタークからウーバーまで、企業はワーカーを、自分の労働力を売っているただの顧客と見なしている。中古レコードのコレクションを売ったり、空き部屋を賃貸したりする顧客と変わりはないのだ。ゴーストワーク企業の目から見れば、顧客は自らの純然たる意志で自社のサイトにやって来る。そして、彼らは顧客だから、いつでも好きなときにサイトを去ることができる。

繰り返しになるが、企業の視点に立つと、ワーカーはコストであり、負債だ。顧客は自由行為者であり、自己責任で売買している。ところが、ワーカーがゴーストワークプラットフォームとリクエスターの商取引を推進する原動力として認められないときには、いちばん苦で放置される。

しめられるのが彼らだ。その直接の結果として、厖大な数の労働者の地位が中途半端な状態

ペインスケール1〜3——融通性、じつは極度の神経集中

評判の良いプラットフォームで良い仕事を見つけ、絶え間なく現れるプロジェクトのなかからそれをつかみ取れるかどうかは、適切なときに適切な場所にいるというワーカーの才能にかかっている。だからワーカーは、ロナルド・コースも目が回るほど極端な集中力を養わなければならない。

何十人ものオンデマンドワーカーに話を聞いた私たちは、極度の神経集中には二種類あることがわかった。第一の種類は、何時間もかけ、「在宅就業」の広告や怪しげな勧誘を掻き分け、真っ当なプラットフォームでの真っ当な仕事を探す必要性に由来するものだ。プラットフォームは、オンデマンド市場に仕事を載せる人を篩に掛けることを法的に義務付けられていないので、ワーカーは、単に自分のメールアドレスを収集しようとしているサイトや、なりすましの被害者にされかねないようなサイトに登録しないように、注意しなければならなかった。

二四歳のリホは、事務処理組織で働きながら、インドのベンガルールで暮らしている。彼は木にホチキス止めされていたちらしでMタークのことを知った。それに載っていた番号に

電話すると、出た人に、プラットフォームのアカウントは一〇〇〇ルピー（一四ドル弱）すると言われた。Mタークの登録が本当は無料なのを知らなかったリホは交渉して、当時自分が払える限度額の六〇〇ルピー（八ドル二五セント）まで値切り、アカウントを一つ買った。
その人はMタークの使い方の基本を説明してくれたが、いざ自分でやってみると、リホはたちまち混乱した。その後の一年で、彼はおよそ一四五〇ルピー（約二〇ドル）稼いだ。「Mタークはひどい時間の無駄遣いになりました」と彼は言う。「何も学べませんでしたし、何の保証もない仕事に時間を費やす危険を冒したわけですから。人もいなければオフィスもなく、質問に答えてくれる人もいません」。

プラットフォームはリクエスターやタスクを審査しないので、ワーカーはやり甲斐のある仕事を提供する評判の良いプラットフォームを見つけるという課題を、自力でこなさなければならない。

インドのオンデマンドワーカーの多くは、悪辣な企業を警戒している。この国のワーカーの大半は、気前の良い約束をしておきながら、報酬を払う仕事をきちんと提供しない無責任な契約機関に、自分か家族が騙された経験がある。たとえば、こんな具合だ。一九九〇年代にインドでは多数のコールセンターが開設された。それらの企業はインド人ワーカーを雇い、報酬を支払わないまま、三週間もすると消えてしまうことがよくあった。そうした経験のせいで、リホのような大勢の若者たちは、オンラインの仕事を疑うようになった。情報を盗み取ろうとしたり、騙してただ働きさせようとしたりしているかもしれないからだ。

　こうした労働市場での融通性を、擁護する識者もいれば、批判する人もいる。擁護者は融通性を新しい経済の救いと捉えるのに対して、批判者はこの部門の報酬に掛かる下向きの圧力の源泉だとして非難する。ゴーストワーカーは、いつでも好きなときにどこでも好きな場所で働けるというのは、なんと素晴らしい特典だろうと、繰り返し言われる。[5]だが、このいわゆる「特典」は、オンラインの仕事の実態を覆い隠していることのほうが多い。

　これ以上ないほど神経を集中して常に次のタスクを探しているワーカーが、最も報われる。実際には、オンデマンドのリクエスターと、ワークプラットフォームの背後のアルゴリズムは、仕事が一刻を争うものではないときや、ワーカーの都合（アプリをオンにしたりオフにしたりするだけではなくそれよりも幅広い意味での都合）を意思決定の判断材料に加えることができるときでさえ、自動的に仕事に短い納期を設定する。

　ワーカーはこうして人為的に時間に追われるため、たえず仕事を探していなければならない。実入りの良い仕事を得たければなおさらで、それは、そういう仕事はたちまち誰かが引き受けてしまうからだ。現実には、融通性というのは神話にすぎない。オンラインの仕事は果てしなく現れ続けるので、他の用事の合間に引き受けることができるというユートピアのようなビジョンよりも、オンデマンドワークがよく似ているのは、テレビのコメディー番組「アイ・ラブ・ルーシー」の有名な一場面だ。ルーシーと親友のエセルはチョコレート工場の生産ラインで働いている。二人は遅れまいとするのに、仕事のペースはどんどん速くなっていく。[6]

私たちが目にした第二の種類の極度の神経集中は、ワーカーが昼も夜も待機している必要性に由来する。仕事を載せる人も、プラットフォームをデザインする人も、ワーカーには他の時間的制約があるとは思っていない。だが私たちが調べてみると、ワーカーは他にもやらなければならないことがあり、それと両立させられるような仕事の機会をたえず探していることがわかった。

その一例がナタリーで、ニューヨークのクイーンズ区で両親と暮らしているアフリカ系アメリカ人女性だ。彼女は二七歳で、学士号を持っている。実家でオンデマンドワークをするのが気に入っている。ミュージシャンを目指していて、仕事と音楽を両立させられるからだ。ところが、オンラインの仕事は予測がつかないため、時間のやりくりに苦労している。ナタリーは私たちが調査対象にしているプラットフォームの一つに登録してまもなく気づいたのだが、少しでもお金を稼ぎたければ、プロジェクトの掲示板をいつも確認していなければならなかった。「載った仕事に最初に応じたワーカーあるいはワーカーたちに、その仕事が自動的に割り当てられます。これには少し苛立ちました。『あら、私、本当に仕事を受けることができるのかしら』と思ってしまいました」。

プラットフォームはワーカーが早い者勝ちでタスクを引き受けることしか許さないので、

ワーカーは良いタスクが現れないかと、何か他のことをしているときにもプラットフォームに注意を払い続ける。

規模の大きいプラットフォームの場合には特にそうなのだが、企業はワーカーが情報共有のための非公式な集(つど)いの場であるフォーラムにログインしたままでいることを見込んでいる場合がある。

五九歳のダイアン・Fは、首都ワシントンの近くに住んでいる。彼女は医用生体工学を学び、大学卒業と同時にその分野で働き始めた。だが、程なくキャリアを変更し、長年コンピューター関係の仕事をした。だが、働いていた地元の大学に解雇されたのを機に、リードジーニアスでオンデマンドワークを探し始めた。「半年間失業していたので、何か自分でやってみるべきかもしれないと思ったのです」。

最初ダイアンは、リードジーニアスで目の回る思いをした。「私たち「ワーカー」は、ヒップチャットにログインしていなければならないことを知りました」。ヒップチャットはリードジーニアスのプラットフォームの機能で、部内者のチャット・ソフトウェアだ。ヒップチャットでのくだけた会話が好きなワーカーもいたが、ダイアンは気が散るのでログアウトした。「ヒップチャットにログインすると、他の人が笑顔の絵文字を送ったり、朝食に何を食べたか話していたりするんですけれど、私にはすることがあります」と彼女は言う。彼女は知らなかったが、ヒップチャットにログインし続けることが、大切な業務要件だった。

います」。

「［リードジーニアスは］仕事がないときにさえ、そこにログインしてとどまることを求めて

私たちが面接を行なう直前、ダイアンのアカウントは使用停止にされた。彼女が受け取ったメールによれば、理由の一つは彼女が三週間以上ヒップチャットにログインしなかったことだという。「ヒップチャットには、仕事をしたいときにログインするものだと思っていました。いつもずっとヒップチャットにログインしていなくてはいけないのではなくて」と彼女は言う。

ワーカーは自分の時間を管理する機会を活用することを、私たちの研究は示している。私たちはMタークのワーカーに報酬を支払い、アマゾンの製品のレビューをポジティブなものとネガティブなものに分類してもらった。一つ三〇秒未満でできるタスクだった。ワーカーの三分の一は一製品当たり一分以内に分類しなければならず（融通性なし）、三分の一は一時間以内に分類しなければならず（多少の融通性あり）、残る三分の一は一日以内に分類すればよかった（大きな融通性あり）。[7] ワーカーは、それぞれのグループにランダムに割り振られ、同じ数のタスクを与えられた。タスクを完了する時間を多く与えられ、自分のスケジュールにより大きな融通性があるときには、Mタークのワーカーは仕事を引き受けた。

思い出してほしいが、Mタークのワーカーはタスクを引き受けてから、それを取って置き、後で取り組むことができる。一時間の余裕があるワーカーは、平均すると引き受けてから一

七秒後に仕事に取り掛かる。だが、一日の余裕があるワーカーは、引き受けてから四分強過ぎてから取り掛かる。一見すると、一七秒と四分の違いはたいしたものではないようだが、コンピューターから最長でも一七秒しか離れられなかったら、どう感じるか想像してほしい。四分あれば、ナタリーやダイアンのようなワーカーは、電話に出たり、まどろんでいる赤ん坊の様子を見たり、トイレに行ったり、他のもっと急ぎの仕事に集中したりできるし、この仕事が別のワーカーに取られる心配をしないで済む。そのうえ、タスクを完了する時間を長くもらったワーカーは、いったん分類を始めると、たくさんやってからでないと休憩を取らなかったし、その休憩も短かった。ワーカーは、自分の時間が管理しやすいときには、賢く時間を使い、休憩を必要に応じて取り、それから自分のスケジュールにふさわしい時間に腰を落ち着けて次から次へと仕事をこなす。ワーカーが自分の都合に合わせてスケジュールを立て、管理できないかぎり、「融通性」というのは空疎な言葉にすぎない。

ワーカーにある程度の融通性を与えると、彼らの時間の使い方が変わる。[8] だが、彼らは融通性にはどれだけの金銭的な価値があると考えているのだろう?

私たちは、融通性に値札を付けるために、「**補償賃金格差**」を測定した。補償賃金格差とは、ワーカーに自分の休憩時間を管理するのを許さず、彼らの時間を拘束したとき、同じ量の仕事をしてもらうのに、リクエスターが余計に払わなければならない金額だ。

前の週に〇〜一〇時間働いたワーカーは、私たちが感知できるかぎりでは、融通性を重視しなかった。だが、前の週に一一～三〇時間ゴーストワークをしたワーカーは、融通性を高く評価していたので、自分の時間を管理するためなら、リクエスターに一時間当たり九八セント払う気があった。そして、前の週に三〇時間超のMタークの仕事をするという、最も労力を費やした人々は、融通性には一時間当たり二ドル三七セントの価値があるとした。また、日々の収入の達成目標を定めていない人は、私たちが感知できるかぎりでは、融通性を重視しなかったが、目標を定めている人は、融通性には一時間当たり九二セントの価値があると感じた。

日々の収入の達成目標を定める人や、多くの仕事をする人は、お金が必要である可能性が非常に高く、こうしたワーカーこそが融通性を最も高く評価する。彼らはゴーストワークに費やす時間を最大限に活用する方法をすでに知っている。結局のところ、極度に神経を集中しないでいられるのは、オンデマンドワークを主な収入源としていないワーカーだけだ。いい換えると、お金の必要性が最も低い人が、最も大きな融通性を持っているということになる。ところが、もしワーカーがオンデマンドワークに収入を頼っていたら、目を逸らしてはいられないというのが現実だ。

ペインスケール4～6——自主性、じつは孤独とガイダンスの欠如

ほとんどの場合、ゴーストワーカーは自らの裁量で仕事をこなしていかざるをえない。リ

クエスターが質問に答えてくれることはめったにない。そして、仮に質問できたとしても、遅れが生じ、ワーカーは仕事を受けそこねるかもしれない。ワーカーはその危険を冒す代わりに、思い切って仕事を引き受け、なんとか工夫して仕上げようとする。ほとんどのワーカーは、手探りで進んでいく。目の前の仕事に向き合い、何が求められているのかを突き止め、使い勝手の悪い時代後れのインターフェースの操作方法を学びながら、できるだけ速く正確に仕事をやり遂げる。だが、ガイダンスなしに、完全に孤立して働くと、そのつけが回ってくる。

一九歳のアイシャは、私たちが面接したワーカーのうちでもとりわけ若かった。私たちはインドのハイデラバードにある彼女の家族の家で会った。アイシャは、一六人から成る大家族の真ん中の娘だ。兄たちがすでにMタークで働いているので、その助けを借りて自分のアカウントを開設した。彼女は中等教育の最終学年にいる。両親はワッハーブ派によるイスラム教行動規範の解釈を厳守しており、ときどきアイシャの興味や関心と衝突することがある。たとえば、アイシャは医師になるために勉強しており、いつか自分の診療所を持とうと思っていることも、その一つだ。だが母親は、女性は勉強などせず働くべきで、在宅での仕事は女性に向いていると、強く感じている。

アイシャは、Mタークのサイトで独りで働くのは怖いと思っている、と私たちに語った。ミスを犯すかもしれないからだ。ほんの小さな間違いをしただけでも、アカウントを閉鎖されかねないので、リスクが大き過ぎるように感じられる。だから、兄が家にいるときにだけサイトにログインすることにしているが、兄は外で働いているので、アイシャは願っているほど多くは働けない。「あまり働きません。怖いですから」。

今のところ、お金と、アイシャが犯すミスは、兄のアカウントに流れる。彼女は英語やコンピューターのスキルを向上させたいが、Mタークのことは、家計を助けるために少額の収入を得る方法以上のものとは考えていない。

特定の種類のプロジェクトのやり方がよくわかっているワーカーでさえ、孤立状態で働いている。サイトに載せられたタスクの最初の説明以外には、自分がそのプロジェクトに向いているかどうかを判断する役に立つようなフィードバックはない。やってみるまで、自分が技術面あるいは文化面でそのタスクを仕上げるのにふさわしい能力を持っているかどうかは知りようがない。だが、うまくいくかどうか知らずに仕事に取り組めば、新たなリスクを招くことが多い。自分の手に余ることに気づくのが遅過ぎれば、レピュテーションスコアに響く。レピュテーションスコアは、承認率と直結しているからだ。いい換えれば、**レピュテーションスコアが下がると、その先、仕事の機会がなくなる**ということだ。

第1章で説明したとおり、ほとんどのプラットフォームは、業務を委託する側からのフィードバックに基づいてワーカーを採点する。顧客が口コミサイトのイェルプで企業に評価を与えるのとちょうど同じようなものだ。Mタークはワーカーが説明や研修を受ける方法をまったく提供しないので、自力で問題解決ができないワーカーは、低い評価を受ける危険がある。

たとえば、私たちが面接したあるワーカーは、Mタークを初めて利用したリクエスターから大量のタスクを引き受けた。そのリクエスターはワーカーに、一文から成る製品のレビューを読んで、それぞれの製品に「役に立つ」か「役に立たない」のどちらかの評価を与えることを求めた。そのワーカーは仕事に取り掛かり、一文のレビューが載ったページを次々に読み進めながら、それぞれの製品は買う価値があるかどうか、自分の感覚に添って、空欄にチェックを入れていった。何時間もしてからそのワーカーはタスクを提出して報酬をもらおうとしたが、リクエスターはすべて不合格の判定を下した。

こうして、そのワーカーが終わらせた何千ものタスクが、説明もないままに唐突に不合格とされた。同じリクエスターがタスクを再び載せたので調べてみると、指示が一か所だけ変わっているのに気づいた。これはまったく別のタスクなのか、あるいは、リクエスターがしてほしいこと（「製品ではなくレビューを評価すること」）をもっとはっきり述べたので、ワーカーがやったことが、もうこの仕事には当てはまらないかのどちらかだった。ワーカーがそのリクエスターに連絡して、この変更を指摘すると、リクエスターはワーカーが終えたタスクに報酬を支払った。だが、なおさらひどい話だが、リクエスターはワーカーのタスクに対する「不合格」の判定を「合格」に変えなかった（やり方がわからなかったのかもしれない）ので、Mタークでのワーカーの評価は急落してしまった。

彼は信頼できるワーカーとしての評価を取り戻すために、微々たる金額のタスクを何万も引き受けてすべて完璧にこなし、不合格になった仕事の影響を帳消しにしなくてはならなかった。こうしてようやく、彼の承認率は元の高い水準に戻った。

これは、システムがワーカーよりもリクエスターに有利にできていることを示すほんの一例にすぎない。リクエスターはプラットフォームにとって貴重で目に見える顧客と考えられているので、仕事のリクエストを途中で変更しても咎（とが）められない。一方、**ゴーストワーカーはほとんど目に見えず、互換性があるものとして扱われる**。彼らは、最善を尽くして働いている本物の人間ではなく、顧客であるリクエスターを出し抜いたり騙したりしようとしている敵対的人物である可能性もあると考えるように設計されているシステムを相手に、なんとかやっていかなければならない。

序章に少しだけ登場し、画像のラベル付けをしていたジャスティンは以前、高級食料品店で条件の良い仕事に就いていた。妻が夢に描いていた仕事に違う町で就いたときに、二人はジャスティンが別の店舗に異動するコストを考えてみた。仕事日には何時間も余計に通勤に費やすことになる。二人の幼い息子を保育所に入れる費用は、共働きでも捻出できそうにない。そこでジャスティンは仕事を辞めて、家で子育てをすることにし、オンデマンドワークに手を出してみた。インターネットで「在宅勤務」を検索すると、Mタークが表示された。

このプラットフォームを使い始めてわずか二週間のときに、彼はMタークのサイトで面接を受ける人を私たちが募集しているのを知り、自分の体験談を聞かせてくれた。

ジャスティンにとっていちばん苛立たしいのは、一部のリクエスターが、ワーカーの気を惹いてタスクを引き受けさせるために、彼の言う「**餌と鞭（むち）戦略**」を使うのを目にすることだ。彼は最近見つけた仕事を説明してくれた。リクエスターはワーカーに手書きのメモをタイプ入力することを求めていた。その求人情報に添えられた例は、読みやすいメモだったが、仕事を引き受けると、割り当てられたメモは、ジャスティンの言葉を借りれば、「わけのわからない文章か、不鮮明なもの」だった。「HIT（仕事）を受けた後に辞退しても、まったく咎められない」場合もあると彼は言う。だがそれ以外の場合には、自分にはお手上げだとわかったときにはすでに手遅れだった。

ソファがキャメルバックかどうかといった、家具の特徴を突き止める仕事を引き受けたときに、そうなった。当然のことながら、リクエスターはタスクのプレビューを短くしておく。どんな仕事か見極めようとしているワーカーにとって、どれほど情報を提供すると多過ぎてしまうか、判断するのが難しいからだ。そのため、プレビューにプロジェクトの詳しい説明やさまざまな例が含まれていることはめったにない。

ジャスティンは一か八か自分の時間を賭け、賢く仕事を選んだことを願うしかなかった。後から振り返ってみると、その家具分類タスクを引き受けるのが失敗だったことがわかるほどの情報が手に入っていなかった。その結果、タスクにかかわる質問に正しく答えられる自信が付くまでには、目の前に表示される用語と関連した画像を、かなりの時間を費やしてインターネットで調べて回る羽目になった。「結局、［タスクに］本当に必要な時間よりもはるかに多くの時間がかかってしまいました」。

この種の障害は、アメリカとインドのどちらのワーカーの間でも見られる、ありふれた文化的断絶を際立たせてくれる。ジャスティンの場合には、所属する階層や就いてきた仕事の背景から、高級家具の購入にまつわる用語を見つけ出して定義するのに必要な文化的リテラシーが得られていなかった。同様に、私たちが会ったインドのワーカーは、ホットサンドメーカーのような、インドの家庭では普通見られないキッチン用家電を説明する必要がある仕事に手を焼いていた。

そしてジャスティンは、時間の無駄だとすぐにわかった手書きメモのタイプ入力の仕事とは違い、家具分類の仕事は、自分にはうまくこなせるだけの知識あるいは直観的な能力があると思って引き受けた。だが、仕事のリクエスターからのフィードバックがなかったので、自分の仕事が期待に沿えているのかどうかは、不合格にされるまで知りようがなかった。そのときにはもう手遅れで、辞退することも、やり直すことも、標準未満の出来のせいでレピュテーションスコアが台無しになるのを避けることもできなかった。「不合格を食らったのは、そのときが初めてです。その仕事をやり遂げるのは、思っていたほど楽ではありませんでした」と彼は言う。「自分の仕事が不合格になった理由についてメールを送ったり、その判定に異議を申し立てたりはしませんでした。結局、わざわざそうするだけの価値がないからです」。

自分のどこが悪かったのかを突き止めようとすれば、ジャスティンはさらに時間をかけなければならないだろうし、誰かがメールに返事をくれる保証も全然なかった。彼はすっぱりと諦めて、先に進むことにした。

ジャスティンのようなワーカーは、取り組んでいる仕事についての明確な指示やフィードバックをもらえないので、どの仕事でもどうすればうまくやり遂げられるか判断のしようがない。新しいタスクを学んだり、新しいプラットフォームでの働き方を覚えたりしているワーカーは、この弱みがいっそう深刻になる。

第2章で論じたように、「労働力を監督する」ことに関連した法的責任のせいで、ワーカーを使う人はオンザジョブ・トレーニング（実地訓練）を提供できない。その結果、ゴーストワーカーは、タスクをこなす方法だけでなく、職場の文化に対応する方法も、自分でコストを負担して学ばなければならず、リクエスターに質問したり、フィードバックをもらったりする機会も得られない。

ペインスケール7〜10
——不正行為、じつは技術的不具合あるいは善意の努力のせいで報酬をもらえない

ワーカーは、良いゴーストワークを見つけ、そのプラットフォームに特有の癖を学び、タスクを完了させるというハードルを越えた後でさえ、仕事に対する報酬を払ってもらえないという、じつに現実的なリスクが依然として残っている。

支払いの不具合の多くは、プラットフォームの設計上の間違いに原因をたどれる。オンデマンドワークのサイトを設計する人は、ワーカーが高速のブロードバンド接続と安定した電源を持っていることを前提としている。現実には、膨大な数のゴーストワーカーが、旧式のコンピューターや不安定なインターネットアクセス、さらには共有のＩＰアドレスさえ使って仕事をしている。プラットフォームの設計者が思い描いているユーザーと現実との間には、潜在的なエラーの地雷原が広がっている。一歩間違えれば、ワーカーは報酬を払ってもらう機会を台無しにしてしまいうる。

たとえば、郵便の宛先変更をしただけでアカウントが怪しいものと見なされかねない。二四歳のモシンは母親と、インド南部の町コチに住んでいる。二年前に父親を亡くした。姉が二人いて、共に結婚してアメリカに住んでいる。モシンはコンピューター利用技術で修士号を得るために勉強しながら、Ｍタークでパートタイムで働いているが、何の警告も、何の理由もなくアカウントが使用停止にされたので、Ｍタークについては相反する気持ちを抱

いている。

停止のきっかけは、報酬の支払小切手の郵送先を変えたことではないかと彼は思っている。本人の説明によると、信頼できる郵便サービスのない間に合わせの場所にある自分の宛先よりも、高級住宅地で働く伯父に小切手を直接送ってもらうほうがいいと思ったのだそうだ。だが、小切手の送り先の名前と住所が変わったので、彼がアカウントを開設するのに使った身分証明の書類と一致しなくなってしまった。

この変更のせいでアカウントが自動的に停止されたのではないかと彼は思っている。だが、私たちが面接したじつに多くのワーカーの場合と同じで、モシンもアカウント停止の正式な説明はまったく受けておらず、彼が契約条件に違反したという曖昧な通知があっただけだ。契約条件とは、すべてのワーカーがアカウントを有効にするときに「合意」する、小さな字が何ページにもわたってぎっしりと並んだ文書だ。

この種の混乱は、私たちが会ったワーカーの間ではありふれていた。ジョージア州アトランタに住む二八歳のアフリカ系アメリカ人女性のラトニアは、グラフィックデザインの準学士号を持っており、父親が亡くなった後、家族の近くにいたくて実家に戻った。ゴーストワークに惹かれたのは、いくつか収入源が欲しかったからだ。「仕事が一つだけっていうのは嫌です」。だが、母親のインターネットサービスが遮断されると、ラトニアのもとにプラットフォームの管理者から警告メッセージが届いた。「その警告のせいで、特定の仕事がもらえなくなっちゃいました」。

それから、インターネットへの主な経路だったスマートフォンを盗まれてしまった。「スマホで仕事ができないんで、インターネットに戻れたらすぐに［仕事に取り掛かります」って管理者に伝えたのに、『事前に連絡をもらえないと困ります』と言われたんで、『わかりました』と答えました。でも、考えてみると、『私のせいじゃありません。この警告は納得がいかないんで、抗議します』と言いたかったんですけど、抗議のしようなんて、ないじゃありませんか」。

アルゴリズムの残虐が最悪の形で現れたのが、**資格の剝奪**だ。安全のためという口実で、システムの設計者は、悪人がシステムを欺こうとしたときにはアカウントを使用停止にしたり削除したりしやすくする。この敵対的な姿勢のせいで、善良なワーカーも怪しげな人物であるかのように誤解されてしまう場合がある。

ミスは必ず起こるものだ。ワーカーは、郵便の宛先を変更したり、インターネット接続ができなくなったり、IPアドレスを別のワーカーと共有したりする。そのどれもが、危険信号になりうる。アルゴリズムシステムは、その危険信号がセキュリティー上の脅威かもしれないと考える。敵と味方を見分ける人が誰もいないので、そのワーカーが罰せられてしまう。罰は、プラットフォームへのアクセスを妨げられたり、停止されたり、アカウントを無効にされたりするという形を取る。

繰り返しになるが、ワーカーは互換性があると見られているビジネスのエコシステムの中では、システムは厄介者と見なした相手を自動的に排除する。善意の塊のようなワーカーや経験豊かなワーカーさえもがこの網に掛かってしまいうるのだから悲しい皮肉だ。

二三歳のリヤズは、身長一七八センチメートル、体重およそ九〇キログラムの偉丈夫だ。彼はベンガル湾に面したインドのアンドラ・プラデシュ州のクリシュナ川沿いにある町ヴィジャヤワダから一・六キロメートルほどの所に住んでいる。

二〇一三年七月に私たちが最初に会った日は、うだるような暑さだったが、リヤズは入念にアイロンを掛けた青と白のボタンダウンシャツに黄褐色のチノパンツ、黒のローファーという姿だった。だが、目は疲れ、腫れているように見えた。自分の体重を持て余している人のようなぎこちない様子でじっとしていた。仕事探しからほとんど休みが取れないまま、長時間を過ごすストレスでよく眠れないという。

私たちの研究チームが、ゲートが一つしかないヴィジャヤワダ空港からタクシーで彼の住む場所まで出向いた。一時間ほどかかった。彼の指示に従って、家の近くにある街角の店で落ち合った。私たちがまたタクシーに乗り込むと、リヤズもまた自分のオートバイにまたがり、タクシーは未舗装の道路の窪みやヤギや子供たちを避けながら、彼の後についていった。やがて、村外れに近い簡素な家に到着した。

リヤズはずっとこの小さな村に住んでいたわけではない。二〇代の初めに、コンピューターのスキルと基本的なソフトウェアエンジニアリングを学ぶためにハイデラバードに出た。そこで資格を得て、インドでも最大級の、ハイデラバードの急成長中のIT部門に入ることを願ってのことだった。第2章で論じたように、ハイデラバードはインドでも早くからインフラを整備して、ソフトウェア開発やビジネスプロセスアウトソーシング（BPO）を行なう多国籍企業を惹き付けた都市の一つだった。ハイデラバードでは高学歴の中間層が拡大しており、住民がヒンディー語だけでなく英語も普通に話すこととも相まって、それは自然な成り行きだった。

リヤズがMタークについて初めて耳にしたのはハイデラバードでのことだった。現金が必要だった彼は、このクラウドソーシングプラットフォームに登録した。そして、研究者が載せた調査から画像のラベル付けまで、さまざまなタスクをした。五か月以上かけて、Mタークでの働き方を学んだ。彼が見つけた成功法の一つは、信頼できるリクエスターと関係を築くというものだった。たとえばリヤズは、自分にとても多くの仕事を割り振ってくれるリクエスターの一人のために、ユーチューブの研修動画を制作した。そのリクエスターは彼の仕事を気に入り、他のオンデマンドワーカーに検索エンジンの最適化の仕方を練習させるのを彼に手伝ってもらいたがった。いつもリクエスターの期待を上回る仕事をしてきたリヤズは、その動画を無料で制作した。将来への投資になると思ったからだ。

ハイデラバードではまったくコネのない若いイスラム教徒の彼はまもなく、見つけられるどんなITの仕事よりも、Mタークでの仕事で多くの収入を得るようになった。一日当たりおよそ四〇ドル稼ぎ、こなせるよりも多くの仕事を見つけていた。故郷の村には、基本的なコンピュータースキルと英語力を持っているものの、仕事がない友人や家族が大勢いた。そこで、親元に戻って彼らを雇い、実家を拠点にしてMタークで働いてもらうことにした。最終的には一〇人のグループができ上がり、「チーム・ジーニアス」と名乗った。

チーム・ジーニアスは二年以上にわたって成功を収めた。ところが二〇一四年三月、リヤズはインドの一部のワーカーがアカウントを使用停止にされたという噂を耳にした。そして、自分のアカウントの先行きが心配になった。彼はチームのメンバーを通して、たくさんのアカウントを開設していた。これが問題になりうることはわかっていたが、チーム・ジーニアスが良い仕事をしていることも承知していたので、停止は気まぐれな制限のように思えた。だがしばらくすると、チーム・ジーニアスのメンバーのアカウントが、一つまた一つと停止された。リヤズはどのプラットフォームでもかまわないからできるかぎり多くの仕事を見つけようと必死になった。彼と、彼の持つつながりを頼みにするようになった人々を支えるために、寝る間も惜しんで働いた。

やがて、リヤズが最も恐れていたことが起こった。彼のもとに、次のようなメールが届いたのだ。

参加契約への違反があったため、残念ながらあなたのアマゾン・メカニカルタークのアカウントは閉鎖され、再開することはできません。アカウントに残っているお金はすべて没収され、当社はこれ以上の情報提供も対応もいっさいできかねます。

参加契約と利用条件は、以下のＵＲＬでご確認ください。

http://www.mturk.com/mturk/conditionsofuse

アマゾン・メカニカルタークをお試しいただき、ありがとうございました。

感謝申し上げます。

ラヴァーン

追伸

フィードバックをいただければ幸いです。以下のリンクを使って私の回答を評価してください。

Amazon Mechanical Turk

注意

本メールを送信したアドレスは、メールを受け付けられません。再び連絡を取りたい方は、お問い合わせに関連した、以下の「連絡する」のリンクをお選びください。

ワーカー　https://www.mturk.com/mturk/contactus

リクエスター　https://requester.mturk.com/contactus

リヤズはたちまち自分のアカウントから締め出され、報酬を没収された。この決定への抗議の申し立ての仕方も、過去二か月間に獲得したお金の取り戻し方も、手掛かりすらなかった。

一連の話を聞いた私たちが、あらためて彼を訪問するために乗ったタクシーがリヤズ一家の家の前に着いたとき、彼があれほど疲れ切って見えたのは、このせいだろうかと思わずにはいられなかった。

彼がオートバイを停め、私たちはタクシーを降りた。料金を払おうとしていると、リヤズが手を振ってタクシーを帰らせようとする。運転手を知っているから「後で払っておきます」と言う。そういうわけにはいかない、と言う間もなく、彼は私たちを家に招き入れた。

妻と二人の子供、母親が住んでいる。簡素な住まいの床はセメントで、壁は明るい青に塗ってあった。いちばん広い部屋が薄いカーテンでキッチンとベッドルームとリヤズの仕事場に仕切られていた。間に合わせのホームオフィスのじつに多くと同じで、リヤズの仕事場にもオフィスチェアと小さな机があった。机の上には一八インチの液晶ディスプレイが置かれ、

Windows XPが作動しており、下には錆び付いたCPUキャビネットが収まっていた。トイレを使わせてもらうと、ついでに家の奥もざっと案内してくれた。ベッドルームが二つ。色鮮やかなキルトで飾られたツインベッドがある。それぞれの部屋にはハンガーラックが置かれ、黄色やオレンジや赤のサリーが黒いブルカと並んでびっしりと下がっていた。しばらくすると、リヤズの母親がウルドゥー語で挨拶し、一家の座卓の周りのクッションに座るように勧め、昼食を振る舞ってくれた。

チーム・ジーニアスがどうなったかを話していると、リヤズの母親は、ビリヤニと魚のシチューと香辛料の効いた鶏肉料理を運んできた。リヤズは数週間前に自分のアカウントを失ったときのことを語った。そして首を振った。彼は、二〇人近い友人や親族の生計に個人的な責任を感じていることが明らかになった。信頼できるワーカーという評価や、自分とチームが稼いだはずのお金をどうすれば取り戻せるのか、彼には見当もつかなかった。チーム・ジーニアスはばらばらになりかけていた。リヤズは、連帯感も職場も自尊心も失った。それはどれも、コンピューターや自動化されたプロセスには無意味かもしれないが、人間のワーカーにとっては意義があるのだ。

リヤズは、Mタークで自分がいちばん多く仕事を引き受けた人に連絡を取ってみたという。他のMタークワーカーのために研修動画を制作してあげたリクエスターだ。彼にメールを送り、間に入ってくれるように懇願した。自分の代わりにアマゾンに連絡を取り、彼が良い仕事をすることや、信頼できるワーカーであること、アカウントを維持できて当然であることを説明してくれないか、と頼んだ。ところが、とうとう返事は来なかった。話を聞いていると、リヤズが仕事仲間だと思っていた人に裏切られたと感じているのは明らかだった。彼はわざわざアマゾンの共同創業者のジェフ・ベゾスに手紙まで書いた。大きな危険を冒したわけだ。ワーカーは目に見えない存在であり続けるというのが、この仕事にまつわる暗黙の了解だったからだ。立ち上がって自分に注意を向けさせるのは、「悪評」を得る早道だ。ベゾスからの返事はなかった。

残念ながら、リヤズの事例は珍しいものではない。私たちがピュー・リサーチ・センターと協力して実施した全国調査では、**オンデマンドのギグワーカーの三割が、行なった仕事に対する報酬を受け取れなかったことがある**と報告している。ワーカーは、何の説明もなく、アカウントの取り消しに異議を申し立てる機会もないまま、仕事と賃金を失いうる。ワーカーが完了した仕事に対する最終的な支払いをどのように受けるかや、受けるかどうかは、企業が決める。ワーカーは自分のアカウントへのアクセスを失うだけではない。リヤズのように、その多くが生計を立てる手段も失うのだ。

「随意」契約のせいで仕事を失ったリヤズの経験は、フリーランサー(フォーム1099を提出する独立業務請負業者)が日常的に直面するありきたりの話にすぎないのか？　それとも、自分の世代と今後の世代の労働の将来を気に掛けるとしたら、私たちの誰もが向き合わなければならない（そして再定義しければならない）さまざまな新しい課題や選択の前触れなのか？　私たちはこれまで通用してきた賃金と時間給雇用の法律を当てはめるべきなのか、それとも、新しい規則が必要なのか？

フリーランサーなら誰でも言うだろうし、独立業務請負の仕事に関する文献も裏付けているとおり、報酬を払ってもらうのがこの仕事のいちばん難しい部分になりうる。

二〇一五年、アメリカの非営利組織フリーランサーズ・ユニオンが調べると、現在の経済でフリーランスをしている人の七割が、少なくとも一人のクライアントから報酬を払ってもらえず、七一パーセントが仕事を始めてから少なくとも一度は仕事の報酬を得るのに苦労したことがわかった[9]。だが、ゴーストワークの雇用条件は複雑なので、報酬の回収がなおさら難しくなっている。ほとんどのフリーランサーと独立業務請負業者は、連絡が取れる人が企業にいるので、請求書が未払いになれば電話をしたりメールを送ったりできる。もし支払いが遅れれば、彼らに代わって動いてくれる人がいる場合さえある。

それとは対照的に、オンデマンドワーカーは、誰を相手にしているのかわからないようなプラットフォームと渡り合わなければならない。オフィスマネジャーもいなければ、職員名簿もないし、問題が起こったときに助けてくれるヘルプデスクもない。オンデマンドワーカーは、労働の長いサプライチェーンのリンクとして機能し、大きなプロジェクトの一部を請け負い、それに取り組んで提出し、それが後にまとめ上げられる。この取引のリンクとなる人の大半は、顔を合わせることはけっしてない。[10] だから、リヤズのようなワーカーが報酬をもらえないと、助けを求める明確な方法がまったくない。

企業も苦境に陥ることがありうるから、さらに話はややこしくなる。たとえば、アカウントの登録者や労働者の身元が怪しいときに、リクエスターや企業は、不正なものかもしれないアカウントに支払いをするのか、それとも、疑いが晴れてアカウントの正当な持ち主がわかるまで、支払いを控えるのか？ 企業はロジスティクスの泥沼で転げ回る羽目にならざるをえないとはいえ、ワーカーに比べれば、この不確かさを耐え抜く上では優位にあることは間違いない。

完璧な上司などいないし、完璧なソフトウェアもない

ワーカーは、ワークプラットフォームを見つけることに始まって、良い仕事を見つけ、その仕事をやり遂げるまでの取引コストに耐え、しかもその間、報酬を支払ってもらえないリスクや、わけのわからない理由からアカウントを閉鎖されてしまうリスクを負う。プラットフォームの設計者とリクエスターの大多数は、残虐になるつもりなどない。プラットフォームの設計者は、ワーカーを含め、なるべく多くのユーザーに滑らかなプロセスを提供しようとしている。だが、完璧な人はいないし、完璧なソフトウェアもない。演算処理

は意図せざる結果を招くことが多い。プログラムは、数学者のキャシー・オニールが主張するように、形式的にモデル化されて「数学の中に埋め込まれた判断」だ。[11] プログラムには、個々の人間がどんな例外を望んだり必要としたりしているかなど見当もつかない。

そしてリクエスターは、悪意から対応が鈍いわけではない。ワーカーと同じで、多くのリクエスターがプラットフォームを利用しながらやり方を学んでいる。サイトの使い方が下手だったり、必要とすることを明確に伝えるのが苦手だったりする。そして、彼らも上司からきつい締め切りを課されたり、厳しい要求を突き付けられたりしていることが多い。いずれにしても、オンデマンドワーカーは、アルゴリズムの気まぐれのなすがままになっており、最近ではそのアルゴリズムは、残虐な仲裁者になりうる。

たしかにリクエスターも取引コストを多少は引き受けるが、ワーカーがその大半を背負い込み、はるかに厳しい目に遭う。なぜなら彼らは、リクエスターやプラットフォームと比べて、この市場ではほとんど何の力もないからだ。ワーカーは良い仕事を見つけるためにたえず待機していなければならないので、リクエスターには自分の言いなりなるように見える。そのうえ、市場は極端に集中している。たとえばMタークでは、すべてのタスクのおよそ九八〜九九パーセントは、リクエスターの一〇パーセントが載せており、そのせいで、「モノプソニー（買い手独占）」と呼ばれる経済的な力の不均衡が著しくなる。[12]

それに加えて、多くのゴーストワークのAPIは、リクエスターがタスクの報酬を載せ、場支配力をリクエスターの手に握らせる。[13]

ワーカーはその報酬を受け入れるか別のタスクを見つけるかのどちらかしかないように設計されている。交渉の余地はない。ゴーストワークのこうした面はすべて、ますます大きな市場支配力をリクエスターの手に握らせる。[13]

プラットフォームはリクエスターから収益をあげているので、意図的にかどうかはともかく、リクエスターにより大きな市場支配力を与えているのは意外ではない。**プラットフォームは、誰がそのプラットフォームにアクセスでき、誰がアクセスできないかを一方的に決める力も持っている。**もしプラットフォームが、利用規約の違反があったと判断し、自動化されたプロセスを使ってアカウントを凍結することにしたら、ワーカーには打つ手がない。[14]

プラットフォームの機能の仕方が尊大でよそよそしくて残虐に見える場合、一因は設計のまずさにあるものの、すべてがそのせいではない。ガイダンスを充実させたり、コミュニケーションと研修のもっと直接的な道筋を提供したりといった場合の多くでは、プラットフォームは技術的な困難はまったく経験していない。

第2章で説明したように、従来の雇用体制は労働者を長い目で見ていた。企業は、安定した現場労働力を確保しておくために、従業員のキャリアの早い段階で彼らに投資したものだ。コストを低く抑えるというのは、忠誠心を獲得して長く在職してもらい、労働者の多様化を目指して努力し、個性的な視点を最大限に活用することを意味した。だがこのモデルは、今日の高度に専門化された、常にアップデートを繰り返すサービスエコノミーと情報エコノミーには、もうふさわしくない。

もしオンデマンドワークが将来の前触れならば、**従来の雇用契約はプラットフォームの「利用規約」に取って代わられつつある**ことになる。

そうした規約の約定は、ワーカーがプラットフォームに見込めることの限度を明記している。アカウントの削除以外、ワーカーが労働条件に異議を申し立てる方法について詳しく説明してあることは稀だ。しかも、物理的な仕事現場がないので、状況はさらに悪くなる。ワーカーの利益と権利を守るはずの労働法に見られる空白にAPIが付け込んだり、その空白の弊害を募らせたりする様子を、記録することはもとより、目にすることさえ難しくなるからだ。

アメリカとインドのオンデマンドワーカーは、明確な雇用形態の外でせっせと働いている。彼らは正規雇用には付き物のさまざまな保護はほとんど受けられない。フルタイムの被雇用者として分類されるべきだという主張を試みるのがせいぜいだ。そしてオンデマンドワーカーには、昇進の機会や、障害のある人が能力を発揮できるような便宜、差別的な業務委託を防ぐ法律もなければ、賃金未払いから内部告発者の保護の欠如まで、不当な扱いに対する法的手段を求めて頼れる相手もいない。

テクノロジーは、いずれすべて不具合を起こす。

ワーカーはどこかの時点で補償を求めるために人間に連絡を取る必要が出てくる。自動化されたプロセスは、介入するだけではなくワーカーを気遣ってくれる人間を必要とするときがあるのに、それに対する備えがないということの欠陥を解決することが、ゴーストワークを顧客とワーカーの両方のためになるものにする上での要だ。

今日のワーカーはオンデマンドエコノミーの取引コストの重荷を背負わされ、その最も過酷な結果に耐えているのだから、ワーカーが商取引のコストを合理的に削減する以上に、自分の仕事にどういう理由からどのような方法で投資しているかに、次は焦点を当てることにする。[15]

次章で明らかになるとおり、ワーカーは、報酬額だけではなく、価値を生み出し、自分の時間と運命を管理し、自分の興味や才能によりふさわしいものを見つけることにも、大いに関心があるのだ。

第4章　お金（以上のもの）のために熱心に働く

選択肢を天秤（てんびん）にかける

オンデマンドのゴーストワークをしていると、報酬を支払ってもらうのはもとより、タスクをこなせるようになるのさえどれほど難しいかを考えれば、そもそもなぜこの仕事を選ぶ人がいるのか、という疑問が湧く。

うだるような暑さの中でエアコンが故障した人と同じで、生きていくのに必要なお金を払うために、余計に働かざるをえなくなったときには、他に選択肢がない場合もある。連邦準備制度理事会が毎年発表する「アメリカの家庭の経済的健全性に関する報告書」によると、二〇一六年には、アメリカ人の四割が借金をするか何かを売るかしないと、四〇〇ドルの緊急出費を賄う術がないとのことだった[1]。

一部のワーカーにとって、アカウントを開いて自宅のコンピューターを使って働くのが、最も必要なときに手っ取り早くお金を稼ぐには、一番の早道だった。彼らはそれ以外に選択肢がないように感じていた。

だが、地元のショッピングモールやファストフードのレストランのチェーン店で働くほうが、ゴーストワークをするより良いのではないか？　それは、「より良い」をどう定義するか次第だ。サービス部門でまずまずの報酬が得られる安定した仕事には、読者が想像しているほど簡単には就けない。そして、ゴーストワークを試している人や、それに熱心に取り組んでいる人にとって、緊急時の目の前の必要性をいったん満たした後もゴーストワークを続けるという決断は単純ではない。

ワーカーは、基本的ニーズを満たした後も、お金以外の理由もあって、ゴーストワークを離れなかった。ゴーストワークをするのは、もっと典型的な定職に付き物であるように彼らが思うようになっていたプレッシャーやハードルからの脱出ルートを、あるいは少なくとも一時的な救済を、それが提供してくれるように感じたからだ。

定職には束縛と世間体の良さの組み合わせが付きまとう。ティーンエイジャーが最初の車を手に入れるお金を貯めるためにハンバーガー店でアルバイトをしていたら、「よく頑張っている」と褒められる。だが、大人になってから同じ仕事をしていたら、その報酬が必要で、一生懸命働いて手に入れたものであっても、同じように褒められたり真っ当だと思われたりはしない。経験を積むため、あるいは作家やデザイナーやプログラマーとして出世するための足掛かりを築くために、無給や薄給の仕事に就くのは「起業家精神にあふれている」と、世間に認められる。そうした努力は、報酬が少ないという危険に値する、自分の将来への価値ある投資だと見なされる。それにハイテクの華々しさが伴っていれば、なおさらだ。[2]

ゴーストワーカーが困るのは、**この仕事に伴う社会的な地位や重荷についての合意がない**ことだ。それは二〇世紀初期の出来高払いの仕事と何の違いもない、行き止まりの罠なのか、それとも、究極の融通性を与えてくれる、いかしたギグなのか？「定職」よりも良いのか悪いのか？

ゴーストワークをすることにした人はおそらく、費用と便益を秤に掛けてから決めたのだろう。彼らは少なくともすぐ先のことを考えれば、ゴーストワークのほうが良い選択だと判断した。その決定は、彼らがお金よりも大切にしているものと、「定職」に就いたら自分の人生がどうなりそうかという評価にかかっていた。彼らが仕事を得る見込みは、世界中の労働年齢の成人にどのような機会があるかという現実を反映している。そしてその現実は厳しいものであり、しかもその厳しさはさらに増しているのだ。

アメリカでもインドでも、私たちが会ったワーカーの過半数は、序章で指摘したように、世界の仕事の増加の大半がフードサービスや小売、建設、在宅医療、その他のサービス部門での雇用で起こっているなかで失業状態あるいは不完全雇用状態にある。もっと専門的な職業の場合にさえ、企業は最上級の管理職以外全員を契約従業員として雇って事業を始めることがよくある。それらの従業員はその企業にとどまる可能性はあるが、雇用者の側もワーカーの側もその保証はしない。それによって、雇用者はキャリアアップの階段の下段と中段を取り除き、臨時雇用者で埋め合わせた。

もしプランAが夢（以前ほど多くの人がたどることができなくなった、二〇世紀型の有給出世コースの類）で、プランBがもっと多くの人が就きやすい、未経験労働者向きの請負業務（報酬が少なく、特典もほとんどなく、目標へとつながるキャリアの進路もなく、勤務時間は予測できない）なら、ゴーストワークはプランCを提供してくれる。

ただちに業務を引き受けられ、演算処理が単独では対処できないことに回答や評価を与える意欲と能力のある人が必要とされているというのが、ゴーストワークの前提だ。所定の労働時間も、仕事現場も、利用の権限の制限をする専門家も不在のゴーストワークは、どちらかというと、自己組織的で有機的なオンラインコミュニティーのように機能する。

スケジュールやプロジェクトやいっしょに働く人を厳しく管理する、かっちりした雇用形態に縛られず、原則として、人々は好きなように出入りできる。そして、システムは余剰を頼みとする。もし十分な数の人が問題に取り組めば、考えられるうちでも最善の答えを過半数が伝え、アルゴリズムを先へ進ませる。つまり、人は週ごとに四時間かけようが、四〇時間かけようが、ゴーストワークのビジネスのエコシステムに貢献してお金を稼げる。

この「公募」型のデザイン――あるいは、プラットフォームとワーカーの経験レベル次第では、無秩序の騒乱状態――の中で、人々は、従来の雇用形態に付きまとっているお馴染みのプレッシャーから多少解放されるためにゴーストワークを利用する。彼らは自分の生活を普通の定職に無理やり押し込める代わりに、報酬をもたらすゴーストワークを機敏に自分の生活に組み込む。そして、それをやり続け、ゴーストワークを主な収入源にしてきた人もいる。なぜなら、自分の時間や労働環境や、自分にとって「有意義な仕事」として引き受けて重視しているものを、ある程度管理できたからだ。

多くの場合、ワーカーがゴーストワークをするようになる理由の要因として、インドとアメリカのそれぞれの背景はほとんど関係なかった。自分の運命は自分で管理し、現代の専門的な仕事の世界に参加したいという願望は、何といおうと世界中の中間層が抱いているのだ。本章が示しているように、人々はゴーストワークを自分にとって有意義で実質的に有用にするために、無数の、ときに独特の方法を見つけた。彼らは、ゴーストワークの**シャドウエコノミー**（非公式経済）を、正当に価値の認められるオンデマンド雇用に転換する方法についての手掛かりを与えてくれる。

キャリアアップの各段階が失われたとき

安定性と予測可能性の点で、従来の仕事がどういうものかについて多くの人々が思い描いている内容は、二〇世紀後半の産物だ。すでに指摘したとおり、組織労働者と政治的影響力が相まって（少なくともアメリカの一部では）、フルタイムの雇用形態、すなわち給料だけではなく安定した勤務時間、年金、医療、職場の安全も伴う仕事を生み出したのは、第二次世界大戦以降だった。

これらの仕事が中間層の拡大につながり、この階層はアメリカでは一九七〇年代後期に最盛期を迎えた。以後数十年間で中間層は製造業の衰退とアウトソーシングによって空洞化した。[3] その後を受け、サービス業が急成長した。この新しい雇用形態は、最初はアメリカのショッピングモールと郊外を席巻し、ほどなく世界中のショッピングモールと郊外も埋め尽くした多数の小売店のチェーンやファストフード店や大規模小売店から生じた。だがサービス業の仕事は、冷戦時代のフルタイムの仕事にしっかり根差していた安定した給料と一生に及ぶキャリアに取って代わるようにはできていなかった。

企業の所有者や経営者には、サービス業界の従業員と利益を分け合う気がなく、製造業に導入されているのと同じセイフティーネットを強く求める組織労働者の力もなかったので、サービス業の仕事は最初から報酬が少なく、スケジュールが不確かで、手頃な値段の住宅からの通勤時間が長く、新しいカスタマーサービスの需要も満たさなければならなかった。[4] 一般客に応対するのも、今や仕事の一部になった。[5]

社会学者のジーナ・ネフが主張するとおり、一九九〇年代初期のITブームでインターネットバブルが始まる頃には、大学を卒業した若者、特に白人男性の世代が直面した混雑した労働市場は、復員兵援護法や人種差別撤廃、フェミニズムの第二波によって、なおさら競争が激しくなっていた。ゆっくりと減っていく専門職の就業機会をめぐって、資格を持ったますます多くの応募者たちが競り合った。

だが、ネフが指摘するように、「成功」の意味もまた変化していた。今や「出世」は企業の職階をどこまで上がってそこにとどまり、高額の年金を獲得するかではなく、どれだけ自分の勤務時間を決められるか、どれだけのストックオプションのオファーを引き出せるか、どれだけ自分の契約労働に対して競争的な入札を勝ち取るか、あるいはその三つのすべてを満たすかで定義されるようになった。[6]

一九九〇年代後期・二〇〇〇年代初期になると、大学を卒業したホワイトカラーの労働者は、「**ベンチャー労働**」に身を投じた。それは、リスクも見返りも大きい就業の機会に満ちた世界で、そうした機会は、シリコンバレーのテクノロジー企業や、それらが支給するストックオプションと結び付いていた。そこでは成功は、早々と株式を売却して利益を得るか、最低でも、いつ、誰と、どんな仕事をするかの三つを自分で管理することを意味した。

ベビーブーマー世代に続くX世代や、さらにその後のミレニアル世代の労働者が参入した労働市場は、ブルーカラーあるいはホワイトカラーとして働いていた彼らの親たちにはお馴染みの諸手当の付いたフルタイム雇用の保証は、もう提供しなかった。同時に、両世代よりも少しだけ上の人々、少なくとも成功を収めていた人々は、今や成功を、自分の仕事量を自分で管理できること、あるいは、もう働く必要がまったくないことと定義していた。

一部のフルタイム従業員に対する需要は盛り返したものの、二〇〇〇年代中期には、X世代の親にはお馴染みの、給料が良くて安定した仕事を提供される人はほとんどいなかった。そしてその頃には、高学歴の人や資産のある人はもう、タイムカードや誰かにあてがわれたプロジェクトに縛られる仕事は望まなかった。

それほど教育もお金もなく、二〇〇八年の世界的な大不況をかろうじて生き延びた人にとっては、ゴーストワークは命綱だった。彼らやその家族は複数の仕事に就いたので、ゴーストワークは「本業」か「副業」かという区別は意味がなくなった。ゴーストワークもまた、彼らが自分のニーズを賄うために確保した収入源の一つだったのだ。彼らはゴーストワークのおかげで、何が何でもフルタイムのサービス業で働かなければならない状況から抜け出せた。

なぜプランBよりもゴーストワークを選ぶのか？

なぜしだいに多くの人が、生活費を稼げるプランBを探す代わりに、オンラインのオンデマンドのギグワークを選んでいるのか？

明白な理由から始めよう。

仕事が増えていると報じられているのにもかかわらず、多くの労働者は、未経験労働者向きのプランBのサービス業の仕事を、実際に自立できる選択肢に変えられない。すでに指摘したように、サービス部門では多くのフルタイムの仕事は、ゴーストワークに「優る選択肢」となるような賃金もスケジュールも勤務地も提供しない。

典型的な報酬を考えてほしい。ほとんどの仕事は、賃金停滞の泥沼にはまり込んでいる。インフレを考慮に入れても、アメリカの実質賃金は二〇一七年には一九七三年から一割しか増えていない。つまり過去四〇年間、賃金の伸び率は極端に低い、一年当たり〇・二パーセントだったということだ。[7]

そして、その数字がさらに小さくなっていないのは、CEOやウォール街の金融業者のような最も裕福な稼ぎ手の受け取る報酬が急増して歪められているからにすぎない。働いてお金を稼いでいる人のうち上位一パーセントの年俸は一九七九年から二〇一三年にかけて一三八パーセント増えたのに対して、労働者の下位九〇パーセントは、同じ期間に年俸が一五パーセントしか上がらなかった。[8] これは、典型的なフルタイムの仕事を唯一の収入源にしていたら、やっていかれないことを意味する。

全米低所得者向け住宅連合の二〇一八年の報告によれば、州で一般的な最低賃金あるいは連邦の最低賃金を稼いでいる労働者が、週四〇時間という標準的な時間働いているだけで、ベッドルームが二つある住まいを家族で賃貸することができる州も都市圏も郡もないという[9]。生活費が低い州の一つであるアラバマ州の労働者は、ベッドルームが二つあるアパートを借りるためには、一時間に一四ドル六五セント稼ぐ必要がある。ところが、同州の最低賃金はその半分の七ドル二五セントだ。その賃金では、家賃を払うためには週に八一時間かけなければならない。実際、典型的なサービス部門の「プランB」の仕事は、賃金があまりに少ないだけではなく、ワーカーが目覚めている時間の、文字どおりほとんどすべてを要求するわけだから、皮肉な話だ。

フルタイムで雇用されている人の六人に一人は、不規則な勤務スケジュールをこなさなければならない。フルタイムあるいはパートタイムで雇われている労働者の一割は、勤務スケジュールが決まるのはその勤務まで一週間を切ってからだ[10]。従業員は、仕事のシフトのアップデートをメールか携帯メールか電話で知らされる。

彼らは、言われた時間帯に働けるようにしておかなければならない。もし従業員が保育をしてもらう時間を再調整できなかったり、学校の授業や別の仕事の勤務などでその時間を空けられなかったりすれば、働ける分の賃金しかもらえず、働かなかった分をスケジュールの他の時間で埋め合わせる機会は与えられない。二〇一五年に激しい非難の声が上がり、スターバックスやディズニーなどの大企業がこの慣行を撤廃したにもかかわらず、「**ジャストインタイム**」スケジューリングと呼ばれるこの傾向は、大規模な小売店や接客業の雇用者の間では、相変わらず広く見られる。[11]

第1章で論じたように、ゴーストワークの経験を積み、自分が選んだプラットフォームに適応し、仕事の決まり切った手順を身に付けた人は、自給に換算してプランBの従来の雇用で得られる賃金に匹敵する額を稼げる。しかも、ジャストインタイム・スケジューリングや、自分の時間に対する他の制約と競合するようなサービス業の未経験労働者向きの仕事への通勤を避けることもできる。

それでは、金銭的な見返り以外に、何がワーカーにオンデマンドの仕事を引き受けさせるのか？　私たちの多くは、自分の定職を離れないのは、好むと好まざるとにかかわらず、生計を立てるためにお金を稼がなければならないから、と答える。驚くまでもないが、オンデマンドワーカーの大半は、自分が働く最大の理由は、やはり「お金を稼ぐこと」だ、と述べた。[12]　だが、彼らにとってそのお金は、どれほど重要なのか？

私たちは本章を通して、面接データを使い、ワーカーたちの動機を示す。さらに、調べた四つのプラットフォームのワーカーを対象とした一七二九件の調査の結果を付け加える。これら二つのデータセットを組み合わせると、個人の経験が母集団のレベルまでスケールアップして当てはまることがわかり、ゴーストワークに何か固有のものがあることが窺(うかが)われる。私たちが調べた四つのプラットフォームでは、ワーカーの四六〜七一パーセントがゴーストワークをする最大の動機として、お金を稼ぐことを挙げた。その一方で、二九〜五四パーセントが、最大の動機は、経験を積んだり、新しいスキルを身に付けたりといった自己改善、あるいは、自由時間を活用したり、自分で好きなようにしたりといった自己決定だ、と答えた。**お金を稼ぐことは重要ではあるものの、それはワーカーがゴーストワークをする唯一の理由ではない**のだ。[13]

ピュー・リサーチ・センターが二〇一六年に行なった調査によると、オンデマンドのゴーストワークをしている人のおよそ四分の一が、それで稼ぐお金が基本的なニーズを満たすために「不可欠」と答えたという。さらに四分の一の人が、そのお金は「重要」だ、と述べた。ゴーストワークで稼ぐお金が不可欠あるいは重要と言った人のうち半数近くが、この仕事をしているのは「自分のスケジュールを管理する必要」があるからだ、と回答した。また、四分の一は、「住んでいる場所には他の仕事がない」ことを挙げた。お金が不可欠という回答者は低所得世帯の人に多く、非白人で、大学に行ったことのない人でもあることが多かった。[14]実際、既存の研究が示しているように、多くのワーカーは、オンデマンドの仕事でうまくやっていこうとするのをやめるだけの金銭的な余裕がない。なぜなら、他に仕事の選択肢がないからだ。[15]

それでも、最もお金の余裕がないオンデマンドワーカーでさえ、自分の仕事を一つの選択肢、つまり自分の個人的理由のために意識的に下した労働の選択と見ている。[16] 人々に、なぜこの仕事をするのか尋ねると、「お金のため」と答えるのは意外ではない。だがさらに質問を重ね、従来の仕事よりも明らかに不安定なこの仕事を離れない理由が他にあるか訊くと、話が面白くなってくる。

ワーカーは、オンデマンドワークに頼っている単一の圧倒的に有力な要因を挙げなかった。むしろその正反対で、彼らがオンデマンドワークを重視する理由は、タスクを自分で選んで引き受けられる、その週に必要なだけのお金を稼いだらただちに働くのをやめられるなど、じつにさまざまだった。そして、大企業がこのような形で雇用形態を整えるのは、前代未聞のことだった。

仕事がブッククラブのように見えるとき

ヴィルフレード・パレートは二〇世紀イタリアの有名な学者で、ミクロ経済学の分野の草分けだ。社会的環境の中で収入と住居へのアクセスの集中と不均等な分布を測定したパレートは、イタリアの人口の二〇パーセントが土地の八〇パーセントを所有していることに気づいた。[17] この**パレートの法則（パレート分布）**は、リソースが少数の人の手に集中する自然な社会現象を説明するのに使われる、より一般的な「冪乗則」分布の特殊ケースだ。

パレートの80／20の法則は、富の分布（世界人口のうち裕福な二〇パーセントが、世界の富のおよそ八〇パーセントを掌握している）からソフトウェアエンジニアリングまで、広範な現象を説明するのに使われてきた。[18] マイクロソフトのエンジニアは、あるソフトウェアのバグの二〇パーセントを直せば、そのソフトウェアで見つかる不具合の八〇パーセントが解消される、と述べている。

パレートの80／20の法則は、社会のシステムにも反映されている。

たとえば、大きなブッククラブでは、課題図書を読み終え、その本の広い意味合いについて考えを述べるだけの準備をして毎回参加する熱心なメンバーはほんの一握りしかいない。そういう人が、パレート分布の二〇パーセントだ。ブッククラブの残り八〇パーセントは、二つのサブグループから成る。課題図書の一部あるいはほとんどを読んだが、主に親睦のために出席するメンバーと、どんなクラブか試してみたいと思って出席するメンバーだ。二つ目のサブグループの人は長続きするかもしれないし、しないかもしれないし、本を読んできているかもしれないし、読んでいないかもしれないが、このブッククラブが自分に合っているかどうか、知りたがっている。ダイナミックなブッククラブが長く続くためには、これら三種類のメンバーすべてが必要だが、二〇パーセントの熱心な参加者がクラブの安定を保つ。

パレートの80／20の法則が持つこの社会的な動態は、オンラインコミュニティーにも当てはまる。考えてほしい。ウィキペディアへの変更のほとんどは、わずかなパーセンテージの編集者によって行なわれる。あるいは、あなたが自分のフェイスブックのニュースフィードにアップデートを投稿すれば、友達のうちの大きなパーセンテージがそれを見るだろうが、コメントするのはほんの一部だろう。私たちは参加／不参加、加入／脱退などを気軽に決め、こうしたコミュニティーはそれで回っている。想像してほしい。もしフェイスブックに参加するには、友人たちの投稿のすべてにコメントしなければならないとしたら、どうだろう。フェイスブックの利用者は激減するはずだ。

選択や参加について考えれば、パレート分布がゴーストワークにも当てはまることは、簡単に理解できる。だが、ゴーストワークが従来のフルタイム雇用とは相容れないことを、まず見てみるとわかりやすい。従来の仕事では、雇用者は労働者が所定の勤務時間にやって来て、シフトの間中、目一杯働いて当然と思っている。選択の余地はほとんどない。労働者はその条件を承知しており、働くように言われた時間帯を優先して残りの生活時間のスケジュールを組む。それと引き換えに、企業は労働者に定期的に給料を支払う。労働に対するこの従来のアプローチは、労働者側の勤務の不確実性――いい換えれば、気軽さ――を排除する。

だが、ゴーストワークはこの従来の仕事の構造を覆す。たいがい、所定の勤務時間というものはなく、プロジェクトは誰もが請け負うことができ、早い者勝ちで割り当てられる場合が多い。このように、ゴーストワークは、ブッククラブやウィキペディアやフェイスブックに似て、どちらかというと自己組織化するコミュニティーのように機能し、したがって、構造化された雇用形態ではなくパレート分布に即している。

パレート分布は長年、労働市場の一部であり続けてきた。フリーランスのライターや日雇い労働者や俳優を考えてほしい。それでずっと暮らしていかれる人はごくわずかで、顔ぶれはかなり固定されている。それより多くのパーセンテージの人が悪戦苦闘しており、他の仕事をしてなんとか続けていることがよくある。そして、大多数の人は、自分に向いた仕事なのかどうか、試してみている。

ゴーストワークに関して前例がないのは、大企業がオンデマンド雇用体制を整えるためにゴーストワーク――異なることに傾注し、異なることに関心があり、異なることを提供できるものの、すべて同じように扱われ、生産にとって等しく価値がある人々のコミュニティー――に頼るようになった点だ。

過去には、企業は質の高い労働者を募集して確保しておくことに多大なエネルギーを費やした。それが今初めて、グローバルな企業はパレート分布を労働力に対する自らのニーズを満たすための戦略として、進んで採用している。あるいは少なくとも、知らないうちにそれに頼っている。企業は玄関の扉を開き、あらゆる人を招き入れ、その一部がプロジェクトの締め切りまでとどまり、それ以上は長居しないように願いつつ、労働力を調達している。

ゴーストワークプラットフォームでは、ワーカーの中核を成すグループが仕事の大半をこなすという形で、パレート分布を反映している。[19] 分布の具体的なパーセンテージはさまざまであり、プラットフォームがワーカーを確保しておくアプローチ次第のところが多々あるが、それでもパレート分布が見られることに変わりはない。ゴーストワークは現在、プロジェクト主導のタスクをフルタイムの仕事にしているわずかなパーセンテージの人を中心に組織されている。それよりわずかに大きい割合の人々が一貫して、スケジュールの許す範囲でときどき数時間費やしている。そして、大半の人がプラットフォームにやって来て試し、断続的に働いたり、ずっと働いたりするようになることもあれば、仕事を一つか二つやった後、去っていくこともある。

ゴーストワークに対するこれら三つのアプローチのすべてが、プラットフォームの最終利益に貢献する。アカウントを開設し、プラットフォームの登録者数が増えるだけでも、そのワーカーが実際に仕事をしようがしまいが、プラットフォームの価値が上がる。プロジェクトのニーズを満たすためにワーカーを見つけようとしている人に、そのプラットフォームには待機中のワーカーが大勢いるという印象を与えるからだ。[20]

本書では便宜上、これら三つのグループを「**お試しワーカー**」「**常連ワーカー**」「**常時稼働ワーカー**」と呼ぶことにする。大多数の人は、最初はお試しワーカーだ。

お試しワーカーは、プラットフォームにやって来るものの、騙されたり、搾取されたと感じたりするなど、さまざまな理由からすぐに去っていく人だ。

序章に出てきたジャスティンを例に取ろう。彼はMタークでは一か月しかもたなかった。このサイトについては妻に教えてもらった。妻の大学院の友人たちが、研究のためにこのサイトを使ったことがあったのだ。ジャスティンはMタークのことを、「搾取的」で、「経済が貧しい場所に住んでいる人」にしか利益をもたらさない、と評した。彼はしばらく働いただけで、二度とこのプラットフォームには戻らなかった。

ジャスティンはタスクが搾取的だと感じたが、このプラットフォームがあまりに難しくて、どうしても自力では使いこなせないと感じたお試しワーカーもいた。Mタークなどのサイトは、最初の段階がとても難しい。新しいワーカーは、厖大な数のタスクのうち、やる価値があるのはどれかを判断するのにてこずることが多い。そのうえ、指示に従うのが大変なタスクもあり、これまでの章で詳しく説明したように、不明瞭な指示のせいで仕事が不合格にされて報酬が支払われない可能性もあるから、なおさら厄介だ。

「常連ワーカー」は、ゴーストワーカーのうち、仕事には慣れたものの、さまざまな理由から、断続的にしか働かない人だ。数週間に一度戻ってきて、一日数時間働く人もいる。確実に戻ってくるけれど、月に数時間しか仕事をしない人もいる。ここが肝心なのだが、彼らの全員が登録したまま、時間の許すかぎり仕事を受けられる状態を保つものの、ゴーストワークを主な収入源にすることはない。

常連ワーカーは、自分の暮らしで他にすることとやしなければならないことの隙間にゴーストワークを収めるようにする。授業の合間やフルタイムの仕事の前後に、ゴーストワークをすることもある。確実なインターネットアクセスがある場所で、フルタイムの仕事の間に暇を見つけては数時間するワーカーもいた。

最後の「常時稼働ワーカー」は、ゴーストワークをフルタイムの仕事にしたワーカーだ。高齢の母親と同居し、生活費を賄うだけのお金をどうにかして稼がなければならないヒューストンのジョーンのような人々だ。常時稼働ワーカーはたいてい、自分のスケジュールを管理する必要があり、普通はそれまでの仕事の経験から、ゴーストワークはただちに就くことのできる仕事よりも良い選択肢だと感じるだけの理由を持っている。多くの常時稼働ワーカーに面接して見つかった共通テーマは、オンデマンドワークの複雑さにうまく対処するのを手伝ってもらう家族や社会の支援があることの重要性だ。

ブッククラブやウィキペディアやフェイスブックのニュースフィードの場合とちょうど同じで、参加者のこれら三分類はみな、ゴーストワークというビジネスのエコシステムのバランスを保つために必要だ。八〇パーセントの仕事をしている二〇パーセントのワーカーのおかげで、仕事が完了することが保証され、二〇パーセントの仕事をする残りの八〇パーセントのワーカーが不足分を補っている。

暮らしを仕事に合わせるのではなく、仕事を暮らしに合わせる

アメリカの中間層へと這い上がる過程には、性別や人種、学歴、社会的地位、国籍の制約が常に付きまとい、骨が折れるが、統計的にいうと、大恐慌以来、現時点ほど困難なときはなかった。だから、気まぐれで当てにならない面があれほど多いゴーストワークに人々が頼るのも意外ではない。なぜなら彼らは、従来の仕事の形態、すなわちサービス部門の仕事に自分の生活を押し込めようとするプレッシャーを和らげてくれるものが、ゴーストワークにはあると感じているからだ。

オフィスで身動きが取れなくなる――「ワークライフバランス」の神話を粉砕する

一部の人にとっては、ゴーストワークはキュービクルの束縛からの脱出を意味する。別の人、特に女性にとっては、オンデマンドワークは、自分が世間から真っ当な人間と見られるようなれっきとした職場に脇から入り込む道をつけてくれる。

女性が収入を得るようになれば、その国は着実に繁栄し、国民の健康状態も良くなることを、統計が示している。だが、ジェンダー研究者が指摘しているように、女性は「すべてを手に入れる」、つまり正規雇用や家庭生活や自分自身の幸福と健康を手に入れることができ

るという期待が過去三〇年にわたって高まってきた結果、女性はすべてをしなければならない、しかも新たな支援なしに、という要求が強まってしまった。

家庭でのジェンダー公正は珍しく、有給の家族休暇や手頃な料金の保育といった形での政府の支援を必要とする。[21] アーリー・ホックシールド、もっと新しいところではメリッサ・グレッグは、主に中間層の白人女性を調べ、「キャリアウーマン」として成功を収めるのは、フルタイムのキャリアとフルタイムの「第二シフト」(家庭を管理し、切り盛りすること)に伴う時間的制約と期待の二重の拘束に直面したときには困難になると主張した。[22] 私たちの調査からも同様に、アメリカとインドでオンデマンドワークをしている女性が、自分の時間に対する家庭と仕事の要求の両方をうまくこなすのに、形こそ違うものの、同じように苦労していることがわかった。

両国の間には驚くような類似性があった。インドでは、正規雇用が増大するにつれ、サービス産業、特にビジネスプロセスアウトソーシングでの女性ワーカーへの需要が高まった。[23] だが、インドの政治や宗教やカーストを支配する諸勢力の伝統主義が、新しい文化的な関心の足枷(かせ)になっている。インドは現代のキャリアウーマンの役割を重視する余地を生み出したが、金銭的に自立し、「妻」「母」「娘」以外のアイデンティティーを持つ権利を主張する女性は、なかなか受け入れようとしない。

「すべてを手に入れる」ようにというプレッシャーが女性にかかるのは世界的な現象ではあ

るが、アメリカとインドの女性は、自分の時間に対する束縛に、異なるリソースを使って対処する。[24] 女性は依然として、仕事に熱心に取り組むよりも、家族や社会への義務を優先して当然と思われており、安定した報酬や家族休暇、保険、「キャリアウーマン」として認められることなど、ＩＴ専門職のキャリアの恩恵に浴することができない場合がある。

アスラは小柄でほっそりしている。

彼女は、最初のうちは伏し目がちにしていることが多いが、いったん相手と打ち解けると、笑みを絶やさない。笑うときには口を手で覆う。その慎ましさは、身に付けているヒジャブにふさわしい。インドでも有数のイスラム人口を抱える南部の都市ハイデラバードの混雑した通りに買い物や用事で外出するときには、全身をブルカで包む。幼い娘と息子が一人ずついる。夫は頻繁に自分の診療所に呼び出され、イスラム教徒が多数を占める賑(にぎ)やかな地区のために尽くしている。

私たちはイスラム教の断食月ラマダン（ウルドゥー語を話すインドの地域では「ラマザン」と呼ばれている）の真っ最中に「イフタール」に招かれ、アスラの家で会った（イフタールは、各家庭で、昼間の断食を終えた後に取る、日没後の食事だ）。彼女はナツメヤシの実を盛ったボウル、水の入った大型のペットボトル、でき立てのハリーム（香辛料を効かせた子ヒツジの肉とレンズマメと小麦の濃厚なシチュー）がたっぷり入った蓋付きの器をテーブルに並べた。

私たちは約束の時間よりも早く着いた。カラチという地元のベーカリーで買ったクッキー二箱をお土産に持っていった。アスラは玄関のドアの所に出てきて、「アッサラーム・アライクム（あなたたちの上に平安がありますように）」とささやき、くすくす笑いながら「こんにちは」と付け加えた。英語とウルドゥー語はどちらも彼女にとって第一言語なので、英語はウルドゥー語と同じようにすらすら書けるが、英語を耳にすることはめったになく、話す練習をする機会もなかった。

アスラはオーストラリアのヴィクトリアで四年間、工学を学び、修士号に相当する学位を取得した。それからハイデラバードに戻り、ハシムと結婚した。今の彼女にとっては、子育てが最優先だ。子供の世話が退屈なことは認めながらも、アスラは家の外で働く気はなかった。ハイデラバードに暮らす上位中間層のイスラム教徒の一家では、彼女は家庭にとどまることを求められている。だが、テクノロジーに興味がある兄のおかげで、これまでの人生のほとんどで、コンピューターは身近な存在だった。

そして、パズルゲームのキャンディークラッシュや単語ゲームのラズルで高得点をあげるところからは、彼女の競争心旺盛な側面が窺える。彼女が大のコンピューターゲーム好きなのを知っている兄と夫は、Mタークで働くことを勧めた。兄は、Mタークでアカウントを開設するのを助けてくれさえした。そして彼女はこのプラットフォームで、「オスカー・スミス」というリクエスターのために、画像のラベル付けタスクをする腕を磨いた[25]。

Mタークのタスクをする理由を尋ねると、アスラは「お金」と答えた。そして、しばらく間を置いてから、「マネー、マネー、マネー」と、歌うように繰り返した。テレビ番組「アプレンティス」のテーマ曲にそっくりに聞こえた。彼女はアメリカ英語の映画やテレビ番組をよく見ていた。だが、彼女の家の部屋はみな広々としていて、家政婦（飾りの付いた真っ赤なサリーをまとったヒンドゥー教徒の女性）がキッチンのシンクの前でジャガイモの皮を剝いているのを見ると、アスラがゴーストワークを続けている理由は、そう単純ではなさそうだった。

お金の必要性についてさらに訊くと、彼女は微笑んで言った。「自分のお金を稼げば、家族に贈り物を買ってあげられます。役に立てます。何かの一端を担うことになります。私は働くことができます。他の人と同じように。でも、私のオフィスは、この家なのです」。

アスラがゴーストワークをするのは、お金のためだけではない。アスラの態度が彼女の同輩たちの間でどれほど一般的か、そして、アメリカとインドのワーカーのどれほどが主にお金のためにゴーストワークをしているかを知るために、私たちは調査データを見てみた。すると、アメリカ以外のワーカーはアメリカ国内のワーカーよりも、主にお金を稼ぐため以外の理由でゴーストワークをしている割合が高かった。

この調査結果の説明として、一つには、ゴーストワークにはコンピューターとインターネット接続という初期費用がかかる点が考えられる。統計的にいって、もしインドの人がオンデマンドワークに必要なツールを手に入れられ、オンラインの労働市場への参加の前提となる言語とコンピューターのスキルを持っているなら、この種の労働を始める前から、その人にはすでにある程度の財源と金銭面の安定性がある可能性が高い[26]。

ヒンドゥー教徒の女性のラジーは過去二年間、一日およそ五時間、オンデマンドプラットフォームで働いてきた。彼女はインド南部のコインバトールに住んでおり、夜更かしして、夫と二人の子供たちが寝ている間にMタークで働く。家計を助けられるのも嬉しい。彼女の仕事ぶりのおかげで、夫との関係も良くなった。夫は彼女が働いているときに起きていると、お茶を持ってきてくれ、キーボードに向かう彼女を愛おしそうに見守る。

ラジーには、自分の貢献をこうして家族に認められることがお金より貴重で、何よりも大きな意味を持つ。また、何か大きなものの一部になっていることも楽しい。彼女は、インド在住のワーカーのために組織された、フェイスブックの非公開のグループに積極的に参加し、グループのワーカー仲間と会うのが好きだ。コミュニティーの一員であると、ノートパソコンの前に独りで座っているときにさえ心地良く感じる。

アスラとラジーは、多くの養育者や介護者と同じで、時間をうまくやりくりしている。オンデマンドワークは、ほぼどんなスケジュールにも合うように調整できるので、彼女たちが労働市場に入る道を提供してくれる。アメリカのワーカーはインドのワーカーよりも日中に働く割合が高いことを、私たちの調査データが示している。仕事を載せる企業の多くはアメリカにあるので、たいていアメリカの営業時間中にワーカーを募集する。だからアメリカのワーカーは典型的な「九時から五時まで」の時間帯に働くことができ、国外のワーカーは、より多くのタスクにアクセスするためには、スケジュールをアメリカ時間に合わせなければならない[27]。

私たちの調査データは、アスラとラジーの話を裏付けている。

男性と女性は、一週間当たりおよそ同じ日数と時間数をゴーストワークに費やすものの、時間の使い方が違うことを、そのデータは示している。全体として、男性は夜と週末にゴーストワークをすることが多いが、女性は日中に働くことが多く、週末にはあまり仕事をしない。男性は平日の日中、典型的な九時から五時までの仕事を家の外ですることが多く、女性は平日の日中、家で働くことが多いと仮定すれば、一つのパターンが浮かび上がってくる。女性は主に、家族の世話や家事に差し支えないときにゴーストワークをし、一方、男性は家の外での仕事を終えた後、主に夜や週末にゴーストワークをするのだ[28]。

二児の母でキリスト教徒のラリサも、ハイデラバードに住んでいる。彼女は結婚後にコールセンターの仕事をやめ、やがてリードジーニアスに加わった。自宅外でフルタイムの仕事の責任を引き受けずに働く機会を、このプラットフォームが提供してくれると思ったためだ。仕事は楽しく、上手にこなした。だが、ジュニアマネジャーへの昇進は辞退した。それは週末と夜のシフトも引き受けなければならない役職で、ラリサは、自分の第一の責任だと考えている二人の子供の養育をおろそかにしたくなかったからだ。

ラリサは私たちが何度となく目にしたものの好例だ。ワーカーの誰もが、オンデマンドワークを昇進や、さらにはもっと安定した（最終的にはフルタイムの）仕事への足掛かりと見ているわけではない。むしろゴーストワークは、自分以外への義務だらけの生活の中で、お金を稼ぎ、金銭的・個人的な自立感を得る方法になる。**アメリカ以外のワーカーは、オンデマンドワークをする最大の理由として金銭的な報いを挙げる率が低い**ことを、私たちの調査データは示している。お金を稼ぐことが最優先ではないときには、ワーカーは、経験を積んだり新しいスキルを身に付けたりといった自己改善と、空き時間を活用したり、物事を自分の好きなようにしたりといった自己決定の両方の理由からゴーストワークをする。[29]

オンデマンドワークプラットフォームでの労働の男女差と、この種の仕事から女性が引き出す価値には、二通りの解釈の仕方がある。第一の見方は、女性を解放してすべてを手に入れる機会として、オンデマンドの仕事を称えるかもしれない。オンデマンドワークは、収入を得るには家を離れる必要があるという、働く女性のジレンマに対する答えだと見るわけだ。第二の見方によれば、この仕事は、女性はフルタイムで家庭の義務を果たすと共に、より正式な雇用の仕事もこなすべきだという、従来の考え方の延長だという。

どちらの見方も、状況の捉え方として同じぐらい正当だ。
私たちが面接した人々の一部、特に女性にとって、ゴーストワークは自分の貢献を正当なものとして認めてくれ、自分の価値が認められていると感じる術を与えてくれた。女性は、少なくとも部分的には、妻や母親、年老いた親を介護する娘としての役割も果たし続けて当然と思われているせいで、正規雇用では自分の選択肢が限られていることを承知している。父親と母親が家庭の責任を平等に分かち合うのを楽にするような、十分な補助金が出る育児休業や保育といった、他の選択肢がないので、男性も女性もオフィスを離れる手段としてゴーストワークに頼り、家族や、生活のその他の面での義務もどうにか果たそうとするのだ。

奮闘

なんとしても名声を得たくて、そのためには報酬が得られなくても我慢している起業家や、オンラインメディア制作が報われることを願っている人と同じで、新しいキャリアへと続く道を拓くためにオンデマンドのゴーストワークを利用する人もいる。[30]
ゴーストワークは足掛かり、あるいは、簡単に受けられるオンザジョブ・トレーニングになりうる。オンデマンドワークは、人々がグラフィックデザインやタイピング、トランスクリプション、コンピューターリテラシー、翻訳などを練習する場になる。成果をあげることへの期待とプレッシャーが大きい従来の職場では、こうした経験は得るのが難しい。

ヴァージニアは国際研究で学士号を、国際問題研究で修士号を持っている。スペイン語と英語が母語の彼女は、国連その他の非政府組織で言語スキルを活かし、文化交流を通した平和的な活動を進めたいと思っていたが、未経験労働者向きの仕事を見つけるのに苦労した。ヴァージニアは二年前にアマラでプロジェクトマネジャーになったとき、スペイン語を英語に翻訳するスキルを磨く機会と、さらにいくつかの言語を学ぶ機会を得た。「今ではアラビア語とフランス語をそれなりに話すことができます！　他の仕事をしていたら、絶対無理でした。給料をもらって毎日語学の授業に出ているようなものです！」。

ヴァージニアはアマラでの仕事を、自分の夢のキャリアを築く手段と見ている。「今学んでいることは、次に何をするにしても活かせます」。

彼女は事実上、アマラを使って自分のために価値と有意義な仕事を生み出しており、アマラがワーカー中心の立場を取っているおかげで、彼女はゴーストワークをまずまずのオンデマンド雇用に変えることができている。

ヴァージニアと同じで、インド南部の中央にあるエロードという小さな町に住んでいる二三歳のゴウリも、Mタークを、練習を重ねて将来の仕事で使えるスキルを身に付ける機会と見ている。長子で、両親が教師をしながら織物を売っているゴウリは、地元のコンピューターセンターの講座でMタークアカウントの開設の仕方を教わり、オンデマンドワークを試してみることにした。彼女の狙いは英語の運用能力と基本的なコンピュータースキルを伸ばすことだ。「英語は書けますが、新聞や雑誌では日常的な英語の言い回しはなかなか学べません。Mタークのタスクをすれば、自然と語句を調べ、外国の住所のような情報を検索する練習ができます。学校では、そういうことのやり方は学べないでしょう」。

今のところゴウリは、間近に控えた結婚に備えてお金を貯めることと、もっと報酬の良い仕事へのアクセスが得られるようにコミュニケーションとコンピューターのスキルを身に付けることに専念している。「この仕事をしているうちに、タイプするのがずっと速くなりました。そのスキルは、経理の分野に進んだり、金融の試験を受けたりするときに使えます。本当に、今していることはみな、金融の分野か銀行で仕事を持ったときにすることばかりです」。

これらの話は、いずれもっと良い仕事に就けるように、オンデマンドのゴーストワークをしながらスキルを身に付けることにワーカーが見出している価値を反映している。主に高学歴ではないワーカーがお金のためにオンデマンドワークをするというのが全般的な傾向ではあるが、タイピングと英語のスキルを磨きたいというゴウリの願いは、この傾向には例外もあり、彼女もその一人であることの表れだ。

ワーカーが、他に持っている収入源の数や年齢、学歴などのせいで、アウトサイドオプションがあるかどうかは、オンデマンドワークをする動機と結び付いていることを、私たちの調査データは示している。第一に、ゴーストワークの他にも多くの収入源のあるワーカーは、お金を稼ぐこと以外の理由からゴーストワークをする場合が多い。第二に、若いワーカーは、単にお金のためにではなく、主に経験を積むため、あるいは新しいスキルを学ぶためにゴーストワークをすることが多い。最後に、学歴が高いワーカーは、経験を積んだり新しいスキルを学んだりといった、自己改善のため、あるいは、空き時間を活用したり、物事を自分の好きなようにしたりといった、自己決定という理由からゴーストワークをすることが多い。[31]

全体として見ると、若いから、学歴が高いから、他の収入源があるからなどの理由でお金を稼ぐ選択肢が他にあるワーカーは、お金を稼ぐこと以外を、オンデマンドワークをする最大の理由として挙げる可能性が高いことをこれらの結果は示している。ゴーストワークは、安定した収入がまだ得られない、別の関心事を追求するのを支える手段を提供してくれる、という人もいる。

たとえば、三〇歳のカーメラは、振付師になるという夢を追い求めて、フロリダからシカゴに移った。それまでは、ダンスを教える傍ら、ブランド大使としてある企業を代表してイベントで製品のマーケティングをしてお金を稼いでいた。

この二つのパートタイムの仕事で生活費は賄えたが、どちらも彼女の夢の実現には役立たなかった。ダンスを教えていると、スケジュールを守らなければならず、振付師を目指して自由に旅することができなかった。ブランド大使をしていると、空しくなった。将来性のない仕事だったそうだ。「製品を推奨してもらう必要がある企業は、これからも必ずあるでしょう。ただ、それをやっていても、何か別のことにはつながらないんです。私には得るものがありませんでした。自分のキャリアにとっては」。

ヴァージニアと同じで、カーメラもスペイン語を話しながら育ったので、自分がバイリンガルで、言語が大好きである事実を活かすことに決めた。そこで、公立の地域短期大学に入学し、通訳と翻訳の講座を取った。それから、オープン翻訳プロジェクトの一環として、練習のためにTEDの講演の翻訳と字幕制作にボランティアとして参加することにした。そこからアマラを見つけた。ちょうどアマラが、翻訳や字幕制作で報酬を得られる仕事をオンデマンドで提供し始めたときだった。

カーメラは、企業のイベントでブランド大使として働けば、アマラのトランスクリプションプロジェクトを終えるのにかかるよりも短い時間でもっと多くのお金を稼ぐことができるが、アマラで働くことを選んでいる。「どこででもお金を稼げますし、自分にとって大切なことに取り組めますから」と彼女は言い、それから次のように付け加えた。「これを踏み台にして何か別のことに飛び込もうとしているわけではありません。振付師を目指して、自由に旅がしたいのです。コンピューターさえ持っていけばいいので、仕事を割り当てられれば、相変わらずこなせます。私は理想の人生を送っているのです」。

カーメラとヴァージニアのどちらにも簡単に就くことのできる種類の仕事であるサービス部門の正規雇用では、給料をもらうためには重い義務を果たさなければならない。まずまずの報酬を得られる仕事と引き換えに、従業員は特定の場所に縛られる。勤務時間が長い仕事や情緒的に空虚な仕事をしていると、報酬をもらえるものであろうがもらえないものであろうが、自分にとって楽しいプロジェクトに身が入らなくなる。

ワーカーはゴーストワークを、難しい状況からうまく抜け出せる道にし、お金よりも大切な、他の関心事を追い求めるのに必要な自主性と自立性のための基本的なニーズを満たすことができるのだ。[32]

ガラスの天井

オンデマンドの仕事は、職場で差別に直面しているアメリカとインドの人々、特に、昔から社会の周縁に追いやられてきたコミュニティー、女性、障害のある人に、デジタルリテラシーや帰属意識、家族からの敬意、金銭的自立を提供してくれる。

仕事を辞めて幼い子供たちの養育に専念することにした女性は、職場に復帰しようとすると壁にぶつかる。アメリカとインドの女性は、宗教や社会経済の背景も、教育水準も、社会的役割も違うが、職場での貢献に対する公平な報酬や評価を受けるのに、同じように苦労しているのと同時に、家庭で養育者や介護者として掛け替えのない仕事をしているのに無給だというのは、なんとも不可解な話だ。[33]

三四歳のクムダは、インドのタミルナードゥ州の沿岸都市チェンナイに住むイスラム教徒で、二児の母だ。電子工学を専攻して高校を卒業した。彼女はヒンドゥー教の低いカーストの出身で、そのカーストの女性は高いカーストの家庭のために家事をする場合が多いことを考えると、それはたいした学歴だ。本人は、教育を受けられたのは父親のおかげだ、と言っている。一家が暮らす村ではほとんどの娘が学業をやめて家にとどめ置かれる年齢をずっと過ぎてからも、父親は彼女とその妹を学校に通わせてくれたからだ。それに他の村人が気づかないはずもなく、父親は娘を学校に在籍させ続けたことを激しく非難された。クムダの結婚相手を探すときに、一家に不利になりかねないことを恐れてのことだった。彼女の出身カーストと階級を考えると、教育のある女性の相手を見つけるのが難しくなるからだ[34]。だが、彼女の父親は頑として譲らなかった。

今ではクムダは電子工学の卒業証書のおかげで、地元のコンピュータートレーニングセンターで教える資格がある。彼女はヒンドゥー語会話も教えてお金を稼いでいる。だが、最大の収入源はゴーストワークだ。三年前にMタークで働き始めたとき、夫とその家族は馬鹿にしていた。家の奥の片隅に閉じこもって独りで座り、ノートパソコンに覆い被さり、アメリカの太平洋標準時地域の企業が発注した仕事を完成させて、どうしてまとまったお金を稼ぐことなどできるだろう、というわけだ。ところが、彼女の収入が、修理工をしている夫の稼ぎに並び、やがてそれを上回ると、嫁ぎ先の一家も支援してくれるようになった。

一月当たり二万五〇〇〇ルピー近い収入（およそ三五〇ドル）を得ているクムダは、村で最も稼ぎが多い。彼女の夢は、お金を十分稼いで、父の名を冠したコーチングセンターを始め、若い女性の教育が持つ価値を村人全員に悟ってもらうことだ。「父は自分が育ったときよりも多くのものを私のために望んでいました。私が成功し、村一番の稼ぎ手になったのを目にして、とても誇らしく思ってくれました」。

三五歳のダネルは数年をかけて課程を修了し、試験を受け、生化学で博士号を取得した。だが、伝統的な科学の労働環境で性差別を経験した。それに加えて、二児の母として育児もしなければならなかったので、リードジーニアスで働くという決断は、なおさら魅力的な選択肢になった。彼女はリードジーニアスがまだモバイルワークスという名前だった創成期に同社のゴーストワークをし、会社がエンジェル投資（訳註：上場していないベンチャー企業への個人投資家による投資）の第二弾を受けたときにオフィスマネジャーに採用された。彼女は喜んで一家と共にカリフォルニア州バークリーに引っ越し、同社のメインオフィスでフルタイムの従業員として働き始めた。リードジーニアスは、誰一人排除しないインクルーシブな素晴らしい職場だという。

ダネルとクムダは互いに掛け離れていながら、オンデマンドワークがワーカー本人だけではなくその家族まで大きく変える力を持ちうることを共に示している。だが、ガラスの天井に突き当たるのは、クムダのような女性だけではない。障害や性的指向やジェンダーアイデンティティーのせいで職場で差別を受けた人は、オンデマンドワークは職場の先輩や上司らの嫌がらせを避ける手段だ、と言っている。

三四歳のラクシャは何年も前に三輪タクシーの事故に遭い、下半身不随になった。イーストデリーの古くからあるりっぱな住宅街の贅沢(ぜいたく)な内装の家に、家族や親族と住んでいる。事故の前は機械技師をしており、収入の多くを親に送り、彼らはその助けで土地を買い、彼が今暮らしている家を建てた。彼はほとんどの時間を、二階にある広い角部屋で過ごす。部屋にはバルコニーが付いていて、家の前の門を見下ろせる。階段の上り下りも含め、家の中の移動は、家族が担いで運んでくれるが、外出することはめったにない。

事故の負傷から回復すると、一年以上仕事を探したが、断られてばかりだったので、オンラインの仕事に目を向けた。少なくともオンラインなら、誰も彼の障害を目にしないだろうからだ。一九九〇年代以降、インドでは障害のある人を差別するのは違法だが、アメリカでと同じで、ラクシャのような人々が正規雇用から締め出されていると感じることは珍しくない。ラクシャは、自分が雇ってもらえなかったのは障害のせいなのか、一年以上に及んだ病院での回復期間のせいで履歴書にできた空白のせいなのか、けっして知ることはできないだろう。[35]

ラクシャは二年近くUHRSでゴーストワークをしている。平均で一時間当たり一五〇以上のタスクをこなし、前の月にはこのサイトでほぼ二〇〇時間働いた。彼は報道記事を分類したり、アダルトコンテンツを審査したり、動画コンテンツを分類したり、人々がビングでアイテムを検索するために使う単語を分類したり、イギリス英語とインド英語の音声比較をしたりして働いている。

また、質問をしている人と発言をしている人の違いを認識させるためにチャットボット（知的会話エージェントとして使われる、音声ベースあるいはテキストベースのコンピュータープログラム）をトレーニングしたり、短いマーケティング調査や画像妥当性判定タスクをしたり、検索の質問を会話体に変えたり、ヒンドゥー語の検索語句を改善したり、ヒンドゥー語の字幕が付いたアダルトコンテンツを審査したりする。「頭を活発にしておくためにやっています」と彼は言う。「やる必要があります。忙しくしていなくてはならないのです」。彼の声は切羽詰まっていた。

ラクシャやクムダのような人がオンデマンドの仕事をするのは、そうしなければ閉ざされてしまう、雇用への扉をこじ開けるためだ。

UHRSやMタークなどのプラットフォームは、リクエスターにはワーカーについてのデータをまったく提供しないか、ほんのわずかしか提供しない。第1章を思い出してほしい。APIはワーカーの個人的な特性を抽象化してしまう。リクエスターが知っているのは、「A16HE9ETNPNONN」といった識別子を割り振られたワーカーが仕事をしたことだけだ。「A16HE9ETNPNONN」というワーカーが男性か女性か、イスラム教徒かヒンドゥー教徒かキリスト教徒か、障害を持っているかいないか、リクエスターは知らない。

この抽象化の短所は、ワーカーが人間性を奪われ、リクエスターは自分が人間に仕事を委託していることさえ忘れてしまう点だ。一方、長所は、リクエスターが、クムダが女性であるから、あるいはラクシャが半身不随だからという理由で簡単に差別することができない点だ。

私たちが研究を始めたとき、インドではヒンドゥー・ナショナリズムが高まりを見せていた。表向きは左派で世俗的なインド国民会議からインド人民党へという、政党の勢力の歴史的な移行があった。家庭や宗教や文化にまつわる義務に女性が献身するべきだというあからさまな要求が、この移行によって強調されるのを、私たちは研究参加者の目を通して見て取った。ひょっとすると、当時の政治的保守主義は、オンデマンドのゴーストワークを、私たちが会ったインドの女性たちに、いっそう有意義なものにしたのかもしれない。ゴーストワークは、現代の働く女性という人気の高い役割への道筋となった。

彼女たちは、「コール・センター・ガール」（あらゆるカーストと宗教の男性と同じ職場で半夜勤や夜勤をし、礼節や敬虔さよりもお金を稼ぐことを優先していると非難されることが多い女性たち）の不健全性をめぐる張り詰めた全国的な議論に巻き込まれずに収入を得ることができた[36]。一方、アメリカの女性たちも、子供の養育や親の介護をこなしながら、経済的な運命を思いのままにしたり、新しい仕事を始めたり、新しいスキルを身に付けたりする道としてのオンデマンドワークの価値について語ることが、まったく同じぐらい多かった。

人々はゴーストワークを利用して、生計を立てることに伴うお馴染みのプレッシャーに対抗する。だが、代替の選択肢としてゴーストワークに頼るのにも限界がある。自分にふさわしいペースの見つけ方を学ぶためのリソースも、同じ立場にある人々からの支援も得られない、お試しワーカーたちの場合は、なおさらだ。

すべてバラ色というわけではない

オンデマンドワークのパレート分布は、生活でやらなければならないことに仕事を合わせ、もっと典型的なサービス部門でのプランBの仕事のプレッシャーからいくらか解放される機会を人々に与えてくれる。

これまで紹介したワーカーたちの話が立証しているように、オンデマンドワークは本質的に悪いギグではない。ワーカーのニーズと市場の需要がきちんと調整されたり、マッチングされたりし、適切に組み合わさったときには、オンデマンドワークはもっと価値とやり甲斐のあるものに変わりうる。だが、急速に成長するグローバルな雇用の世界として認識されずに、野放しにされたり、ソフトウェアの後ろに隠されたりしたときには、たちまちゴーストワークに姿を変えかねない。

テクノロジーそのものは、平等の偉大なもたらし手ではない。オンデマンドワークがあらゆる人に経済的な機会をもたらす可能性にとって、最も明白な障害は、**世界人口の半分がこの仕事へのアクセスを持っていない**ことだ。オンデマンドワークは、信頼できるインターネット接続がない人はみな締め出す。現時点でのインターネットの発展の割合に各国が遅れずについていったとしても、全世界でインターネットが採用されるまでには、まだ二〇年かかる。[37] そして、インターネットに接続している人の間でさえ、全世界の過半数は、通信速度が嘆かわしいほど遅く、使っている機器は時代後れだ。[38]

インドでは4Gとブロードバンドの使用料金は比較的手頃であるにもかかわらず、私たちが面接した多くのワーカーは、モンスーンの時期には労働時間を維持するのに苦労していた。送電網が豪雨や強風でしばしば寸断されるからだ。世界の成人労働者は、ゴーストワークをするのにふさわしい機器を備えておらず、現状を改善する任務を負わされている特定の雇用者も政府機関もない。

問題はまだある。ワーカーのスケジュールと彼らが抱えている責務があまりに多様であるために、ゴーストワークのパレート分布の「融通性」の下では、ワーカーを彼らの関心に即して組織するときの三つの重要な柱である、共通の仕事現場と勤務時間と職業的アイデンティティーが存在しない。

最後に、ワーカーの間には自分たちの労働に付与する値段を安定させるような調整力がないのに加えて、最低価格で請け負うワーカーが「勝つ」ように仕事の値段を決める力をリクエスターが持っているため、リクエスターはしばしば、他のワーカーよりも安く仕事をする気のあるワーカーのプールを見つけることができ、その結果、プラットフォームのワーカー全員の報酬が減ってしまう。[39]

人々がゴーストワークの短所を耐え忍んでいることを考えると、ゴーストワークの長所よりもプランBの雇用の短所の深刻さが窺われる。また、人々は必ず自分の仕事を有意義なものにする道を見つけることにも、あらためて思い当たる。

オンデマンドのゴーストワーカーは、あらゆる場所のワーカーと同じで、仕事を引き受けるときに報酬をもらうこと以外についても考えている。報酬の支払い日以外にも何か大切なものがあれば、経済的なプレッシャーが、危険を顧みずに思う存分夢を追うことの妨げになっている世界で、ある程度の力と主導権と自主性を感じる手段となる。

そして、仕事の経済的な必要性を人々が有意義なものにするときには、社会的なつながりと仲間意識を通じて、というのが最も一般的な道筋だ。

第3部

ロボットにやり返す

第5章　見ず知らずの人の優しさと協同の力

職場に溶け込む

新しい仕事を始めたことがある人なら誰もが知っているとおり、仕事仲間に気に入ってもらうことは重要だ。トイレに案内したり、タイムカードの記入の仕方を説明したり、上司とのデリケートな会話をどうこなしたらいいか助言を与えたりしてくれるのが、彼らだからだ。別の部署で空きがあるといった、他の仕事についての情報や、あのマネジャーは部下の扱いがひどいから、避けたほうがいいといった情報さえ、いずれは教えてもらえるかもしれない。休憩室などでのこうした会話は、オフィスの社交の余地と親密さを拡張してくれ、非常に貴重なのだが、ともすると、ありがたみが忘れられてしまいがちだ。

それを念頭に置きながら、オンデマンドワーカーであるとはどんなことかを想像してほしい。あなたのオフィスはキッチンカウンターか、ベッドルームの壁際に置かれたぐらぐらのテーブルかもしれない。仕事と育児あるいは高齢の家族の介護を交互にやっている可能性がとても高い。住んでいる場所次第で、安定した電力やインターネットアクセスが得られる人もいれば、得られない人もいる。

携帯電話サービスのほうがブロードバンドよりも安ければ、スマートフォンが仕事への唯一の入口になる。雇用者からの連絡先は人間ではなくコンピューターインターフェースだ。ほとんどの仕事は数セントにしかならないが、たくさんやれば、その数セントも積み重なることをあなたは願っている。仕事を終えても、「よくやった!」という声は掛からないので、自分で自分を励まし、監督しなければならない。時給換算で一五ドルに迫るような実入りの良いタスクは、あっという間になくなってしまうが、そういうタスクをつかまえることを願って、あなたは日夜、求人掲示画面を眺め回し続ける。

ゴーストワークは、仕事から最低限必要なもの（業務と報酬の支払）以外は削ぎ落とそうとするようにできている。オンデマンドワークのプラットフォームの設計者は、「ユーザー」は独立して自主的に働くという前提に立っている。彼らにとってワーカーは、モノやサービスをどうやって迅速かつ効率的に消費者に提供するかという、より大きなパズルの一ピースにすぎない。デジタル労働は、アルゴリズムに入力するデータを集めたり、緊急の締め切りを守れるだけの速さで十分な質のコンテンツを制作したりするための手段なのだ。この見方は極悪非道でも悪意に満ちたものでもないが、ゴーストワークの現実や、それが求めているものは顧みない。

私たちは企業のアプリケーションプログラミングインタフェース（ＡＰＩ）を迂回し、ワーカーと直接顔を合わせることによって、オンデマンドワークのプラットフォームのりっぱな外面の裏を眺めてみた。

ワーカーたちは、複雑なソーシャルネットワークを構築して盛んに利用し、オンデマンドワークをする孤独と闘っていることについて語ってくれた。

私たちは、ワーカーがオンラインで情報を交換したり、報酬の良いギグが載ったときには連絡し合ったり、初心者にはコンピューターやインターネット接続を使わせてあげたりするのを目にした。同業者のコンピューターが壊れたので、ワーカーたちが新しいものを買うための募金をしたという話を聞いた。直接顔を合わせたことのない人々が、贈り物を交換したり、誕生日を祝ったりするという話も聞いた。ワーカーたちは**協同**して、プラットフォームが抱えているテクノロジー上の欠点の対応策を考え出したり、仕事日の苦労を共有する人間として、自分たちの社会的なニーズに対処したりもする。

従来の九時から五時までの雇用には付き物の**社会的な絆へのニーズ**は、物理的な職場がない状況でも相変わらず存在する。ワーカーのためのインフラはないので、彼らは自らそれを創り出す。働いているプラットフォームから生じる社会的問題や技術的問題を、ワーカーは協同して乗り越える。
　具体的にいえば、プラットフォームから課された取引コストを協同して減らし、仕事を仕上げ、社会的に支援し合う。特に熱心なワーカーは、これら三種類のすべてで協同をする。第一に、アカウントに登録する、詐欺を避ける、仕事を見つける、報酬を払ってもらうといった間接費を減らすために協同する。第二に、仕事を仕上げるために協同する。そして第三に、仕事の社会的な側面を再創出するために協同する。ワーカーは自分の仕事をうまくこなせるようになるためには、最終的に、雑談やゴシップ、助言や支援の気楽な交換といった、仕事の社会的な側面を望むし、おそらくそれに頼る。ゴーストワークは、見ず知らずの人の優しさが拠り所なのだ。
　ガイダンスがろくに存在しない状況下でどうすればいいかを、ワーカーは協同を通して実際的な形で探り出す。[1] 彼らはまた、途方に暮れることによる認知負荷を分かち合って他者を救済する行為に慰めも見出す。仕事上の欲求不満を徹底的に話し合うのが、実質的には、仕事を進める方法になるのとそっくりだ。[2] オンデマンドワーカーの間の協同は、仕事が私たちの生活の中で生み出す、じつに社会的な経験と意義を剝き出しにしてくれる。[3]
　そして、ワーカーが協同する強い傾向は、舞台裏の人間の存在と努力が、この労働市場の真の通貨であり価値であることを際立たせてくれる。見事に調整されたコンピュータコードの力のおかげで規模が拡大しているという話とは裏腹に、**ワーカーたちがＡＰＩと互いの努**

力からオンデマンドの世界を築き上げているのだ。本章を通じて、私たちは協同の重要性に何度も立ち戻る。また、言葉を交わすというワーカーのニーズをほとんど考慮に入れない状況で仕事をやり遂げることと、協同との関係についても、繰り返し触れる。

協同は、このきつい仕事に最も多くの時間を費やしているワーカーの間で起こる。これは文化を超えた現象ではあるが、インドのオンデマンドワーカーの間の協同と、アメリカのオンデマンドワーカーの間の協同は、違っているようだった。本章のデータは、その現実を映し出している。インドでは、携帯メールを送り合ったり、同じ空間を物理的に共有したりするニーズがあり、それは、モンスーンの時期には電力供給が当てにならなかったり、アメリカ英語の日常会話を翻訳する言語的な難しさがあったりといった、他の厳しい現実を反映していた。

本章ではインドのワーカーが協同の重要性をどのように説明するかに重点を置くが、アメリカのワーカーも彼らなりの形で、インドの同輩たちに劣らず協同していることも指摘する。そして、ワーカーたちが一致団結して力を発揮し、海を越えて協同して自分自身やお互いを擁護した感動的な例で締めくくることにする。

協同して取引コストを減らす

二二歳のジョセフは、キリスト教徒の学生で、インド南部のティルヴァナンタプーラムという都市に住んでいる。コンピューター利用技術の学士号を持っており、設計で修士号を取りたいと思っているが、本当に好きなのは音楽だ。そして、地元のバンドでギターを弾いている。練習も演奏もしていないときには、Mタークで仕事をする。二〇一二年にMタークに登録したのは、お金が稼げる上に、音楽のための時間もたっぷり取れるからだ。他のオンラインの求人サイトも試してみたが、どれも偽物であることが判明した。Mタークについては、あるフェイスブックのグループで聞いた。初めてMタークでアカウントを開設しようとしたときには、リクエストが拒絶された。なぜなら、彼の身分証明書類には以前の住所が記載されていたからだ。ここで思い出してほしい。Mタークに登録するには、ワーカーは住所を示す、政府発行の身分証明書を持っていなければならない。

西洋の多くの人には単純に見えることも、インドのワーカーにとってはしばしば障害になる。なぜなら、インドでは人々の家には正式な所番地がないことが頻繁にあるからだ。ジョセフの場合もそうだった。Mタークの基準を満たす住所を提示することができなかった彼は、ある代理店からアカウントを買い、その住所を使った。よくある対応策だ。だが程なくして、そのアカウントは使用停止にされた。その住所が、政府発行の身分証明書と一致しなかったからだろう。それでもアカウントを手に入れたくて、三度目にはフェイスブックで買った。彼は次のように説明してくれた。「フェイスブックで、［車で二時間の所にある］トリチュールの人を見つけました。彼はもう［Mタークで］働いていませんでした。私は彼のアカウントを使って働き、報酬の二割を彼にあげています」。

過去四年間、この取り決めのおかげでジョセフはMタークで働き、稼ぎの八割に当たるおよそ二万ルピー（二七五ドル）を毎月手に入れてきた。ジョセフにMタークのアカウントを売った人は、小切手を受け取り、銀行に貯金し、その八割をジョセフの銀行口座に振り込んだ。ジョセフはそのお金を家族のために使った。父親の文房具店の経営を助け、母親には誕生日に初めての洗濯機を買ってあげた。自分にも奮発してオートバイを買った。アカウントを売ってくれた人（ジョセフは今では彼のことを「仕事友達」だと思っている）の協力がなければ、有効な実在の住所を持っているという、Mターク側の管理上の要件を満たすことも、報酬を処理できる銀行へのアクセスを得ることもできなかっただろう。

ジョセフの話は、インドでのありふれた筋書きの好例だ。デジタルワークプラットフォームでアカウントを開設するのは、意外に難しい。道もなければ、公共サービスが行き届かず、住まいに水道も通っていないし、まして郵便の配達などあるはずもない地域に住む人々にとっては、なおさらだ。当時アマゾンは、オンデマンドワーカーに小切手で支払いをしていた。

ところが、私たちの調査の参加者のうち数人は、郵便を配達してもらえなかった。そして、近所に銀行がないから、小切手を預金することなど、できるはずもなかった。私たちが面接した人のうちの何人かは、ジョセフと同じで、友人や家族の住所のほうが確かだからそれを使っているというが、そうすると、その住所が身分証明書類と一致しなければ、アカウントを使用停止にされてしまう恐れがあった。

三四歳のクムダは、仕事の詐欺に遭った後、Mタークを見つけた。今では彼女は、身内や友人が同じ轍を踏まないように手助けし、彼らを信頼できるプラットフォームに導いている。彼女は次のように言っている。

「私はアウトソーシングから始めました。ある友人といっしょに仕事の申し出を探していました。どこもかしこも、詐欺だらけでした。この地域でMタークのことを知ったのは私が最初です。私を通して、友人たちもMタークについて知るようになりました［だから、Mタークが安全であることを、彼女たちは承知しています］」。

クムダは、他の人が仕事を見つけるのを手伝うために協同するワーカーの一例だ。ワークプラットフォームでアカウントを開設するには、ワーカーは金銭関係の個人情報を提供するように求められる。雇用の物理的な場所がなく、プラットフォームが信頼の置けるものであるかどうかを審査する明確なシステムもないので、ワーカーは互いに頼り合って、真っ当な企業と、ワーカーのメールアドレスや個人情報を知ろうとしている詐欺とを見分けなければならない。

私たちが調べると、アメリカとインドのワーカーのおよそ二五パーセントが、友人からMタークを紹介されたことがわかった。リードジーニアスの場合には、友人からの紹介率がさらに高く、どのプラットフォームでも口コミで雇用者の推薦が行なわれていることが窺われる。[4] ワーカーは、電話やフォーラム、チャット、フェイスブック、さらには対面でタスクについて情報を教え合う。報酬が良いときには、特にそうする。同様に、公正で信頼できるリクエスターの名前も、オンデマンドワーカーの間でしばしば広まる。

二二歳のサンジーヴは、インド南部のケララに住む学生で、Mタークで働き、恋愛と友情についてのブログをいくつか書いて、お金を稼いでいる（ブログからはグーグルアドワーズを通して不労所得が発生する）。[5] Mタークについては最初、コンピューター利用技術の講座の友人から教えてもらった。彼はMタークを気に入っている。パートタイムでできるからだ。彼は深夜のタスクに目を光らせていることが多い。その時間帯の仕事は、勉強しながらできる。良さそうな仕事が現れると、友人にも知らせる。「働いていて、良いＨＩＴ［仕事］を見つけたら、電話をかけて教えてあげるのです」と彼は言う。

ワーカーたちが連絡を取り合い、協同することとは、私たちのエスノグラフィー（民族誌）のデータと調査データから窺えたが、そうした慣行がどれほどありふれていて、広まっているかや、地理的な場所のような条件がオンデマンドワークの背後での協同の量とどう相関しているかは、わからなかった。

そこで、どれだけの規模でどのような形でこの協同の取り組みが行なわれているかを把握するために、Mタークのワーカーに、**コミュニケーションネットワーク全体**を図示するのに協力してもらった。私たちのHITは、Mタークのワーカーにとっては「フェイスブック・ライト」のように手軽なものだった。彼らは連絡を取り合っている相手のオンラインニックネームと、メールやショートメッセージサービス、スカイプ、彼らが使う多くのオンラインフォーラムなど、やりとりのために使っている媒体を、匿名で報告することができた。[6] ワーカーたちは、相手についてのさまざまな情報を見ることができた。たとえば、Mタークで働き始めた理由や、やる気を保つ方法、さらに、本人が教えてもかまわないと思っている年齢、性別、国籍といった情報だ。

このネットワークは一万三五四人のワーカーと、彼らの間の五二六八のつながりから成る。一三八九人(一三・四パーセント)が他のワーカーとのつながりを少なくとも一つ持っており、彼らのうちで平均的な人は少なくとも七人とつながっていた(図2を参照のこと)。一見しただけでは、八六・六パーセントのワーカーが誰ともつながってさえいないネットワークに私たちがなぜ注目するのか、疑問に思う人もいるかもしれない。

つながりのある一三・四パーセントは、中核的なワーカーであり、第4章に出てきた「常時稼働ワーカー」と「常連ワーカー」だ。だから、Mタークに仕事を載せると、このプールのワーカーが応募する可能性が高い。さらに、これから見るように、ワーカーは異なるオンラインフォーラムに集まるので、ワーカーがやりとりをするためにどのオンラインフォーラムを使うかで決まるコミュニティーが重なり合って、このネットワークを形作っている（図2を参照のこと）。

だが、**このネットワークに関して最も重大なのは、それが存在しているという事実**に尽きる。ワーカーたちには自分たちだけで協同できるインフラがなかったので、自腹を切って、Mタークのプラットフォームとは別の場所にこのネットワークを丸ごと自力で作り上げたのだ。

しかも、ワーカーとリクエスターの間に入っているAPIのせいで、このネットワークは目に付かない。その存在を私たちが知ったのは、エスノグラフィーの実地調査のおかげでAPIを迂回し、面接したワーカーの間のつながりを観察できたからにすぎない。

ワーカーに誰とやりとりをするかを報告するよう求めるタスクをプラットフォームに載せることで、実質的にAPIを突破してワーカーからデータを集め、図を作成することができた。このネットワークはMタークを対象にしてしか図にしなかったが、エスノグラフィーのデータからは、他のオンデマンドワークのプラットフォームのワーカーの間にも、まさにそうしたネットワークが存在していることが窺える。

今日のAPIは、ネットワーク作りを取るに足りないことに見せるようにできているが、どの産業でもそうであるように、ネットワーク作りは貴重だ。活発なネットワークにつながっていないワーカーは、とりわけ実入りの良い仕事に気づかず、市場での足掛かりをたちまち失ってしまう。実際、私たちの「フェイスブック・ライト」HITを最初に行なった二〇〇人のワーカーのうち、三割近くがつながりを持っていたのに対して、最後の二〇〇人ではつながりのある人は一割強しかいなかった（図3を参照のこと）。

私たちのHITは報酬が良かったので、ネットワークに入っていると、経済的な利点があった。孤立したワーカーたちよりも前にこのタスクについて知ることができたからだ。プラットフォームは、経験の浅いワーカーや社会的な孤立の度合いが高いワーカーを不利な立場に立たせる。なぜならプラットフォームは、人々が仕事を引き受ける前に、同業者と言葉を交わして雇用者やプロジェクトの選択肢を検討したがる理由を、考慮に入れないからだ。デジタル労働をするために、見ず知らずの優しい人どうしが協同する価値を切り捨てるという、大きな犠牲を伴うこの設計上の欠陥を埋め合わせるために、成績の良いワーカーは同輩たちが何をしているかに基づいて計画的な行動を取る。

ワーカーのニーズの一部に対処する、未来のテクノロジーベースの解決策は想像できる。たとえば、アマゾン・メカニカルタークはその後、インドの郵便事業を通して小切手を送る慣行に終止符を打った。それでも、友人が雇用者やタスクやプラットフォームを保証してくれることで得られる信頼性のレベルは、他のもので簡単に置き換えることはできないだろう。

仕事をやり遂げる

プーナムは二〇代前半だ。夫のサンジェイとそろそろ子供を持つことを願っている。プーナムは、マイクロソフトのオンデマンドプラットフォームであるUHRSに登録した後、家で働いて十分なお金が稼げることがわかり、事務処理組織での仕事を辞め、インド北部の都市チャンディーガルの中心部への長い通勤をしないで済むようになった。サンジェイはグラフィックデザイン・プリント店で働き、副業としてクラウドソーシングをしている。オンラインでの彼の稼ぎは、夫婦の収入の重要な割合を占めるが、彼はときどき、オンデマンドワークとデザインの仕事の両方をこなすのに苦労する。

私たちが話を聞くと、夫婦はタスクを分担していることをおずおずと認めた。これは危ないやり方だ。企業は、アカウントに名前を登録したユーザーが、独りで仕事をすることを求める。夫婦は、仕事を分担すればアカウントを使用停止にされかねないことを承知しているが、あえて危険を冒してやっていた。分担して取り組めば、夫であれ妻であれ、それぞれのタスクにふさわしいスキルセットを持っていると思われるほうが、そのタスクを引き受けられる。一つのアカウントを共有していれば、レピュテーションスコアを高く保てるし、自信を持って取り組める仕事の数が倍増する。たとえば、どちらかがタスクを引き受けたものの、やり遂げる自信がなかったら、もう一人に頼ることができる。サンジェイはデザインの専門技術や知識を持っているおかげで、とても視覚的なタスクに秀でている。一方、プーナムは検索語句の評価などの、言語ベースのタスクが得意だ。

サンジェイとプーナムのような夫婦の間ではこの種の連携がありふれていることは、簡単に想像できるものの、私たちが調べてみると、フェイスブックやその他のフォーラム、チャットで会ったり、直接会ったりするワーカーの間でも、このやり方が広く採用されていることがわかった。タスクを完成させるためにどう時間を管理するかや、どういうふうに検索するか、基本的なスクリプトの実行や、コピーやペーストといった単純なコンピューターのテクニックの使用が必要なタスクをどう処理するかについて詳しく教え合うことを含め、人々が会って取引コストを減らすという話を、私たちは何度となく聞かされた。

一例を挙げよう。

二四歳の学生のアナンドは、インドの東海岸沿いの都市チェンナイで両親と暮らしながらMタークで働いている。彼はMタークからの収入で自分の出費を賄っている。コンピューターの前であれほど時間をかけて何をやっているのか、親には理解してもらえないが、いずれはアマゾン・ドットコムで正規の職を得て、両親の鼻を明かしてやりたいと願っているそうだ。Mタークのことを教えてくれたのは友人のラジャで、彼はアナンドの友人たちの間では、ハーメルンの笛吹き男のような存在だった。「ラジャのおかげで、私たち全員がMタークを知りました」とアナンドは言う。

彼は、ラジャがくれた手書きのメモを見せてくれた。コンピューターのショートカットやキーコマンドが書かれていた。彼はぼろぼろになったそのメモを、机の左側の壁にテープで留めてある。そこには、スクリーンショットを保存するコマンドや、よく使う検索語句、アメリカの州や都市のエクセルのスプレッドシートをダウンロードして検索する方法の説明も書かれていた。タスクの最中に出くわす、アメリカについての基本的な疑問に素早く答えられるようにするための、一種のカンニングペーパーだ。

アナンドとラジャは、けっして特別ではない。私たちが調べた四つのプラットフォームの何千人ものオンデマンドワーカーのうち五〜一〇パーセントが、誰かに助けを求めるために、非公式にであろうが直接であろうが、ソーシャルネットワークを利用したことを報告している。ワーカーは、誰か――オンラインあるいはオフラインのメンターか友人たち――を見つけることを頼みにしている、と一貫して語った。調査の質問や、ある文化に特有の言葉や、インドのオンデマンドワーカーにはあまり知られていなかったり一般的ではなかったりする、頭がくらくらしそうなほど多様な電気器具をはじめとする消費財にあふれていて、途方に暮れそうな世界で、新しいワーカーを導いていく意欲と能力がある人を見つけて、助けてもらっているのだ、と。[7]

ファリードも、仕事をやり遂げるために協同に頼っている人の一例だ。二〇代後半の敬虔なイスラム教徒のファリードはハイデラバードに住んでおり、Mタークで働いて家族を養っている。幼馴染みのザッファーに、このサイトを教えてもらった。

長男のファリードは、もっと安定した仕事を見つけるようにという、親族の年上の男性たちからのプレッシャーを感じている。父親も叔父たちも、アラブ首長国連邦で雇われ運転手をしている。ハイデラバードの若い男性、特に、高等教育を受ける機会のない人々にとっては、ありふれた働き口だ。だがファリードは、それ以上のものを望んでいる。彼は二〇一一年にMタークに登録した。一つには、英語に磨きをかけ、就職しやすくなるためだった。他のサイトでもワーカーのアカウントを得ようとしたが、私たちが面接した時点では、まだうまくいっていなかった。

多くのオンデマンドワーカーと同じで、ファリードもレピュテーションスコアを維持するのに必死だった。Mタークで働いている人は誰もが自分のスコアを心配する。なぜなら、このサイトで将来も仕事が続けられるかどうかが、それにかかっているからだ。

ファリードも多くのオンデマンドワーカー同様、最初はスコアを下げないようにするのに苦労した。まだこのサイトに慣れようとしている段階だったからだ。彼はタスクの不明な点についてどうすれば説明してもらえるのかわからなかった。そして、仮に質問できたとしても、答えをもらえるまでに時間がかかり、稼ぎが減っていただろう。

「[登録したばかりのときのほうが]よく不合格になりました」と彼は言う。「リクエスターが「何を求めているのか」知りませんでしたし、タスクに添えられていた指示を「理解して」いませんでしたから」。彼はスコアを上げるためにザッファーを頼り、タスクの指示について説明を求めるワーカーの問いに答えてくれることが知られているリクエスターを見つけるのを手伝ってもらった。

ファリードはザッファーに助言も求めた。たとえばファリードは、画像のラベル付けについて、訊きたいことがたくさんあった。それはありふれたタスクで、画像を説明するための、記憶を喚起する言葉を選ぶことが求められる。彼は、位置確認タスクをするのにも助けが必要だった。このタスクでは、彼にはまったく馴染みのない通りや名前や郵便番号を使ったシステムで記述された、住んだこともない場所の実際の所在地を見つけなければならなかった。

ザッファーはファリードに、他のインド人オンデマンドワーカーたちが作った、フェイスブックのさまざまなフォーラムに加わるように促した。フォーラムには、公開のものも非公開のものもあった。ファリードはザッファーのアドバイスに従い、それらのフォーラムでおよそ一五〇〇人と知り合った。彼は次のように言っている。

「メンバーは経験を教え合います……良い仕事が載せられると、「親しい友人たちは」『ミス・コール』をします。電話をかけて、つながる前に切ることで合図するのです。そうすれば電話代を節約できます。電話が鳴ったら、私たちは急いでシステムを開き、仕事を探します。仕事が載せられるのを見た人は誰もが電話をします。目を光らせていて、良い仕事を見つけた人は誰であれ、みんなに伝えます。誰もが他のみんなを助けるのです」。

ゴーストワークのプラットフォームに見切りをつける寸前にフォーラムを見つけて思いとどまったという話を、私たちはワーカーから何度となく聞かされた。もし自分たちが舞台裏で協同していなければワークプラットフォームはやっていかれない、自分たちが作り上げたつながりがなかったら、この仕事の苛酷な面を生き抜けないだろう、とワーカーは言う[8]。

ファリードによれば、彼と友人たちは、あまりに話がうますぎるように思える仕事を目にしたり、複雑な仕事を載せるリクエスターを目にしたりしたときには、「フェイスブックで『このリクエスターの仕事をしたことがある人は誰かいますか?』と尋ねます。もし、そのリクエスターは良い人だったという情報[あるいは、そのタスクの詳細]を教えてくれる友人がいたら、その仕事を引き受けます。[仕事の詳細についての質問への]リクエスターからの回答は、すぐには来ませんから……友人に訊くほうが簡単です」という。

私たちがネットワークマップ(図2、巻頭掲載、以下同)を作成したとき、ワーカーたちは、誰とやりとりをしているかや、どう・や・っ・てやりとりをしているかを報告したことを思い出してほしい。全ワーカーの約五九パーセント、つながりのあるワーカーの八三パーセントが、オンラインフォーラムを少なくとも一つ利用している、と答えた。実際、つながりのあるワーカーの九割がフォーラムを通してやりとりをし、八六パーセントがもっぱらフォーラムを通してやりとりをしていた。私たちのマップに示された、つながりの密集のそれぞれが、一つのオンラインフォーラムに対応しており、それらのコミュニティーどうしは、複数のフォーラムに参加している人々によって多少つながっている（図2を参照のこと）[9]。

ほとんどのやりとりはフォーラムで行なわれるものの、ワーカーは対面での会話や電話、メール、テキストメッセージ、インスタントメッセージ、ビデオチャット、その他の経路を介して、一対一でもやりとりをすることを報告している（図2を参照のこと）。全体では、一人としかつながっていない人の一四パーセントが、少なくとも部分的には一対一の経路で、一〇パーセントがもっぱら一対一の経路でやりとりをしている。それらの経路のうちで人気の高い順に三つ挙げると、インスタントメッセージ（二七パーセント）、対面での会話（一八パーセント）、メール（一六パーセント）だった[10]。これらのさまざまな経路でワーカーが何について話しているのかには、次の項の終わりで立ち戻ることにする。

仕事の社会的側面を再構築する

オンデマンドプラットフォームは、個人が他者からの支援なしで効果的に仕事を行なえるかのように稼働する。「ありがとう」「よくやった！」「次はやり方を変えることを考えてみましたか？」といった言葉はいっさい聞かれない。だが、未検証で有害なこれらの思い込みは、オンデマンドワーカーたちに話を聞くと崩れ去る。**ワーカーたちは社会的な労働環境を**

再構築し、お互いの進歩と発展を促している。彼らは、現実世界の休憩室とちょうど同じように機能するオンラインフォーラムで交流する。そして、同輩の身になったり、同情したり、秘密を打ち明けたりする。

一九歳のアクバルは、ハイデラバードに住んでいる。彼はクリケットの熱烈なファンだ。Mタークで二年前から働いており、近所のモスクで地元の友人たちに会うと、リクエスターについての情報をよく交換する。「Mタークの話を五分か一〇分し、誰がどんな仕事をしたか、どの仕事が良かったか、どれが良くなかったかを教え合います……その後、仕事に戻ったときにも……スカイプかフェイスブックでチャットをし続けます。話をしたり、ビデオチャットをしたりすることさえあります」。

アクバルと仲間のワーカーたちは、やる気を持ち続け、目覚めていられるように、助け合いもする。オンデマンドワークは、アメリカやヨーロッパの時間帯が優先される産業だから、インドのワーカーは夜に働く。アクバルは長くて暗い夜明け前の時間を埋めるために、友人たちに頼る。「徹夜で働かなければならないときには、イヤホンを差し込んでオンにし、一晩中話します」。アクバルはほとんどの時間を、友人のモシンと話して過ごす。「二人とも［携帯電話サービスの］エアセルを使っていて、エアセルの番号どうしの通話は無料なんです。だから、話しまくります」。

アメリカのワーカーは、互いにやりとりをするときにフォーラムを利用することが圧倒的に多い（つながりのあるアメリカのワーカーの九一パーセントがフォーラムでやりとりをし、八八パーセントはフォーラムでしかやりとりをしない）が、外国のワーカーは一対一の経路を使うことがずっと多い（つながりのある外国のワーカーの七七パーセントが一対一の経路でやりとりをし、五七パーセントは一対一でしかやりとりをしない）[11]。

　こうした利用のパターンと、地理との結び付きは、背景にある他の関連要素について考えると腑に落ちる。まず、アメリカのワーカーにとって、ウェブベースのフォーラムは少しも珍しくない。サブレディット（訳註：レディットの中のコミュニティー）は比較的新しい（そして、いくぶん中毒性の）場だとしても、非同期のディスカッションスレッドのための、ユーズネットグループはインターネットそのものとほとんど同じぐらい古くからある。だが、フェイスブックとワッツアップがモバイル端末に最近導入されるまでは、インドではウェブで会話する習慣はほとんどなかった。おそらく、インド国内の言語の多様性（言語どうしが対抗している場合もある）のせいで、オンライングループが自然に協同するのは難しいのだろう。

　そして、ディスカッションフォーラムはワーカーを引き合わせることができる場ではあっても、境界を補強する空間にもなる。おそらくアメリカのワーカーが多数を占めるMタークのフォーラムのどれにも、「無学なインド人ワーカーが仕事を奪っている」という批判が見られる。要するに図2の、リンクはあるものの、つながりがたくさんある大きな構成要素の一部にはなっていないワーカーたちは、一対一の経路でやりとりをしている、アメリカ以外の人であり、つながりが密集している大きな構成要素の一部になっているワーカーは主に、オンラインフォーラムでやりとりをしているアメリカの人々ということだ。

ワーカーは、どのタスクをやるべきかや、どの雇用者を信頼するべきかといった、オンデマンドワークをする上での核心について話すが、社会的な支援も提供し合う。図2のネットワークマップに戻ると、ワーカーが他のワーカーとやりとりすることを報告したときには、私たちはそのワーカーとどうやってやりとりするかだけではなく、何についてやりとりするかについても尋ね、(a) HIT、(b) リクエスター、(c) 規約/ツール、(d) 生活、(e) その他という選択肢を与えた。

ワーカーは、オンラインフォーラムでは、一対一のやりとりの手段を利用しているときよりも、タスクについて話すことがはるかに多かった。逆に、一対一のやりとりの手段を利用しているときには、生活について話したり社会的な支援を提供したりすることがはるかに多かった(図4を参照のこと)。ワーカーどうしのつながりが親密なほど、誰もが聞き耳を立てているディスカッションフォーラムの喧騒(けんそう)を離れて、個人的な事柄について話すことが多かった。[12]

連携の効果

ワーカーどうしの関係を管理しているAPIには、ワーカーがやりとりするための仕組みは組み込まれていない。そして、アクバルやファリードやザッファーは互いに数キロメートル以内の所に住んでおり、いっしょに働けば効率が良いのにもかかわらず、それぞれ自分のブロードバンド接続と携帯電話のデータ通信プランを使って仕事をしている。もし同じインターネット接続を使えば、アカウントを使用停止にされかねないのが心配だからだ。それが事実か単なる噂かはわからなかったものの、危険を冒す気になれなかった。これは、明確さが欠けていると、人々が手の込んだ対応策を捻り出すという例になっている。

アカウントがどういう理由でどのように使用停止になるかもしれないかがはっきりしないので、混乱が起こり、誠意を持って行動している善意のワーカーに悪影響が及ぶ。これらのワーカーには、アカウントの停止は独断的に見えうる。そのうえ、透明性が欠けているせいで、プラットフォームがワーカーを締め出す理由にまつわる作り話や憶測がワーカーの間で飛び交うことになる。オンデマンドワークはみな、このような状況に置かれているので、それが**ワーカーの団結**につながることもあった。

ワーカーのネットワークが存在すると、その結果の一つとして、やりとりが可能になるので、作り話や噂が蔓延する。また、ワーカーが意図的に、あるいは意図せずに連携するというのも、ネットワークの効果だ。これを調べるため、私たちはワーカーに極端なまでに単純なタスクをしてもらった。ビングの世界地図にピンを立てて現在地を示すというものだ。彼らがピンを立てた後、私たちは一つだけ質問した。「このHITは、どうやって知りましたか?」。

答えの選択肢は以下のとおりだ。(a) Mタークのウェブサイトでタスクを探していて、(b) オンラインフォーラムで、(c) 個人的な紹介で、(d) このリクエスターを検索していて、(e) その他。[13]

私たちはこのタスクをMタークに五週間載せておいた。その期間を八時間ごとに区切ると、その大多数で、タスクをした人は五〇人未満だった。だが、一〇〇人以上がしたときもあれば、二〇〇人以上がしたときさえあった。この急増部分、つまり、一〇〇人以上がこのHITをした八時間の区分だけに注目すると、五五パーセントがオンラインフォーラムでこのタスクについて知ったワーカーだった。実際、急増した区分のそれぞれで、それとほぼ同じ時間にフォーラムの一つに、このタスクに関する投稿が見つかった。

すでに見たとおり、これらのフォーラムは、個々のワーカーが協同し、社会的な支援を差し伸べ合うメカニズムを提供する。フォーラムはシステムのレベルでも別の効果を発揮する。図5に見られる急増を引き起こすからだ。これらの急増は、オンラインフォーラムが果たす連携機能から生じる。事実、私たちがタスクを載せた直後にHITをした四〇〇人のワーカーのうちおよそ二〇〇人は、あるオンラインフォーラムからこのタスクをやりに来た。私たちのタスクに押し寄せてきたこのワーカーの第一波は、彼らの極度の神経集中が直接もたらしたものであることに留意してほしい。次の項では、これらのネットワークのおかげでワーカーがもっとずっと意図的な形で連携できることを示す。

集団行動を考え直す

優しい見ず知らずの人々は、つながりと社会空間を構築できる。だがそれらのコミュニティーは、入口に壁を築き、人々を締め出すこともできる。

第2章で指摘したように、組織的な労働運動と労働組合は歴史的に、労働者を集めるために二つの要因を拠り所とした。一つには、機械工、鉄鋼労働者、教師といった職業的アイデンティティーの結束力を利用して、共通の目的のための基礎を築いた。また、組合組織者は、仕事現場での対面の交流が生む連帯も頼みにし、ストライキを打つときには、変化をもたらすエネルギーとして集団行動の力に依存した。

労働組合結成の最初期から見られたように、社会的連帯は、外国人恐怖症や偏狭さも伴うことがありえた。皮肉にも、フルタイムの労働者の同質性や、異質性に対して職場を敵対的にさせうる暗黙の、吟味されたことのない差別のせいで、一部の人はオンデマンドワークを試すことになった。

それでも、これらの現実の分断と想像上の分断は、確固としたものではない。より良い労働条件を求めて苦闘するワーカー層として擁護し合うために、ワーカーは世界中に張り巡らせた職業上の社会的ネットワークを利用することもあった。全世界から注目された例として、アマゾンのCEOのジェフ・ベゾスに向けた二〇一四年のクリスマスレター・キャンペーンがある。

このキャンペーンは二〇一四年の秋に始まった。Mタークのいくつかのディスカッションフォーラムのリーダーが、スタンフォード大学とカリフォルニア大学サンディエゴ校の大学院生や教員とともに、Mタークワーカーの国際的な基盤として、一種のバーチャルな組合ホールをすでに作っていた。目標は、ワーカーが自分の経験を匿名で教え合い、自分たちが取りうる行動を検討するのを容易にすることだった。「ダイナモ」という愛称がついたこのサイトは、どうやって「オンラインでの集団行動を支援するシステムを構築する」かを探ることを目指す、もっと大きな研究プロジェクトの一環だった[14]。

大成功を収めた行動の一つは、学術研究者向けのガイドラインリストの起草だ。大学の学生と教授たちというのは、Mタークのワーカーにとって以前からずっと、欲求不満のもとだった。なぜなら彼らのじつに多くが、Mタークのワーカーを、まるで無料のピザと引き換えに喜んで研究に参加してくれる学部生と同じであるかのように募集しようとするからだ。

ダイナモの目玉の一つは、ワーカーがさまざまな提案に賛成を表明できることだった。つまり、思い切ったアイデアが、たちまち上位まで押し上げられうるわけだ。そして、まさにそういうことが起こった。Mタークのサイトを使ってアマゾンのCEOのジェフ・ベゾスにメールを書くという提案が、たちまち人気を集め始めたのだ。メールはファンメールでもいいし、Mタークのワーカーが労働環境を改善したいと望んでいることを詳しく書き綴った長いものでもかまわなかった。このキャンペーンは、顧客にアマゾンでの体験に満足してもらえなければ自分も満足できない、というジェフ・ベゾスの言葉に触発されたもので、ベゾスはその言葉を公の場で繰り返し口にしていた。ビジネスインサイダーというウェブサイトのインタビューでは、自分のメールアドレスを公表しさえした。それならば、彼のカスタマーサービスのロジックを、Mタークの、あまり目に付かないことが多い「カスタマー」、すなわち、報酬をもらってタスクを引き受けるワーカーを擁護するのにも当てはめればいいではないか、というわけだ。

Mタークのサイトにログインしたワーカーは、ベゾスにメールを送るように促された。ポップアップウインドウには次のようなメッセージが現れた。「Mタークのワーカーは生身の人間であるばかりか、敬意や公正な扱いや開かれたコミュニケーションに値する人々であることを、ベゾスにわからせるのが目的です[15]」。

このキャンペーンは三つの目標に的を絞っていた。第一に、世界中の目に見えない多数の

Mタークワーカーと、彼らの仕事現場を管理するアマゾンの非常に目に付くCEOの間に、コミュニケーションの経路を開設すること。第二に、ワーカーの個々のメールに返答し、しかも、ベゾスと対話するためのこの努力が公になる形でそうするよう、彼に促すこと。第三に、ワーカーたちのために特定のリソースの拠出を求めること(ただし彼らは具体的な要求は提案しなかった)。

興味深い暗黙の目標は、メディアによるMタークのワーカーの描き方を正すことだった。「私たち全員が発展途上国に住んでいるわけではない」ことを、そのキャンペーンは指摘した。「私たち全員がスキルを持っていないわけではない。私たち全員が一時間当たり一ドル四五セントしか稼いでいないわけではない。私たち全員が小遣い稼ぎのためにMタークで働いているわけではない」。

最後の主張は、Mタークでタスクをしている人は断じて本物のワーカーではないという、広く流布している作り話に対するものだった。このキャンペーンで世界中から多数のメールが届き、各国で報道された。だが、ベゾスが自ら返事を出すことはなかった。

オンデマンドワーカーは、一団となって効果的に協同したり、組合を組織して集団的利益のために闘ったりできるという考え方は退ける傾向があった。一つの職業領域としてそうした考え方を育(はぐく)むような明確な素地がないからだ。あるワーカーが言ったように、「ストライキをする責任をどうやってお互いに負わせればいいというのか?」(つまり、ストライキの組織者はどこに集まって、働くのをやめさせればいいのか、ということだ）。

最低賃金といった項目の実現を求めることに乗り気でない人々もいる。オンデマンド市場は全世界の労働力を募集しているのを知っているからだ。労働力のアービトラージ（どこか別の場所に安い労働力があること）のせいで、常にどこかの企業が、少ない賃金をもっとも な理由から受け入れる気のある人に仕事を提供する可能性が高い。

とはいえ、前述の例が物語っているように、これらの現実の分断と想像上の分断は、確固としたものではない。世界中のオンデマンドワーカーを組織化する政治的可能性があると信じるだけの理由がある。この例に見られたネットワーク作りと熱心な協同は、ワーカーが協同を拡大し、自分やお互いのための支援運動へと向けられることを示している。

休憩室2・0

オンデマンドワークは表面的には細分化された、束の間の、臨時のものに見える。だが、詳しく調べてみると、デジタル労働は、相互の支援を強め、参加を促すワーカーたちの協同に依存していることは明らかだ。オンデマンドワーカーたちが協同して間接費を減らし、仕事をやり遂げ、待ち望まれていた仕事の社会的側面を再構築していることが、私たちの調査からわかった。彼らが職業上の社会的ネットワークを利用して、大勢で団結していることとさえわかった。

協同は、破綻した技術システムを埋め合わせるための即時の実利的な試みにとどまらない。むしろそれは、労働環境での社会的つながりに人々が見出す価値を反映している。また、たとえ稼ぐ能力にとって不利になるときでさえ、自分のワークライフに社会的なつながりを粘り強く組み込む意欲も反映している。互いに助け合うワーカーの優しさと協同は、デジタルエコノミーのおそらく最も貴重な構成要素だろう。それなのに、ほとんどのゴーストワークプラットフォームは、それを取り除こうと固く決意しているように見える。

意図的にかそうでないかはともかく、オンデマンドワークのプラットフォームの創設者たちは、ワーカーがつながるのは時間の無駄で、物事を遅らせ、したがって価値がないと考え、ワーカーの社会的な世界を狙い撃ちにする。自動化のマジックを通して「せっせと働き、私語は慎む」という決まり文句は、「スケールアップ」の同義語のようであり、最終的には、モノとサービスをオンデマンドで供給する上での市場独占と同じだろう。プラットフォームの設計者は、マッチングがより的確にできるアルゴリズムや、仕事の細分化、現場での管理の完全な除去が、買い手と売り手の双方にとって、労働市場に伴う探索コストの削減のカギだと思い込んでいる。

だが私たちに言わせれば、支払い取引以上のものとして自分の仕事に力を入れたいというワーカーの願望を、企業は取り除くことはできない。つながりや、妥当性の確認、承認、フィードバックといったものへのワーカーのニーズを、ワーカーと彼らの成果の両方を損なわずに消し去ることは、どんなシステムにもできない。

良い仕事がインターネット上に現れたときにお互いに電話する友人たち。自分の強みに即してタスクを分け合う夫婦チーム。友人のために手早く作業を進められるようなキーコマンドのカンニングペーパーを作ってやる人と、それを自分の机の隣の壁にテープで貼るその友人。ワーカーがさまざまな形で協同を拠り所にし、それが非常に広く行なわれていることを、私たちは発見した。これはすべて、仕事を通じた人間関係を強固なものにしている社会的な結び付きの存在を、雄弁に物語っている。

プラットフォームの設計者は、ワーカーの協同を阻むのではなく、私たちが出会ったワーカーたちから、ネットワーク作りのための情報を取り入れることを考えたほうがいいかもしれない。望まれる結果に対して協同が有害な場合には、設計者は協同を禁じる明確な命令に重点を置きつつも、タスクの質が指示の明瞭性にかかっているときには、その明瞭性をもっと組み込むことが可能だろう。そして、協同が恩恵をもたらしそうなときには、ワーカーが同輩とリクエスターの両方と協同するのを手伝うことができるだろう。手始めに、肯定や励ましを実行可能で報酬が支払われるタスクにするような、支援を行なうマネジメントのシステムを開発することができるのではないか。

私たちは現在、協同的なチームワークの承認と調整を通しての労働力のマネジングや監督を、フルタイムの雇用と結び付けて考えている。研修その他の正式な指導はいうまでもなく、そうした承認や妥当性の確認を可能にするためには、独立業務請負業者やフリーランスのワーカーを再定義して、デジタル労働力のマネジングと監督を、今よりもうまく取り込んだり重視したりする必要がある。

協同のおかげで私たちは人間を月に送り込み、史上最も包括的で正確な百科事典のウィキペディアを構築した。プラットフォームの設計者は、ワーカーが協同するためのインフラを一つも構築せず、この途方もない潜在能力が活用されないままにしている。Mタークのようなプラットフォームは、協同を妨害しさえする。オンラインでの協同には前例があり、その最たる例が、「ワールド・オブ・ウォークラフト」のような大規模多人数同時参加型オンラインロールプレイングゲームだ。協同をプラットフォームに組み込むには、協同を可能にするだけでいいかもしれない。ワーカーが語り合えるようなチャットルームや、ワーカーと業務の委託者が打ち合わせるための作業空間を提供すればいいのだ。さらに手の込んだ解決策としては、バーチャルなホワイトボードのような形での、文書や表の共有や、オンライン作業空間全般の共有などがありうる。

ワーカーは、タスクを見つけて完了したり、仕事を処理しやすくする社会的絆を結んだりするのに必要な協同のシステムを再構築することができるが、ワーカーが支援し合う手段をはっきりと重視して生み出す責任をみなで分かち合えば、オンデマンドワークの次の段階に進むに当たって、いちばん役に立つだろう。

仕事というのは結局、技術システムであるのに劣らず、社会的なシステムでもあるのだ。仕事をするには、効率的にタスクをこなすためのツールだけでなく、労働に私たちが付与する文化的なニーズと価値にも注意を払わなければならない。オンデマンドワーカーを活気づけるさまざまな動機と、彼らがこの骨の折れる仕事にこつこつと取り組みながら助け合うのに役立つ手段とをうまく適合させる方法を学べば、誰もが恩恵を受けることになる。

第６章　ダブルボトムライン

ソフトウェアに何なりとお申し付けを！

本章では、いくつかのオンデマンド企業を取り上げ、その創業者たちがワーカーを最優先するべく自社をデザインし、その際に、いわゆる「**ダブルボトムライン**（訳註：金銭的利益と社会や環境への貢献という二重の収益）」を生み出している方法を探る。

プラットフォーム企業には、ゴーストワークのタスクマスターとして、実行可能なビジネス上の選択肢が二つある。まず、顧客どうしをつなぎ、モバイルアプリ経由で受けたテイクアウトの注文であろうと、アップワークのプログラマーから依頼されたウェブデザインであろうと、各自が必要なものを希望どおりに売買できるようにするインテリジェントサービスとしてソフトウェアの機能を売ることができる。あるいは、自社のサービスを背後で支える有益な原動力として、人々の持つ創造的な物の見方や労働力を市場に出すことができる。

だが、ワーカーの貢献を踏まえて立案し、ワーカーのスケジュールや、プロジェクトへの関心、協同を優先するようにデザインされている企業こそが、ゴーストワークを持続可能な事業にできる。そうしたスタートアップは「相手に利することで業績をあげよう」と努めているが、あわや倒産という危機をかいくぐるうちに、ループの中のワーカーに注意を向ければ自社の最終的な製品やサービスの質が上がり、結局は最終利益も増えることを学んだのだ。

営利企業でありながらワーカーのニーズを重要視するオンデマンド企業の好例が、**クラウドファクトリー**だ。同社は二〇一一年、ネパールのカトマンズを拠点として創業し、一二五人のフルタイムの従業員と三〇〇〇人を超える地元のオンデマンドワーカーのネットワークを抱えている。クラウドファクトリーは他のテクノロジー企業に向けて、人材サポートサービスを多数行なっている。たとえば、テクノロジー企業は、領収書のスキャンやデータベースの管理のようなタスクをクラウドファクトリーのワーカーに任せておき、自社の人件費は、販売と、新製品や新サービスの開発で収益をあげることに振り向けられる。

クラウドファクトリーの創業者でCEOのマーク・シアーズは、ウーバーなどの他企業がしているように、自らのビジネスはあくまでソフトウェアマッチングサービスだ、ということもできるだろう。クラウドファクトリーは法律上、人手を必要とするビジネスとワーカーとのマッチングをする、といっていいのだから。シアーズは、ワーカーに対する責任にはいっさいかかわらず仕舞いにしてもよかった。だが彼は、クラウドファクトリーのワーカーはソフトウェアに優るとも劣らない価値を持ち、自社のビジネスにとって不可欠の要素だと考えることを選んだ。

というわけで、ヒマラヤ山脈で有名なネパールの東部に位置する、首都カトマンズから八〇キロメートルほど離れたゴルカで二〇一五年にマグニチュード七・八の地震が起こったとき、シアーズには何をするべきかがわかっていた。彼とフルタイムの職員と地元ネパールのオンデマンドワーカーは、クラウドファクトリーの本社をワーカーやその家族、それに周辺のカトマンズ住民のための危機救援センターにしたのだ。同社はまた、「ゴー・ファンド・ミー」キャンペーンも行ない、地元の救援と支援のために、一一万ドル近くを集めた。[1]

シアーズとそのチームは救援活動の状況を自社サイトで公開し、この悲劇が報道されなくなってからも長い間、地震被災者に注意が向けられ続けるように努めた。クラウドファクトリーは、たいていの企業、特にオンデマンド企業と同じように、自社のワーカーを助けるという法的義務はいっさい負っていなかった。だがシアーズにとって、クラウドファクトリーのオンデマンドワーカーのコミュニティーこそが自社の真の財産だった。彼はワーカーを、代替可能な使い捨ての原材料ではなく、自分がビジネスを運営する上で頼みとする、人材の「コモンズ（共有資源）」だと考えていた。彼は、安全な住居から医療に至るまで、ワーカーのニーズに心を配り、そのニーズを優先することで、いわゆる「ダブルボトムライン」に力を注いでいた。利益をあげながら社会の変革を推し進めようと努めていたのだ。

では、オンデマンドワークに対するもっと一般的なアプローチとはどのようなものだろうか？「シングルボトムライン（金銭的利益という単一の収益）」が、オンデマンド企業が利益を最大化する機会を執拗に追求する世界のビジネスモデルとして、現在優位を占めている。利益の最大化は、競争の激しい市場では全面的に許容できる、ごく当然の目標だ。

キャヴィアという企業の話を考えてみよう。同社は顧客、レストランのオーナー、料理の配達人を結び付けるソフトウェアを販売している。料理の宅配は便利なので消費者には大人気だが、地元レストランの多くは店舗から顧客の家の玄関まで料理を運ぶためだけにスタッフを一人か二人割く余裕がない。料理の宅配は驚くほど複雑なタスクで、料理を温かいうちに運ぶにはどうしたらいいのかや、顧客の所番地や表札が通りから見えなかったらどうするのかなど、人間レベルの問題解決スキルが必要だ。

キャヴィアは、サービスをフィラデルフィアへ拡大するにあたり、料理の宅配の仕事を望む人たちを探す苦労はなかった。自転車便の協同組合のスパロウサイクリングには、稼ぎを増やす必要があり、他の仕事の合間に料理の宅配を引き受けられる組合員がたくさんいたからだ。**地元レストランのために自転車で料理を配達する人は、本書で探究しているゴーストワーカーのなかに入っている。**キャヴィアで働く配達人は独立業務請負業者として働いている。キャヴィアは配達人に対して、死亡を含めて業務中の負傷に対する免責同意書に署名するよう求め、配達人は署名しないとデリバリー業務を始められない。

二〇一八年五月一二日の夕方、パブロ・アヴェンダーノは、キャヴィアの業務を請け負って自転車で料理を配達している最中に、フィラデルフィアのスプリングガーデン付近でSUVにはねられ、命を落とした。数日後、アヴェンダーノの友人で、スパロウサイクリングの同僚だった人が、死者に敬意を表して白く塗った自転車「ゴーストバイク」をアヴェンダーノが死亡した交差点近くの木に固定した。そしてその傍らの、すでに使われなくなった鉄道橋に次のように書かれた横断幕を掲げた。「ギグエコノミー、お前がパブロの命を奪った。権力に胡坐(あぐら)をかくな」[2]。

アヴェンダーノの友人たちは団結し、キャヴィアの配達人に呼びかけて労働組合を作り、一時間当たり二〇ドルの初任給に相当する報酬と危険手当を含めた給付金を要求した。キャヴィアに対して、配達人をW-2の対象となる従業員として分類し直すことも求めた（訳註：W-2は日本の源泉徴収票に相当する書類で、雇用者が被雇用者に発行する）。これらの要求のどれもキャヴィアが受け入れない可能性が高い。なぜなら、法律は明らかにキャヴィア側に有利だからだ。かつて、ウィリアム・ランドルフ・ハーストが新聞配達少年たちを自社のコアビジネスにとってそれほど重要でない独立業務請負業者に分類したことをめぐる争いに勝利して以来、状況は変わっていないのだ[3]。

パブロ・アヴェンダーノの死は悲劇的ではあっても、ゴーストワーカーに対する企業の責任を明らかにする雇用法は存在しない。クラウドフラワー、アマラ、UHRS、リードジーニアス、Mターク、アップワークのワーカーと同様に、アヴェンダーノも部分的には、APIやAI、ウェブベースのアプリかモバイルアプリの組み合わせを通してつながり、管理され、スケジュールを決められ、報酬を与えられていた。だから、ワーカーとして完全に独立していたわけでもなければ、典型的な被雇用者のようだったわけでもない。オンデマンドのプラットフォームからすれば、ワーカーは自社のソフトウェアを利用する顧客の一カテゴリーにすぎないと見なされることが多いから、この件はなおさらややこしくなる。

プラットフォームがワーカーも単にソフトウェアの一顧客として扱うのは完璧に合法であり、ビジネス戦略としてもよく理解できる。キャヴィアのようなオンデマンドプラットフォームサービスは、考えうるかぎりの合法的手段で利益をあげ、業務をこなしている、と主張する人は多いだろう。それとは対照的に、クラウドファクトリーはワーカーをビジネスパートナーとして扱うほうが得るものが大きいと考えている。そして、同社の創業者でCEOのマーク・シアーズは、オンデマンドワークに関しては別の方針を取ることにしている。

とはいえそのアプローチも、何らかの明らかな労働法の下に収まるわけではない。追い求めるものがシングルボトムラインであろうとダブルボトムラインであろうと、たった一人の所有者/経営者の意向で、ゴーストワーカーたちのニーズに十分に対処できるわけではない。

それは、**あらゆる業界に広まりつつあるゴーストワークという発展中の世界を網羅するルー**

ルを、個々の企業の力で定めることなど不可能だからにほかならない。典型的なボトムラインのビジネス戦略では、正規雇用には付き物のセイフティーネットのようには、ゴーストワーカーの利益を守れない。キャヴィアは料理の宅配というマクロタスクを解決するソフトウェア企業として稼働しているので、パブロ・アヴェンダーノの死の責任は負わされていない——あるいは、まだ負わされていない。

オンデマンドワークはこれからどうなるのか、そしてマクロタスクやマイクロタスクのゴーストワーカーの境遇に対してどのように責任を果たし、配慮するのかという点について、私たちは岐路に立たされている。

一つの選択肢は、ソフトウェアと人間のワーカーのプールに頼って消費者にサービスを提供している企業側に、雇用者としてそのワーカーのプールに対する法的責任を課すというものだ。また、見ず知らずの人の優しさや、契約に基づいて業務を委託してくれる善意の企業の親切心を頼りに、ワーカーが自分でなんとか切り抜け続けていくという選択肢もある。

ゴーストワークという雇用形態の持続可能性を高める、実行可能な選択肢は他にもあるかもしれない。この新たな経済の恩恵を、ワーカーやオンデマンドサービスや消費者にもっと公平に分配するこうした他の選択肢にたどり着くには、利益とワーカーの経験の両方に目を向けて意図的に構想したほうが、シングルボトムラインだけに目を向けて限界を迎えるよりも、どれほど大きな成果をあげられるかを考えるといいだろう。

ワーカーを顧客に変えるシングルボトムライン

自らをソフトウェア企業として売り込むオンデマンドサービスはたいてい、ゴーストワーク市場の両側から利益を得て収益を最大化する。料理を届けさせたり、配車させたり、トレーニングデータの問題を取り除かせたりするために、お金を払ってオンデマンドサービスのプラットフォームを利用する顧客が、一方の収入源だ。オンデマンドサービスはこの取引で、アプリのユーザーの情報を広告主に売り込んで販売することによってもお金を稼げる。

ワーカーも収益を生む。彼らも顧客と考えられるからで、それは、プラットフォームにお金を払ってソフトウェアを使っているためだ。プラットフォームはワーカーによるソフトウェア使用によって三通りの形で利益を得る。

まず、労働力の需要にワーカーの供給をマッチングさせるブローカーなら誰もがするように、プラットフォームはプラットフォーム上でリクエスターのタスクをワーカーが完成させるたびに料金を請求してお金を稼ぐ。また、オンデマンドサービスは、ワーカーがプラットフォームを使うときに彼らが生み出す価値ある情報からも利益を得る。オンデマンドサービスはこれらのワーカーの活動についての情報を収集・整理し、トレーニングデータに変え、自社のソフトウェアが提供するサービスの一部を改良したり自動化したりできる。最後に、オンデマンドサービスはワーカーの情報を広告主に売り込んで販売することもできる。オンデマンドサービスはデジタルエコノミーのシングルボトムラインを最大化するための完璧なビジネスモデルなのだ。

キャヴィアは、自社のプラットフォームで仕事を請け負うワーカーに対する責任はない、と主張した最初のマクロタスク・ゴーストワークサービスではないし、またそう主張する唯一の企業では絶対にない。シングルボトムラインに焦点を合わせている企業は、自分たちはもっぱらソフトウェアサービスを提供するという前提の下に利益を得ることを望んでおり、雇用者でもなければ雇用現場でもないと主張するにはもってこいの立場にある。第1章で論じたように、Mタークの初期のライバルだったクラウドフラワーは、法廷外の和解を通してではあるが、同じ立場の正当性をうまく守り抜いた。当社はマッチングサービスであり、多数のゴーストワーカーの記録上の雇用者ではない、と主張し、今のところ裁判や法律でその立場が崩されたことはない。

アヴェンダーノはキャヴィアのオンデマンドサービスのために料理を配達していたのだから、彼の死に対してキャヴィアの責任が問われるべきなのかどうかは、はっきりしない。それと同じで、クラウドフラワーの訴訟事件にも法的な曖昧さが付きまとっており、その多くが、一九九〇年代後期に遡る一連の訴訟事件のせいだ。意図的に定められた法律ではなく、それらの訴訟での和解が事実上の基準となり、それが現在、テクノロジー業界の臨時雇用労働者階級を被雇用者ではないものとして扱うのを擁護するために使われている。

ワーカーは、危険は自己負担で仕事を請け負うよう強いられる。また、ますます多くの企業が、AIのカーテンの裏に隠された、アプリケーションプログラミングインタフェース(API)が管理する契約人員に業務を任せるようになり、クラウドソーシングしたワーカーのプールを頼りにしている。売手危険負担というわけだ。

ウーバーは今日、配車要請に応じられる人のなかから乗せ手を見つけるのを助けるソフトウェアを人々に提供するビジネスだけをもっぱら行なっていると考えている企業の、最もわかりやすい例だ。この人気のあるモバイルアプリは、「ピアツーピアのライドシェアリング」だけではなく、カープーリングや料理の配達からプライベートジェットまで、同社が「輸送ネットワーク」と呼ぶさまざまなサービスも提供する。そして毎月のように新たな訴訟や和解が行なわれ、ウーバーのビジネスモデルは調整されたり、新しい解釈を加えられたりしている。

ウーバーによると、「乗車顧客」が取引を主導するという。乗車顧客はウーバータクシーのアプリを開き、ソフトウェアとAPIの組み合わせを使って、乗せてくれる人を見つける。ウーバーにとっては、同社のドライバーパートナーも顧客だ。彼らはウーバーのソフトウェアを使い、乗車顧客のリクエストに応え、アプリに入力された場所で乗せて目的地で降ろすために、自分の時間と車を提供してお金を稼ぐ。ワーカーもソフトウェア利用者に位置付けるシングルボトムライン構想の問題は、ゴーストワークを起動させるためにプラットフォームのソフトウェアを呼び出す顧客が、「サービスとしてのソフトウェア」の実際のサービスを提供している人々の労働条件に対して、自分には責任があると考えることが仮にあったとしても、ごく稀である点だ。

たとえば、ピュー・リサーチ・センターの調査で明らかになったのだが、ウーバーがドライバーパートナーに対してどんな責任を負い、どんな責任は負っていないのかについて、ほとんどの顧客はさまざまな、矛盾することも多い考えを持っている。[4]

回答者のほとんどが、ウーバーのような配車サービス会社はタクシー会社と同じ規則や規制を課せられるべきではない、と強く感じていた。また回答者の大多数が、配車サービスのドライバーを被雇用者ではなく、独立業務請負業者だと考えていた。それにもかかわらず、回答者は自分たちの顧客体験を、ドライバー以上にとはいわないまでも、それと同程度までウーバーに管理してほしいとも思っていた。これは企業が契約によって仕事を請け負っている人々をどれだけ管理したり監督したりできるかや、独立業務請負業者が正規の雇用者ではない企業からどのような援助や支援を受けられるのかについての、現行のあらゆる規則と矛盾する。

二〇一八年四月三〇日にカリフォルニア州最高裁判所は、ウーバーのドライバーパートナーのなかには独立業務請負業者ではなく被雇用者として分類されるべきだった人々がいるという判断を下した。ウーバーは、現行の労働法に違反しているとして有罪になった。ウーバーのドライバーパートナーは、報酬、勤務時間、あるいは労働条件、仕事確保の能力、あるいは、ドライバーパートナーのタスクの遂行の仕方を訓練、監督、または管理する、「コモンロー」に則った雇用関係」をウーバーが管理していることを立証できたが、ウーバーは彼らに支給するべき従業員給付を支給していなかったのだ。[5]

ウーバーに対する大量の訴訟事件は二つの大きな疑問を棚上げにしている。シングルボトムラインの筋書きによって推し進められているゴーストワークエコノミーでは、「記録上の雇用者」とは誰なのか？　そして、ゴーストワークの消費者も雇用者として振る舞っているのはいつなのか？

ウーバーがドライバーパートナーも単なる顧客としてではなく、自社のプラットフォーム上のワーカーとして分類し、扱う方法をめぐる法的な争いから、オンデマンドワーカーの権利をより幅広く定義するのがいかに難しいかが明らかになる。

ワーカーは厳密にいえば、消費者に雇われてサービスを提供するのだが、インターネット上で稼働するオンデマンド企業のＡＰＩやソフトウェアを通してそうする。そのワーカーに対する責任は誰にあるのだろうか？[6]　ドライバーパートナーの労働経験について彼らと話せば、彼らが現行の雇用分類システムの下で感じているかもしれない重圧を平均的なウーバーの顧客が理解しやすくなるのはいうまでもない。だが、もっと厄介なのは、ウーバーが氷山の目に見える一角にすぎないことだ。

ほとんどのゴーストワークの恩恵を受けている最終顧客が、自分たちにサービスを提供している人に実際に会うことはけっしてないし、多くの場合、彼らについて知ることさえない。なぜなら、ループの中の人間を最終顧客から隠すことは当然ながら、「サービスとしてのソフトウェア」のバリュー・プロポジション（訳註：企業が提供できる、顧客にとっての価値）の一部だからだ。

だが、ワーカーをゴーストのような存在として扱うのは、オンデマンドサービスにとって当然でもなければ、必須のことでもない。自社はソフトウェアの提供者であるだけではなく、人間の専門技術と柔軟な判断力の調達者でもあると思っている企業もある。そういう企業は、ワーカーの労働条件に責任を持つことが自社の務めだと考えている。長い目で見れば、そのほうがビジネスにプラスになると思うからだ。

ダブルボトムライン

消費者しか目に入らない企業がある一方で、ワーカーにも目を向ける企業もある。そのような企業は、シングルボトムライン以上のものも動機としている。これらのプラットフォームの設計者は、ループの中の人間はいなくならないと思っている。彼らは、しだいに数を増す、「**社会起業家**」と呼ばれる人々だ。彼らも他のあらゆる営利企業と同様、投資家のために利益を生み出す責任があると考えている。その一方で、彼らはカーボンニュートラルにすることから就業機会を拡大することまで、重要な社会福祉目標を達成する責任をあえて引き受けている。環境に配慮したアウトドア用品などを製造販売するパタゴニアから、クラウドファクトリーとリードジーニアスのような本書で紹介した企業まで、さまざまな企業が自らの覚悟を公約とするために、**「Bコーポレーション」**として登録している。

Bコーポレーションは、公正な労働慣行や、地域社会への寄付キャンペーンや、環境をきれいに保つ慣行の実施といった方針によって、自社の労働者と一般社会に良い影響を与える意図を表明する営利企業だ。Bコーポレーション認証の効用には議論の余地もある。漠然とした使命（グーグルがモットーにしていた「邪悪になるな」に相当するような企業スローガン）は認証の意義を骨抜きにしうる、と主張する人もいる。[7] だが肝心なのは、投資家だけではなく社会に対しても企業に責任を持たせるよう後押しをすることだ。

オンデマンド市場では、クラウドファクトリーのようなBコーポレーションは、ゴーストワーカーは使い捨てにできるという、広く行き渡った考え方に対抗している。そうした企業はワーカーのスケジュールや利益や協同を優先する。最終的に、ワーカーに焦点を当てた構想が、生み出される仕事やワーカーの仕事体験の質を高められることを、これらのプラットフォームは示している。

意図的なダブルボトムライン

リードジーニアスの共同創業者アナンド・クルカルニは、自社のワーカーに個人的なつながりを感じていた。そのつながりは、親戚を訪ねるためにインドへ旅したときに生まれた。当時彼はカリフォルニア大学バークリー校で経営工学と生産工程を学ぶ博士課程の学生だった。二〇一〇年にムンバイにいたとき、クルカルニはダラヴィのスラムを見学に出掛けた。彼のガイドはそのスラムに住んでいて、自分の旅行会社のためにウェブサイトを立ち上げるのを手伝ってほしいと彼に頼んだ。クルカルニは引き受けたが、どこでコンピューターやソフトウェアが使えるのか知らなかった。だが、ガイドは知っていた。波型の屋根葺(ふ)き材と鮮やかな青色の木の柱で何とか形にした、間に合わせのお茶の屋台や果物のスタンドの間を抜けて案内された先でクルカルニが目にしたのは、店と店に挟まれ、青い防水布をドア代わりにしたセメント造りの部屋だった。そのセメントブロックでできた部屋がサイバーカフェだった。

クルカルニは、水道もなく電気もあちらこちらから拝借するような地区でさえ、インターネットアクセスはかなり良かったことを覚えている。「スラムにはテクノロジーはありました。なかったのは、地域経済でチャンスを得る手段です」。バークリーに戻ると、彼の原動力となる問いが浮かんだ。ムンバイのスラムの人々は、テクノロジーによってグローバル経済につながったとしたら、生計を立てられるだろうか？ クルカルニは、そこでとどまる気になれなかった。スラムの人々が携帯電話を使って仕事を直接手に入れる方法を考案したいと思った。

その年、プラヤグ・ナルラもカリフォルニア大学バークリー校でエンジニアリングを学んでいた。ナルラがクルカルニと出会ったのは、二人が、社会的使命を持つスタートアップを生み出すことで評判を得ている教授のタパン・S・パリクによる、「情報通信技術と開発」というセミナープログラムに申し込んだときだった。当時ナルラは、クラウドソーシングや、APIを利用した仕事の割り当てについてあまり知らなかったが、インターネットは情報共有に大変な力を発揮できると固く信じていた。

ナルラも、インドには個人的な縁があった。デリーの西側にあるアタム・ナガーという治安の悪い地域の、二部屋しかない家で育ったからだ。子供の頃、ナルラはとても読書好きだったが、住んでいる町には図書館がなかったので、電器店やインターネットカフェに行き、書籍の海賊版をUSBメモリーにダウンロードした。それを、最初はコンピューターで読んだが、やがてスマートフォンを手に入れて、その小さな画面で読むようになった。

クルカルニとナルラは、オンデマンドサービスのプラットフォームを構築し、そこにワーカーがすぐに集まってチームとして新しいプロジェクトに取り組めるようにしたいと考えた。

これは、「**スキャフォールディングアプローチ**」と呼ばれるものだ。[8] それぞれのチームが新人と経験豊富なワーカーの取り合わせで編成されることを目標とする。新人は、新たな疑問や、問題に対する新たな順応の仕方を持ち込み、その一方で、経験を積んだワーカーは、自らの知識を伝えることによってその知識を確固たるものにする。どのチームもジュニアマネジャーが監督し、質問が出てくればいつでも答える。この戦略は、たとえシリコンバレーでは空虚で人間不在の「スケールアップ」という用語をあてがわれているにしても、企業が急成長するのを助ける実用的な方法だ。

クルカルニとナルラは、ワーカーをチームにしてスキャフォールディングをしてやれば、支援を受けられない細分化された独立業務請負業者の世界よりも大きな成果をあげることができると考えた。[9] さらに、クラウドファクトリーの創業者マーク・シアーズのように、クルカルニとナルラは、支援を受けているワーカーはより良い仕事をし、最終的に暮らし向きが良くなると信じていた。そこで二人は、二〇一〇年にリードジーニアスの最初のワーカー基盤を作るために、互いにつながりのある人々が最も見つけやすい場所から始めた——ナルラのいとこや、伯父や叔父、伯母や叔母がいる、故郷のアタム・ナガーだ。

ビジネス戦略としてのスキャフォールディング

すでに指摘したように、リードジーニアスのソフトウェアは、自社の顧客のために売り上げの見込みを評価する各段階にワーカーを組み込んでいる。ワーカーはただセールスリード（見込み客）の情報を追い求めるだけではない。互いの仕事をチェックし、励まし合い、既存のワーカーが新人をリクルートして仲間に加える。特定の顧客のキャンペーンに取り組むチームは、互いの仕事に目を光らせ、セールスリードのデータが乏しくて顧客に提供できない場合は、全員で確認し、チームとして次にするべきことを決定する。

クルカルニとナルラは当初、ワーカーが、リードジーニアスから得られるトレーニングと経験を吸収し、それを従来型の雇用への足掛かりとして利用するだろうと思い、離職率が高くなることを覚悟した。だが、彼らが働き続けることがわかってほっとした。リアルタイムのチャットやワーカーどうしの掲示板のような、リードジーニアスの基盤となるプラットフォーム運用に組み込んだ意図的な設計選択のおかげで、活気のある快適なコミュニティーができ上がった。

リードジーニアスは、作業が終わるまでチームを同じプロジェクト（同社は「キャンペーン」と呼ぶ）にかかわらせておくことによって、チームワークの感覚や同僚意識を育んだ。キャンペーンは一週間から数か月ほど続くし、プラットフォームのライブチャットのソフトウェアを利用できるからなおさら、ワーカーどうしが知り合いになる。ライブチャットのおかげで、会話は、従来型企業の休憩室での井戸端会議のように自然と湧き起こった。そして、もしワーカーが休みを取りたいと思ったら、それも選択肢の一つだった。さらに、そのワーカー自身の関心事とスケジュールが十分に配慮されるため、彼らはいっそう熱心に働くようになった。

通常、リードジーニアスのような企業には、お試しワーカー、常連ワーカー、常時稼働ワーカーの三種類のワーカーがいる。彼らはパレート分布を示す。だがリードジーニアスは、一週間に少なくとも二〇時間はプラットフォームで働くことをワーカーに求める意識的な決定を下した。結果としてリードジーニアスは、常時稼働ワーカーと常連ワーカーの組み合わせになった。経験レベルのばらつきが小さかったので、各チームは質の高い仕事を素早く生み出せた。この方式はうまくいっているように見える。安定した顧客基盤を獲得して以来、リードジーニアスは、ワーカーたちに毎年五〇〇万ドル以上支払うことができている。

リードジーニアスはこのスキャフォールディングのテクニックを使い、キャリアアップの階段を改革した。人々に新しいプロジェクトに順応するコストを個別に負担させたり、行き詰まった場合にどのように前進するかを考え出させたりするのではなく、前章で「見ず知らずの人の優しさ」として説明したあらゆる協同の価値の確保に投資をした。他者の指導、チームの支援、新人の研修、業務委託のプロセスを、報酬をもらえるタスクにしたのだ。

リードジーニアスの仕組みでもとりわけ特異なのは、人々が、常時稼働ワーカーと常連ワーカーとして働く立場の間を行き来することを望んでいるかもしれない、あるいはそうする必要があるかもしれないことを前提にしている点だ。母親が事故に遭い、介護のためにザファーが一か月以上リードジーニアスを離れる必要があったときが、まさにそうだった。リードジーニアスは、いつどれだけ働くかや、何に取り組むかや、誰と働くかを思いのままにしたいというワーカーの願望を、オンデマンドシステムのバグではなく特色と捉えている。

リードジーニアスは、誰がどんなスキルを持っているかということよりも、それぞれのキャンペーンが何に焦点を合わせているかで、その仕事を担当するチームメンバーの組み合わせが決まるとも考えている。この仕組みのおかげで、彼らは、ワーカーの過去の実績だけではなく個人的な関心も拠り所にすることができる。たとえば、スポーツファンのワーカーなら、ファンタジー・スポーツ（訳註：実際に行なわれるスポーツの架空チームを作って成績を競うシミュレーションゲーム）のリーグを追跡するためのソフトウェアの販売関連で、セールスリードを探すプロジェクトに取り組めば、素晴らしい力を発揮するかもしれない。

リードジーニアスのワーカーは、週に一回ジョブ掲示板に投稿されるキャンペーンに応募することによって、プロジェクトを選択できる。そして、アップワークやMタークのような公募のプラットフォームとは違い、ワーカーは、仲間のワーカーの報酬を減らしかねない形で仕事の奪い合いをさせられることはない。

リードジーニアスは、ワーカーの協同を助けるための社内のツールを早くから構築したオンデマンド企業の一つだ。リードジーニアスは、ライバル企業の多くのように、ワーカー間のやりとりがビジネスにとってマイナスになるという前提には立っていなかった。それは、四五の異なる国々で仕事をしているグローバルな労働力を管理するという現実が一因だ。さまざまな時間帯にわたる事業を調整するときには、コミュニケーションがきわめて重要だからだ。

リードジーニアスはこれに取り組むのに、一つには、国別にチームを編成し、それぞれの国にいるジュニアマネジャーに率いさせた。いったんジュニアマネジャーがワーカーとつながると、ワーカーどうしがつながるのも容易だった。ワーカー間の参加・閲覧自由のチャットのおかげで、チームメンバーの結束が生まれる。それはビジネス上の強みになると同時に、ワーカーにも恩恵をもたらす。問題が起こって行き詰まったら、仲間に助けを求められるからだ。

リードジーニアスは、最も経験豊富なメンバーに、彼らのような人材の募集と採用をしてもらっている。同社は、ソフトウェアとツールを提供し、場合によってはテクノロジー予算さえ付けて、ワーカーに必要なものを揃えさせ、会社に貢献してもらっている。「そのおかげで、誰もがやりやすくなります」とナルラは言う。「それに、ワーカーが弊社にとどまる期間が延びるので助かります」。

ナルラにとって、これは、**未来の労働のモデルとなる仕組みであり、ゴーストワークをより複雑なワークフローに利用する、唯一の持続可能な方法**だ。ワーカーが自らを組織化する方法——どのように意思決定をし、時間を管理し、プロジェクトで協同するか——から学べば、仕事の質が上がると、彼は信じている。[10]「私たちがツールを提供すればするほど、そのような自己組織化は力を増し、結果が良くなりました」[11]。リードジーニアスは、ワーカーを優先する営利目的のモデルを示してくれるが、非営利目的のアプローチはワーカーのニーズをさらに重視することができる。

ボランティアがワークチームになるとき

もともとするのが大好きなことをすると報酬を支払ってくれるオンデマンドプラットフォームがあったらどうだろう？　非営利プラットフォームのアマラは、まさにそういう形でオンデマンドの字幕制作と翻訳のサービスを始めた。[12]このルーツは、今日、アマラのあらゆる面に影響を与えているが、コミュニティー・プロジェクトだった最初期から見られる。

二〇一一年三月には、日本で福島第一原子力発電所の炉心溶融が起こっている間に、人々はアマラを利用して情報を翻訳し、共有した。同年、アマラは「アラブの春」の最中の情報共有にも貢献した。その後、二〇一一年後半に、世界中にいる七〇〇〇人のボランティアから成る独自の安定したコミュニティーを持つTEDが、アマラに提案を持ち掛けてきた。TEDのリーダーたちは、TEDのコミュニティーを四倍の規模に拡大し、録画してサイトに保存してある講演の翻訳対象言語を増やすという目的の達成を、アマラにならい手伝ってもらえるだろうと考えたのだ。

今日、TEDとアマラは「**オープン翻訳プロジェクト**」と呼ばれる大きなボランティアコミュニティーを取りまとめている。TEDオープン翻訳プロジェクト（今では「TED翻訳」と呼ばれる）の五万人以上のメンバーが、TEDの翻訳者や字幕制作者からの詳細なフィードバックによって修正されたアマラのツールを使い、これまでに一〇万件を超える講演を一一六以上の言語に翻訳してきた。

アマラの初期には、TED財団のオープン翻訳プロジェクトのために、ほとんどのボランティアがアマラのプラットフォームを使って動画の翻訳をしたり字幕制作をしたりした。個人的な理由からボランティアとして時間を割く人が多かった。特定のTED講演が好きで、それをもっと多くの人に視聴してもらいたいと思う人もいれば、誰もが恩恵を受けられるようにするべきだと強く感じ、聴覚に障害のある人々がTEDを楽しむのに障壁となるものを取り除きたいと願う人もいた。

初めは、金銭はこのプラットフォームには絡んでいなかった。映像に急ぎで字幕を付けたり、企画をアマラのコミュニティーのホームページで取り上げたりするように頼んでくる団体がときおりあった。だが、それは本来、アマラがする仕事ではなかった。プロジェクトの依頼者は通常、ボランティアがそのプロジェクトに強い関心を抱いて集まり、字幕を付けるのを待たなければならなかった。だから、ビジネスが生まれるのは時間の問題だった。

二〇一三年、ある映画配給会社がアマラを訪れた。

複数の国際映画祭の締め切りまでに、ざっと五〇作品をそれぞれ一八から二二の言語に翻訳する必要があるという。その映画配給会社は自社の映画すべてに字幕を付けられるサービスをオンラインで探したが、配給会社の予算では、希望する言語のうちの数パーセント分で字幕を付ける費用しか賄えなかった。その後、その会社はアマラを見つけ、字幕の仕事を引き受けてもらえるかどうかを打診した。アマラは承知した。アマラのボランティアコミュニティーは大きいので、その仕事をこなせるだけの数のプロの翻訳家が見つかると踏んだのだ。ところが数週間のうちに、そのタスクの規模では、仕事を完了するためにもっと多くのアマラのコミュニティーのメンバーが必要なことが明らかになった。

こうしてアマラの首脳陣は、テクノロジーストラテジストのアレリ・アルカラと参加型文化財団の当時のエグゼクティブディレクターだったニコラス・レヴィルの主導の下、アマラ・オンデマンド（AOD）を組織した。彼らは、サイト内のプロの字幕制作者の大きなボランティアコミュニティーに向けてホームページで告知し、納期の厳しい、字幕制作や翻訳の仕事をして報酬を得ることに関心のある人の募集をした。併せて、そのプロジェクトの予算が限られていて報酬が少ないといった問題が控えていることや、彼らの手助けがあれば、迫力に満ちたこのドキュメンタリー映画の数々が、それらを上映したがっている権威ある映画祭で確実に上映されるようになることを知らせた。

その募集に、関心を持つ人が殺到した。まもなくアマラは、それまで無償で行なっていた仕事で報酬を得たいと思う人を、およそ二〇〇人確保した。彼らは世界各地に散らばる意欲的な人々で、非営利の映画配給会社ができるかぎり多くの言語でコンテンツを公開するのを手伝うことに胸を躍らせていた。その仕事で報酬を得はしたものの、アマラ・オンデマンド・チーム（彼らはそう自称するようになっていた）は、これはアクセシビリティー（万人にとっての利便性）とインクルージョン（万人の包摂）の実現というアマラの使命の核心に直結することだと感じながら作業に当たった。

アマラのエグゼクティブディレクターのディーン・ジャンセンと、COO（最高執行責任者）・CSO（最高サステナサステナビリティー責任者）のアレリ・アルカラは、アマラのビジネスチャンスの創出と、公正で持続可能な仕事のためのアマラ・オンデマンド・モデルの構築に集中することにした。彼らはウーバーのような企業と、次々と出現して人気を博しているアマゾン・メカニカルタークのようなオンデマンドプラットフォームを調べた。このような企業を築いた経営陣と、サービスを提供するワーカーの収入の差は拡がるばかりのように思えた。ベンチャーキャピタルの資金調達モデルは、企業の創業者とオンデマンドサービス業務を委託されたワーカーの間にある、このような格差を縮める助けには必ずしもならなかった。

アルカラとジャンセンは、アマラは異なる未来をもたらす機会を提供できると考えた。ジャンセンは、全員がボランティアであるコミュニティーから、持続可能なオンデマンドの仕事を提供する組織へという、アマラの変遷を説明し、シリコンバレーで公正なオンデマンド雇用のビジネスモデルに資金を調達するのがどれほど難しいかに気づいたとき、「ホラー映画を見ているようなもの」だったと述べている。

アマラには少数の有給職員と大勢のボランティアがいたが、オンデマンドワークの世界に合う事業活動をしていなかった。アルカラとジャンセンはアマラを、金銭的に持続可能にしたかった。そして、エンジェル投資家に借りを作らず、自らの使命にだけ専念できるように、アマラを非営利団体として運営することが大事だと二人とも信じていた。仕事の未来が不透明であるにもかかわらず、彼らはアマラを公平な組織やビジネスにしたかった。

二人は、元手としてベンチャーキャピタルの投機的資金を追い求めずに、昔ながらの方法で自分たちの非営利スタートアップへの資金調達に力を入れることにした。そして、オンデマンドのサービスが生み出す質の高い仕事を手頃な価格で提供でき、使命に基づいて活動する、アマラのような組織と働きたいと考える企業顧客にAODを売り込んだ。

アマラはボランティアをする機会だけでなく、報酬をもらえる仕事も提供した。どの仕事も、プロジェクトに貢献するチームのメンバーの基盤を支えられるだけの、まずまずの報酬と時間数を提供する。アマラは、オンライン環境での公平かつ公正な仕事として機能する。そして、人々が職場、時間当たりの報酬、仕事の機会をうまく管理する方法を開発することに重点を置いている。たとえば、大きなプロジェクトのスケジュールを立てるとき、アルカラはＡＯＤメンバーの家族の休暇プラン、子供の誕生日パーティー、学校の予定を考慮に入れる。彼女はＡＯＤの仕事のスケジュールをまとめるときに、こうしたことも優先する。二〇一五年、アマラは初めて収支を合わせることができた。自社のダブルボトムライン戦略の価値を売り込むことで、それを達成したのだ。

およそ二〇〇人のメンバーで始まったアマラのオンデマンドチームは、今や三〇〇〇人を超えている。毎月平均で約三五〇人が、アマラで字幕制作や翻訳をして報酬を得ている。パレート分布が反映されていて、アマラに所属している人のおよそ一〇〜二〇パーセントが仕事の八〇〜九〇パーセントをこなす。

アマラの顧客は大手テクノロジー企業からオンライン教育学習プラットフォームまでさまざまで、外国語に堪能なＡＯＤメンバーのなかには起業して、アマラと共に働くパートナー・プロバイダーとなっている人もいる。ＡＯＤのフランチャイズのようなものだ。ＡＯＤの周りで、ビジネスのエコシステムが成長しているのだ。報酬を得られる仕事だけでなくボランティアの機会も提供し続けている点で、アマラは際立っている。いつでも誰かが、自分にとってお金よりも意味のあることのために翻訳の専門技術を提供できるのだ。

ダブルボトムラインを実現している多様なゴーストワーク

ダブルボトムラインのモデルには、他にも考慮に値するものがある。

その一つは、ワーカーと彼らがサービスを提供する顧客を明確につなぐことに重点を置き、「ピアツーピアのシェアリングエコノミー」と呼ばれるものの好例となっている。[13]

たとえば、二〇一五年に、サンフランシスコのベイエリアの二人の起業家が創業した**ジョゼフィン**は、料理好きな人と家庭料理を望む人とをつないだ。[14] このサービスの主なセールスポイントは、コミュニティー感覚だ。ジョゼフィンを利用する人は、キャヴィアによる人間味のない配達をしてもらうのではなく、注文した料理を作った人の家で受け取るので、家庭のキッチンという親密な場で人と人とが結び付けられるのだ。

料理を作る登録をしている人のほとんどは、すでに大家族のための食事を作っているから、料理を一～二皿余分に用意するのは簡単だった。アメリカに移住したばかりで、自分たちのお気に入りのレシピや子供時代に慣れ親しんだ食の伝統を伝えたい人々もいた。料理を作る人は、家庭料理のメニューをジョゼフィンのサイトに載せ、顧客は購入したい料理の申し込みをし、その後、注文したものを本人が直接受け取りに行く。

売り上げの一割がジョゼフィンの取り分になった。料理作りでジョゼフィンに登録している人は、最も多いときにはベイエリアにおよそ七五人いた。人々（その多くは、すでに近所に住んでいたのに知り合いではなかった）を、家庭料理を重んじる共通の気持ちを通してつなぐという進歩的な使命は、マスコミに称賛された。

多くの点でジョゼフィンは、シェアリングエコノミーとオンデマンドエコノミーの理想的なマッチングの例だった。料理に情熱を傾けている食通が、家庭料理に注ぎ込まれる努力や料理の質を正しく評価する人と、ＡＰＩとソフトウェアを通してつながったのだ。

認可制度の創出

ワーカーのニーズを確実に満たすためには、フェアトレード市場を開発して、好ましいゴーストワーク慣行を奨励するという戦略もある。選択の自由とお金があれば、他者の労働の責任ある消費者になる道を選びたい人もいる。

ベビーシッターや住まいの掃除人や介護者などの、家事労働者の労働力を市場で売ることを中心に構築されたオンラインプラットフォームが急激に普及するのに伴い、彼らや他のサービス部門の労働者の扱いに対する懸念が生まれた。オンライン企業は、従来のやり方で運営している企業が直面しているのと同じような問題にぶつかっていた。企業が管理している家事労働者が、少ない報酬、不安定な収入、諸手当の欠如で苦しみ始めたのだ。

ワーカーを使うにあたって高い基準を設けているオンライン企業にどう報いるかや、多少余分にお金を支払ってもそのお金がワーカーに優しい企業の方針を支援することになるから価値があるのだと、消費者にどうやってわかってもらうかが、課題となった。このような問題を解決するために考案されたのが、「**グッドワークコード**」だ。

二〇一五年に全米家事労働者同盟のパラク・シャーがまとめたグッドワークコードは、テクノロジー企業がオンデマンドワーカーのために持続可能な仕事を創出する際の手引きだ。それは次のような手順になっている。企業はグッドワークコードに加入すると、**オンデマンドワーカーに優しい職場になるための八つの中核的な価値観**（安全性、安定性と柔軟性、透明性、繁栄の共有、公正な報酬、インクルージョンとインプット、支援とつながり、成長と発展）の遵守を約束することになった。企業はそれと引き換えに、自社のワーカーを支援する持続可能な労働モデルを提供する会社であることを消費者に伝える手段として、マーケティング用にグッドワークコードのラベルを使用できた。

グッドワークコードの実践例には、料理宅配サービス会社の**ドアダッシュ**がある。ドアダッシュは商用自動車保険に加入しているので、第三者と見なされるダッシャー（配達員）の人身事故と対物事故の一方または両方に対して最高一〇〇万ドルまで補償される。配達中（ダッシャーが配達品を所持しているとき）に発生したすべての事故で、ダッシャーは補償対象となる。ダッシャーは自分でスケジュールを組み、ドアダッシュはベストプラクティス（最善の慣行）と配達方法のヒントの一覧を維持管理する。

ドアダッシュはダッシャーの仕事のやり方におこがましくも口を出したりしないということをぬかりなく述べてはいるが、その裏にある意味は明白で、「配達を続けたければこのヒントに従え」だ。このガイダンスは、助言の提供と配達員への仕事のやり方の指導との間の紙一重のところをいっている。指導すると独立業務請負業者の雇用にまつわる権利に対する違反となる。

ドアダッシュは、従来の仕事で出る諸手当に似た特典をワーカーに提供するオンデマンドプラットフォームの先駆けの一つだ。第三者プロバイダーを通じてストライドのような経理などの支援会社のサービスを提供し、ダッシャーが医療費負担適正化法に沿って健康保険に加入できるように支援する。ドアダッシュはエヴァーランスという別のオンデマンド企業と提携してダッシャーが経費を把握するのを助け、彼らが税金の面で独立業務請負業者として自営業に伴う公正な控除を受けられるようにしている。

また、ドアダッシュはダッシャーが収入を受け取れる「**ファストペイ**」という即日支払い機能を提供している。これはアマゾンペイでワーカーが銀行口座への振り込みで報酬の支払いを受けられるのによく似ている。ファストペイの出金の手数料は一・九九ドルだ。ドアダッシュはグッドワークコードに従い、それによって働き手の満足度が高まって仕事を続けたいと思ってもらえることを願い、それを顧客の増加と、最終的には健全なビジネスの実現につなげたいと考えている。[15]

CO‐OP2・0

もう一つ検討するべきモデルに、急成長している「**プラットフォーム協同組合主義**」の動きがある。共同で所有され、民主的に運営されるビジネスは、産業革命以前に遡るギルドを思い起こさせる。協同組合では、ワーカーが出資者になり、ワーカー兼オーナーたちの間で費用や労働を平等に分担することができる。プラットフォーム協同組合はソフトウェアとAPIを使ってモノやサービスの取引、販売、交換を円滑に行なう。ワーカーの組織化で協力することさえできる。[16] 労働組合はごく自然にプラットフォーム協同組合を支援する。どちらも労働者の権利に関心があるからだ。

労働組合とプラットフォーム協同組合との提携の好例の一つとして、カリフォルニア州の**ナーシズ・キャン**という協同組合の場合が挙げられる。

二〇一七年、一五万の組合員から成るサービス従業員国際組合・西部医療労働者組合（SEIU‐UHW）は、ナーシズ・キャン協同組合への支持を表明した。ナーシズ・キャンは、オンデマンドで看護を提供する、看護師のプラットフォームだ。

労働組合は、看護師のためにより安定したより報酬の多い仕事を生み出すことを願って、法的支援を提供し、看護の依頼を考えている人との橋渡しをした。五人の看護師が結成したナーシズ・キャンの背景にある考え方は、医療機関に行って医療提供者に診てもらうのではなく、看護師による自宅への訪問という選択肢を希望する患者に、オンデマンドで訪問看護を提供する、というものだ。

人口の高齢化に伴い、看護師のニーズは（世界の他の国々はいうまでもなく）アメリカだけでも二〇一六～二〇二六年に一二パーセント増えると、労働統計局は予想している。[17] スキルを必要とする看護を調整するオンデマンドサービスへのニーズが高まるのは確実に思える。だがヘルスケアは、サービスを安定して提供するには常連ワーカーと常時稼働ワーカーを支援する必要のある職業だ。

ほとんどの消費者は、自分の大切な人の看護に当たるのがお試しワーカーでは満足できないだろう。そうなると、この市場のカギは、常時稼働ワーカーが休みを取ったり、元気を回復したり、最新のスキルを身に付けたりできるように、そして、常連ワーカーがチームの一員になって経験豊富なワーカーの指導を受けながら専門技術を習得して向上できるように保証することだ。誰もがワーカーにヘルスケアという仕事に身を入れてもらいたがっており、それは、誰かの自宅にワーカーを訪問看護に派遣するオンデマンドサービスにしても同じなのだ。

ここまで述べてきたビジネスはみな、ゴーストワーク問題の中心にワーカーを据えるとどうなるか、また、そうすると事業主や消費者にはどのような利益がもたらされるかという例を示している。その一方で、少数のビジネスリーダーが個々に善意の努力を重ねているにもかかわらず、それらのビジネスの一つとして、ワーカーのさまざまな利益が満たされる保証にはなっていない。

善意と優れた構想だけでは足りないとき

クルカルニとナルラは、モバイルワークスをリードジーニアスに再編成したときに、その労働力の大半をアメリカ以外で編成した。リードジーニアスには、アメリカのワーカーに連邦政府が定める最低賃金に相当する額を支払う力がなかった。自社のワーカーを独立業務請負業者として明確に分類し、連邦最低賃金法の規定には当てはまらないとすることもできなかった。それはなぜか？　コミュニティーを築くには、従来の雇用者が被雇用者に対してだけするのを許されていることを実行する必要があるからだ。

リードジーニアスは研修を実施し、仕事のやり方を指示し、スケジュールを調整し、さらには会社のTシャツを提供した。そのどれもが、リードジーニアスがコミュニティーを築くのに役立った。これは同社の構想の一部だった。だが法律に照らせば、こうした慣行のせいでリードジーニアスのワーカーは、アメリカにいたなら独立業務請負業者ではなく従業員に分類されかねない。

リードジーニアスがチームのリサーチャーに投資する余裕があるのはひとえに、従来の雇用には付き物の従業員の諸手当と給与税用に余分なコストをかける必要がないからだ。リードジーニアスは、フルタイムのワーカーもパートタイムのワーカーも、彼らが地球上のどこに住んでいようと、事実上同じように扱える。ところが、彼らに世界中で通用する医療サービスや有給休暇、社会保障給付を提供するゆとりはない。同様に、国境を維持して、各地の労働力の価値を分類・格付けし、それに即して分割されたグローバルなチームに適切な補償を行なうのも難しい。

世界中にアウトソーシングしている企業はみなそうなのだが、リードジーニアスも労働力のアービトラージのロジックを採用して報酬を定めている。市場の許容範囲内でワーカーに報酬を支払い、製品やサービスを「ローカライズ」してもらう。つまり、特定の言語に翻訳したり、現地色を加えてパッケージしたりしてもらう。

労働力のアービトラージとは、生活費の安い場所で暮らすワーカーを見つけ出し、彼らのする仕事に対してその地域で一般的な報酬を支払うというやり方を指す。この慣行は新しいものではない。労働力のアービトラージは、すでに論じたように、アウトソーシングの中核を成すもので、職場を分断する。理論上は、多くの雇用者が同じワーカーを取り合う、競争の激しい健全な市場では、報酬が公正に保たれる。世の中がうまく回っていれば、誰もが恩恵を受けられるのだ。

だが実際には、少数の大企業がサプライチェーン（企業の生産と流通のプロセスを担うサプライヤーのネットワーク）を牛耳っている。したがって、それらの大企業は労働者が請負仕事を得る見込みも思いのままにできる。情報サービス業界の多くの企業が、自社のサプライチェーンとインターネットの力を頼りに、どこへでも業務を移せる。このような状況下では、報酬の停滞は避けられない。そして、同じ仕事をして二倍の報酬を得ている別の国の同業者とチャット画面越しに接触できる環境では、ワーカーの間で軋轢（あつれき）が生じかねない[18]。

たとえば、こういうことだ。

リードジーニアスのワーカーは、社内のチャットやテキストのシステムを通して連携しながら働くチームに編成されている。彼らはしばしば、自分はどんな人といっしょに働いているのか、また、そうしたチームのメンバーが自分よりも多く稼いでいるのかどうかを知ろうとする。リードジーニアスの報酬設定の仕方や、労働力のアービトラージを通して行なう報酬の引き下げへの依存の実態からは、ワーカーたちが自分は過小評価されているという感覚を拭い去れない可能性が窺われる。なぜなら、彼らは他国のワーカーが同じ仕事をしていくら稼げるのか、わかってしまうからだ。

同じ仕事に対しては同じ賃金が支払われるべきだというロジックに反論するのは、生活費を比べたときにワーカーから見てほとんど差がない国々の場合、いっそう困難だ。たとえば、私たちの面接に応じてくれたワーカーの何人かがしたように、インドとフィリピンを比べたときに報酬に格差があるというのは、彼らにとっては受け入れ難い。リードジーニアスはコミュニティーだ、チームワークは貴重だ、各人の貢献が重要だといった、絶えず発せられるメッセージがこれに加わると、あなたたちは平等だと口では言われるのに、受け取る報酬は同一ではないと感じているワーカーの苛立ちを、同社が抑えるのは難しくなる。

皮肉にも、リードジーニアスはワーカーに対して労働時間の下限を設定することで、ナタリーのような人々を切り捨てる羽目になっている。前身のモバイルワークスで働き始めたが、週に二〇時間というリードジーニアスの最低必要条件を満たすほど時間を割けない人々だ。ナタリーらのお試しワーカーは、完全に排除されてしまった。また同社は、ジュニアマネジャーは必要に応じて夜勤もこなすことを前提にしているので、ラリサのように幼い子供を抱えた母親やザッファーのような新婚の人は、昇進の唯一の道を活用できなかった。ザッファーが家庭を持つからといって、彼の医療保険を負担することを義務付けられる雇用者など一人もいない。また、母親の事故の後リードジーニアスに復帰できるというのはありがたい話だったが、ザッファーには無給休暇を取る以外に選択肢はなかった。

アマラのソフトウェアの設計は素晴らしいのだが、同社はまったく規制がない市場で競い合っている。市場が野放し状態なので、競争相手たちはほとんどのプロジェクトでアマラに競り勝つことができる。というのも、彼らはMタークのようなプラットフォームに頻繁にタスクを載せ、アマラと違って信じられないほど低い報酬しか払わず、コストを削減しているからだ。低い金額で仕事を請け負う他の翻訳サービスの間に割って入るには、アマラは製品の質の高さでそうとう名を成す必要があるだろう。こうした競争相手たちは賃金を引き下げ、オンデマンドワーカーのプールを疲弊させたり枯渇させたりしても、まったく咎められない。このプールは、多くの点でアマラや他の企業も分かち合っており、これらの企業が事業をやっていくためにはみな、この翻訳者の宝庫に頼る必要があるというのに、だ。

リードジーニアスとアマラはどちらもダブルボトムラインの実現に成功しているが、その成功を暗黙のうちに支えているのは、彼らの力の遠く及ばない所にある要因、すなわち、インターネットアクセスに加えて、基本的なコンピューターリテラシーとリベラルアーツ教育（創造的に物を考える力と、今やどのコンピューターでも記憶できるような事実の思い出し方ではなく、どう学ぶかを学ぶ能力を身につけさせる教育）の両方だ。

たしかに、世界中でかつてないほど多くの人がインターネットを利用できる状況になっている。だがその一方で、ＩＴ技術の恩恵を受けられる人と受けられない人の格差（デジタルディバイド）を解消しようということ二〇年間にわたる試みから、単にテクノロジーが存在しているだけでは競争条件の平等化には不十分であることが明らかになった。

グローバルな情報サービスエコノミーへの参加者の大半が、次に挙げる三点を決め手にしているのだとしたら、デジタルディバイドとそれに起因するデジタル不平等の持続は、今後さらに差し迫った問題となるだろう。その三点とは、安定したインターネット接続、教育資源への継続的なアクセス、そしてもはや単一の雇用者からは提供されない、基本的なヘルスケア、病気休暇、家族休暇を賄う手段だ。

肝心なのは細部であり、先程のジョゼフィンの場合、その細部とは、工業化された大規模な食品調理を管理するために、地域と州の保健局が定める規則だったようだ。ほとんどの州と同様、カリフォルニア州では、一般向けに販売される食品は、業務用キッチンで調理することが義務付けられている。カリフォルニア州公衆衛生局の検査官は、ジョゼフィンの家庭料理の作り手たちに停止通告書を送った。同社は、法律に適合するように方式の見直しを試みた。創業者たちは料理を作る人のために業務用キッチンを借り、工業化されていない一般の食品に対する消費者需要に応えられる新たな法令の制定に向けて働き掛けた。だが結局、新しい方式はうまく機能せず、ジョゼフィンは二〇一八年の初めに運営を停止した。

グッドワークコードの難点は、その実効性を消費者に頼っていることだ。消費者は選択肢が複数あることに気づき、ダブルボトムラインを守って社会的責任を果たすために、より費用がかかる行動や、楽ではない行動を取るだけの意識を持たなければならない。グッドワークコードに加入したドアダッシュのような企業でも、やはり自社の最終利益は守る必要がある。たとえば、ドアダッシュは賠償責任補償を提供するにしても、同時に、現地の法で定められる金額がいくらであろうと、同社のダッシャーを務める独立業務請負業者に自身の保険を継続することも求める。もしダッシャーが自分で保険に入っていなければ、ドアダッシュの保険は適用されない可能性もある。これに加えて、同じ仕事場にいるわけでもなく、互いを仕事仲間ではなく競争相手と見なしているかもしれないワーカーたちを組織するビジネスモデルを考案するという、労働組合の組織者が直面する問題もある。

共通の仕事現場が存在しないために生じる同様の緊張関係も、プラットフォーム協同組合にとって障害となる可能性がある。従来の協同組合は、誰もが平等に組合に貢献することで成り立っている。それらの協同組合はまた、地域と密着しており、地場マーケットを頼りに製品を売ったり買ったりして、互いに支え合う仲間のネットワークを生み出し、それが共同組合のサプライチェーンとなる。だが協同組合が、国境をまたいでメンバーの間にチームとしてのまとまりをどう維持すればいいのか、特に、世界各国のメンバー間で利益を平等に分かち合う具体的な仕組みをどう作ればいいのか、答えはまだ出ていない。また、人が頻繁に入れ替わるパレート分布の中で、どうやって平等に責任を負い、どうやって民主的な意志決定を集団で行なえばいいのかという問題も、解決できていない。

どうやらゴーストワークについては、人はそれぞれ異なるイメージを抱いているようだ。

調査を終えた後、面接内容を文字に起こしたものを見返していて気づいたことが、これを何よりも明確に示している。私たちはワーカーに、「自分がしていることを他の人にどう説明しますか?」と質問した。あるアメリカ人ワーカーは、自分は「シリコンバレーのスタートアップで働いています」と答えた。やはりアメリカ在住の女性ワーカーは、自分は自営業者で、ビジネススキルを磨くためにゴーストワークを利用している、と答えた。インドに住む別の回答者は、自分は村に仕事をもたらす起業家だ、と言った。彼らは三人とも同じプラットフォームで働き、同じ種類のゴーストワークのタスクをこなしていた。協同組合もワーカーの権利擁護者も、ゴーストワークによって生み出されるさまざまなイメージの間を効果的に橋渡しするビジネスモデルを依然として見出せていない。

企業は良かれと思ってやっているにもかかわらず、その努力はまだ十分ではない。オンデマンドサービスはパレート分布の自然の秩序に頼っており、商品の製造の場というよりも、むしろオンラインのコミュニティーや自己組織化するコモンズのように機能している。オンデマンドワークのための持続可能なモデルを考案するにあたっては、APIやプラットフォームやソフトウェアの技術的な設計に対して注意を払うだけでは足りない。当分は完全な自動化が実現しそうもないグローバル経済に参加するために、人々の能力の経済的・社会的発展を私たちがどう支えていけばいいのかも見直す必要が出てくるだろう。

コモンズの悲劇

皮肉な見方をする人は、ダブルボトムラインを採用しているクラウドファクトリーやリードジーニアス、アマラ、その他の企業の努力を、Bコーポレーションや非営利の法人格としての地位を利用して、自らを、悪者だらけの経済界におけるヒーローに見せようとしているだけだと捉えるかもしれない。だが、こうした形態の企業には短所が伴うものの、各社は世界中の多くの人々に雇用を生み出す源としての責任を全(まっと)うすることを進んで表明している。

リードジーニアスとアマラという二つのプラットフォームは、ワーカーの交流とタスクの協同の促進に大いに力を入れてきた。両社の労働慣行によって、複数のオンデマンドプラットフォームで働くことに興味のある人たちの共有プールが力付けられる。たとえばリードジーニアスは、最低賃金、所定の勤務時間、同社が「スキャフォールディング」と呼ぶ指導、昇進を、あらためて組み入れた。アマラは、ワーカーがボランティアとして働くか、報酬をもらって働くかを選べるようにしており、生計を立てるために働く人と、自分の「言語に対する誇り」を提供して何か大きなことに貢献する人との刺激的な取り合わせを生み出している。これとは逆に、利益の最大化で頭がいっぱいの雇用者は、ワーカーも顧客あるいは収入源とすることだけを考えている。

リードジーニアスとアマラは、協同する協調的なユニットであるチームをどう支援するべきかのモデルを提供して、ワーカーが自らの運命を思いのままにする方法を創出している。特にアマラが提示する実現可能な未来では、主導権を握るのはワーカーであり、彼らが自分でスケジュールを組み、報酬や利益分配の機会について協議し、本人が報酬よりも価値を置くプロジェクトに、いつ、どのように時間や努力を注ぎ込むかを決定できる。

ワーカーがつながるのを助け、彼らの協同を無視したり抑えつけたりするのではなく促進することは、単に、こうしたシステムでの労働に最大の貢献をしているワーカーのために取るべき正しい行動であるだけではない。プラットフォームを基盤としたディスカッションフォーラムやオフラインの会合の場を提供したり、初心者にコツを教えてくれる経験豊富なワーカーに報いたりすれば、おそらく、顧客に向けて最高品質の仕事や製品を生み出す結果となるだろう。

オンデマンドサービスの主だったエンジニアやビジネスリーダーは全員、オンデマンドワークを、自らとワーカーの双方にとって金銭的に儲かり、なおかつ有益なものにしようとしなければならないのではないかという、疑念と良心の呵責（かしゃく）を覚えていた。彼らは、自社を経営するために利用しているゴーストワーカーたちのコモンズを、あらゆる手段を講じて評価し、それに対して最大限の気配りをしている。私たちも彼らと同様の思いを抱いている。

最終章では、ゴーストワークを変革し、オンデマンドエコノミーを動かしている人々の生活と未来を改善するために私たちが直面せざるをえない技術的・政治的・社会的ハードルの概要を示すことにする。

結論　目下の課題

構築中のゴーストワーク

画像のラベル付けや動画の字幕制作からデバッグ作業や料理の宅配まで、さまざまなゴーストワークがあることがわかったところで、今度はこんな想像をしてほしい。

あなたがジムでランニングマシンを使っていると、一人の男性がやって来て、隣のランニングマシンで走り始める。だが急に、最近サッカーで傷めた左膝に違和感を覚える。彼はランニングマシンを降りる。どうやら、その感覚には覚えがあるらしい。あなたも経験があるかもしれない。みるみる膝頭が腫れてくる。左脚全体に圧迫感が拡がり、男性は右脚に体重を移す。あなたが見ていると、彼は手首のバンドを三度叩く。するとたちまち、彼のヘルスコーチの声が聞こえてくる。「こんにちは。調子はどうですか？　今、あなたの過去一時間のアクティビティースキャンを取り出したところです。体の痛みがあるようですね。また膝ですか？」。

男性がきまり悪そうに答えるのが聞こえる。「そうなんです。今朝、言っていましたね。今週は有酸素運動を減らしたほうがいいかもしれないって。あなたの言ったとおりでした」。ほんの数秒でヘルスコーチが返答する。「これまでに、あなたのもののような膝の怪我を扱ったことのある理学療法士を見つけましょう」。

またしてもほとんど間を置かず、コーチの声が聞こえた。「はい、見つかりました。手が空いているので、一五分でそのジムに行ってくれます。これから連絡を取って、あなたの状況を伝えておきます。ちょっと待ってください」。「ありがとう」と男性は言い、サイクリングマシンに寄り掛かる。「それから、左脚を高くしておかないと」とコーチは付け加える。「まだ膝に体重を掛けているようですから」。

これは、**トゥワインヘルス**というスタートアップが想像したビジネスの未来像だ（同社は、運動や睡眠を自動計測するリストバンドを販売している**フィットビット**社に買収された）。トゥワインヘルスはサプライチェーンのほとんど目に見える末端で、そのサプライチェーンはテキストメッセージのやりとりや通話を通して患者ケアとヘルスコーチングを提供する。同社の主な顧客は、ジムで膝を再び痛めた男性のような人々だ。そして、同社のもっと大きな市場は職場のウェルネス（健康増進・維持）プログラムを通して医療費を減らそうとしている企業だ。

資格を持っているヘルスコーチは、トゥワインヘルスのアプリケーションプログラミングインタフェース（ＡＰＩ）のループに入れば、従来のオフィス環境で働くよりも何十倍も多くの患者を担当できる。「ウェルネス・コーチ」という企業が第三者として、医療従事者に対するトゥワインヘルスの需要を満たしている。今日、フィットビットやトゥワインヘルスのような企業が、患者支援を提供するにあたって、オンデマンド・コーチングのサプライチェーンをどのように運営するかを監督する規則はない。

先程の例と同様に、カメラとセンサー、インターネット接続、医療提供者からのリアルタイムの支援を組み合わせれば、オンデマンド手術ができるようになるところも、簡単に想像できる。現場の看護師とリモートのオンデマンド外科医のチームがロボット工学とモニタリングを使い、虫垂の切除から白内障の手術まで、何でもできるようになるだろう。複数のチームが調整して、患者の切開箇所を閉じ、縫合の出来を二重に確認する。患者の血圧が下がったり、出血が多くて問題が起こっている可能性が出てきたりしたら、専門医が手術台に呼ばれ、意見を求められる。

オンデマンドワーカーは、風力タービンの設置から石油掘削装置の修理まで、建築工事や重機のメンテナンスの分野にも進出できるかもしれない。

ダクリのような企業はすでに、現場の労働者とリモートのオンデマンドワーカーの橋渡しをする、拡張現実を取り入れた装置を開発している。たとえばダクリのスマートグラスは、コンピュータチップとカメラとセンサーを内蔵しており、3Dの地図や修理マニュアルを投影したり、配管の中での温度や圧力の危険な高まりの徴候がないかスキャンしたりできる。これがあれば、現場の労働者は、オンデマンド配管工の専門知識の助けを借りながら、複雑な油圧装置を修理できる。自動運転車が進歩すれば、ダクリのスマートグラスを産業ロボットの頭に装着し、オンデマンドワーカーがロボットアームを制御して助け、危険な修理作業を完成させられるだろう。

オンデマンドワーカーのチームが交替しながら一日二四時間年中無休でシステム全体をモニタリングし、接続金具が磨滅し始めたり、交換が必要になったりするのをセンサーが知らせたときに修理をするようにしていれば、巨大エネルギー企業のBPが二〇一〇年に起こした、石油掘削施設ディープウォーター・ホライズンのメキシコ湾原油流出事故は防げただろうか？　企業は、臨時の、あるいは使い捨てにできる、幽霊（ゴースト）のようなワーカーのプールとしてではなく、自分のスケジュールを自分で管理して、交替で当番を務める常連ワーカーや、絶えず待機する常時稼働ワーカーの集団的知性としてオンデマンドワークにアプローチし、全員が職場にとって等しく価値を持つ集団として扱えば、次の石油流出を防ぐことができるだろうか？

世界銀行の予想では、私たちが調べたもののようなプラットフォームを通して提供される

専門職のデジタル・オンデマンドワーク市場は二〇二〇年までに一年当たり二五〇億ドルの市場に成長するという。私たちがゴーストワーカーを重要視して支援するつもりになるかどうかに関係なく、彼らの仕事は必ず訪れる、近い将来と（おそらく）長期的な将来の仕事を指し示している。サービス部門の雇用がすべて変わるなか、企業とワーカーと社会が、ロボットの大群に乗っ取られる事態に直面する可能性は低いが、ゴーストワークにどのような姿を取ってほしいかを、私たちは決めざるをえなくなるだろう[1]。

全体として見ると、現在の「**ギグエコノミー**」（市場の需要を満たすために変化する短期プロジェクト主導の、独立業務請負業者と小企業から成るビジネスのエコシステム）は、ひっそりとゴーストワークのプラットフォームへ移りつつある。しだいに多くの人が、オンラインでオンデマンドのギグワークを請け負うようになってきている。ウェブサイトやモバイルアプリを通して仕事を割り当て、スケジュールを決め、ワーカーに回し、支払いをする企業を相手に、プロジェクト主導のタスクを引き受けている。

どれだけの数の人がこの仕事をし、この手の仕事がどれだけ速く増えているのか正確に測定するのは難しい。アメリカは、労働省が「**非典型就労形態**」と呼ぶもので生計を立てているワーカーの人口調査は定期的に行なっていない。最も新しい調査の結果は、一二年ぶりに二〇一七年に発表された。そして、歴史的な連続性を維持するために、この調査はインターネットについては語っていない。誰も、デジタルテクノロジーが部分的には自分の労働をどのように管理しているかをワーカーに問うことはなかった。この調査では、ゴーストワーカーは「非典型就労形態」や「臨時雇用」や「自営業」など、さまざまな分類を選んだため、アメリカのオンデマンドワーカーの数を簡単に総計する方法はない。

私たちが入手できる最善の推定は、ピュー・リサーチ・センターによる二〇一六年の調査で、それによると、アメリカの労働年齢の成人の八パーセントに当たるおよそ二〇〇〇万人が、オフラインかオンラインでタスクをしてお金を稼いだという。[2] つまり、労働年齢のアメリカ人のうちほぼ一〇人に一人が、すでに何らかの形のオンデマンドのゴーストワークをしているということだ。

もっと的を絞った測定が試みられるまでは、オンデマンドのゴーストワークの全貌を明らかにするのは難しい。それでも統計的にいえば、現在のいわゆるギグエコノミーで起こっている微妙な変化を見さえすればいい。

独立業務請負業者と小企業から成るこのビジネスのエコシステムは、短期プロジェクト主導であり、フルタイムの従業員を雇うコストを負担することへの抵抗や負担することとの困難が大きな原因となって存在しているのだが、すでにひっそりとオンデマンドワークのプラットフォームへ移りつつある。

オンデマンドワークのプラットフォームの台頭からは、APIを使って請負業務を組織し、スケジュールを決め、ワーカーに回すのが、企業と働く必要のある人々の両方にとって魅力的であることが窺われる。本書で取り上げた例が示唆しているように、臨時労働と新しいテクノロジーを組み合わせれば、ＡＩ革命以上のものの推進力となる。それは、オンラインのカスタマーサービスやデータベース入力のようなオフィスベースの、もっと日常的な「ナレッジワーク（知識労働）」も引き継ぐ。従来の人材紹介サービスと、大企業と、アップワークのようなプラットフォームの間の協同は、オンデマンド雇用の次の発展段階を反映している。[3]

二〇一五年のある調査研究によれば、アメリカとヨーロッパだけでも、二五〇〇万人前後が、何らかの形のオンデマンドのギグワークをオンラインで行なったという。ウェブサイトやモバイルアプリを通して仕事を割り当て、スケジュールを決め、ワーカーに回し、支払いをする企業を相手に、プロジェクト主導のタスクを引き受けたのだ。[4] もし、二五〇〇万という就業機会が少なく見えるようなら、二〇〇〇年代初期にウェブベースのＡＰＩが広く採用されるまでは、この種の仕事は存在しなかったことを考えてほしい。この成長率が持続し、独立業務請負業者紹介サービスと臨時労働者紹介サービスの成長率も現状を保てば、**二〇五五年までには、今日の全世界の雇用の六割が、何らかの形のゴーストワークに変わる可能性が高い**。[5]

現在、ウーバータクシーのような携帯電話アプリやフェイスブックのようなウェブサイトを作動させているＡＩシステムが人間の助けを必要とするときには、急を要する。従来の雇用の仕方では間に合わない。なぜならエンドユーザーは、車が来るのや、ページが読み込まれるのを待つときには、あまり遅れることを許さないからだ。だから、APIを通してアクセスできる常時稼働のワーカーのプールが、必要とされている人間によるインプットを、オンデマンドでただちに提供している。ソフトウェア開発者は、タスクをする人に自動的に業務を委託して、仕事の出来を点検し、時間と労力に対する報酬を支払うコードを書くことができる。

ほとんどの消費者はウェブサイトやアプリ、オンラインサービス、アルゴリズムが自動化されていると思っているが、その多くは、オンデマンドのゴーストワークのプラットフォームと、そのAPIの助けを借りて、人間が作動させている。科学者とエンジニアは、人間のレベルの思考ができるAIの構築を試みることで、完全な自動化という目標を追求し続けるだろう。それが達成可能かどうかや、自動化によって人間のワーカーが全員取って代わられるかどうかという議論にかまけていると、今日のオンデマンドワーカーの差し迫ったニーズに取り組むという課題がなおざりにされてしまう。

テクノロジストたちが完全な自動化を試み続け、したがって、「自動化のラストマイルのパラドックス」を繰り返し生み続けることは明らかだ。汎用AIの構築という目標の追求が継続するなか、少なくとも当面は、現在のシステムでは力不足の箇所を補ってもらうために人間の労働が必要とされるだろう。

通常は、プログラマーが机に向かい、タスクを実行させるコードを書くときには、自分のコンピューターのオペレーティングシステム（ＯＳ）が定めたインターフェースを使い、そのコンピューターの能力を活用する。だが、中央処理装置（ＣＰＵ）は、与えられた命令しか実行できない。だから、プログラマーがタスクを完了させるためにオンデマンドワークをループに組み込むときには、オンデマンドワークプラットフォームのＡＰＩの向こう側にいる人、あるいは人の集団と働いているわけでもある。

今やプログラマーは、予測可能なコードに柔軟な判断力をもたらすために、オンデマンドのゴーストワーカーに頼る。プログラマーがデザインした仕事は、それを引き受けるワーカーがいて、そのワーカーが柔軟な判断力を発揮できてこそ完成する。人間はコンピューターとは違って、次に何をするべきかを見越すことも、予想外の事態に対して一瞬のうちに斬新な対応を見せることもできる。

人間はじっくり考え、人生経験という広大な図書館を見て回り、他者と相談し、次にどうするべきかを突き止めて、仕事を完成させることができる。人間は、調整を繰り返しながら取り組み、協同して解決策をあれこれ組み合わせ直すという、この際限のない能力によって、ＣＰＵには望めないものを仕事にもたらす。創意工夫と斬新さだ。だから——つまりコンピューター処理の威力と人間の解釈が持つ想像力とダイナミズムを融合させるから——オンデマンドワークには期待が持てる。

というわけで、もし企業が、コンピューター処理の威力と人間の柔軟な判断力の組み合わせの将来性を十分に活用したければ、ワーカーたちに十分配慮して、こう問わなければならない。**どういう人がオンデマンドワークをしているのか？　APIと協力して働くために、彼らはテクノロジーや企業、消費者、社会から何を必要としているのか？**

私たちはパレート分布が当てはまるオンラインコミュニティーの社会的ダイナミクスを反映するオンデマンドワーカーの三つの異なる種類を見つけた。

第一に、ほとんどのワーカーはプラットフォームを試し、いくつかタスクをやって、一週間から一か月で去っていく。これらのワーカーは、プラットフォームに価値を与える。なぜなら、彼らはゴーストワークを引き受けられる潜在的な労働市場の一部に数えられるからだ。

第二に、定期的にプラットフォームに参加し、金銭的な目標や時間的な目標で決まることもある一定数のタスク（一月当たり一〇時間未満）を請け負うワーカーもいる。

最後に、一つのプラットフォームに馴染み、その中核的な労働力となり、毎日現れてそのプラットフォームで毎週平均三〇時間の仕事をするワーカーもいる。そのプラットフォームで引き受けられる仕事の大半は、彼らが行なう。

どの場合にも、ワーカーとリクエスターの間にAPIとオンデマンドワークのプラットフォームが入り、業務委託の条件を決める。ワーカーがオンデマンドサービスのデザインの中心に意図的に据えられていないときには、プラットフォームは今日私たちが仕事と結び付けるものをすべて剝ぎ取り、タスクと報酬と、仕事をする人だけが後に残される。そこには殺伐とした環境が生み出されうる。諸手当も、昇進も、貢献に対する評価も、リーダーシップもなければ、同僚も、ランチを共にする仲間もいないし、仕事の後での飲み会もない環境だ。APIはさらに一歩踏み込み、労働環境のさまざまな側面を剝ぎ取るばかりでなく、ワーカーやリクエスターたちの多くの面までも引き剝がすことがよくある。

こういうことがどこまで行なわれるかはプラットフォーム次第だが、その一方の極限では、ワーカーは「A16HE9ETNPNONN」のような、見たところランダムに文字と数字を並べた独自の識別子で特定される。この種のプラットフォームは、一人ひとりのワーカーやリクエスターを人間たらしめているものをそっくり取り除き、関係者全員を識別子に格下げする。性別、年齢、意欲、情熱といった、ワーカーの個人的特質は知りようがない。同様に、数学、英語、あるいは絵がどれほど上手かといった、ワーカーのスキルの幅広さや奥深さも判断のしようがない。さらに、ある人が、チームといっしょのときのほうが特定のタスクをどれだけうまくこなせるかもわからない。こうした点のどれについても、明確な答えが出せない。だからこのアプローチには、たとえば、ワーカーとリクエスターのミスマッチにつながりうるといった、明らかな難点がある。[6]

だが長所としては、たとえば性別あるいは宗教のせいで差別されていたかもしれないワーカーが、今では差別と無縁の仕事を見つけられる点が挙げられる。先程とは逆の極限には、ワーカーに自分のスキルのリストばかりか、写真さえ載せたプロフィールを作ることを許すプラットフォームがある。これでマッチングの精度が上がるかもしれないが、それには差別や報酬の不平等という代償が伴いかねない。

全体として、ワーカーの匿名化と、ときには人間性の剝奪のせいで、彼らはリクエスターには互換性のあるものに見えてしまいうる。たとえば、「A16HE9ETNPNONN」と「A6GQR3WXFSIYT」のどちらに業務を委託するかに、何の違いがあるというのか？[7] 仮にワーカーの特性が剝ぎ取られることがなかったとしても、彼らを生身の人間ではなく、そこから労働力を得るプールとして見てしまう事態に簡単に陥りうる。そして、それは今に始まったことではない。

ゴーストワークの過去から学ぶ

労働の将来について歴史が何か教訓を示してくれているとしたら、それは、**テクノロジーは臨時労働の需要を消し去りはしない**、ということだろう。テクノロジーと、世界を経験したいという私たちの抑えようのない渇望があるかぎり、意思を疎通させ、物事を見分け、他者を気遣う人間の能力を必要とする働き口は出てくる。新しい情報がなくても以前の前提を振り返ってアップデートしたり、言葉で、あるいは言葉を使わずに気持ちや考えを伝え合ったりする私たちの能力は、機械に対する人間の強みであり続ける。[8]

文化の伝統は、過去何世代にもわたって、フルタイムの仕事を尊び、他のあらゆる種類の雇用形態よりも上に位置付けてきた。そのため、どんな個人の職業上の肩書や社会的地位よりも、私たちの集団的知性と協同する能力のほうがどれほど重要かが見えづらくなってしまった。そうした知性や能力があったからこそ、紡績機を回し続けるような些細なことから、宇宙に人間を送り込むような大掛かりな事業までが可能になったのだ。

現代のオンデマンドプラットフォームで今日行なわれているタスクに至るまでの出来高払いの仕事の歴史を振り返ったときにすでに見たように、臨時労働は常に必要とされてきた。だが臨時労働は、一貫して価値を奪われていき、「~より下」という地位が、雇用分類の中に取り込まれて成文化された。

プラットフォーム主導のイノベーションは、従来の雇用者がコストをかけてしていたこと、つまり労働者の募集、研修、確保を、APIとAIの組み合わせが省いたというふりをして、企業と消費者にモノやサービスを提供する。私たちは時間をかけて何百人ものワーカーを調べてわかったのだが、自動化によってそうしたコストがなくなることはまったくない。そのほとんどが、ワーカーに回されているのだ。

ここで、今日のオンデマンドワーカーの成功や課題に基づいたガイダンスを提供しよう。ワーカーのみなさんには覚えておいてほしい。あなた方は、このオンデマンドワークというマシンの中の壊れた歯車ではない。あなた方は、このマシンが機能するように、できるかぎりのことをしている。自分の経験を活かして、労働の将来を、尊厳のある、もっと人間味あふれたものにする方法を、私たちに教えることができる。

自動化に投資している私企業は、報酬以外でワーカーのやる気を掻き立てるものを無視している余裕はない。ＡＰＩは、ばらばらにしたタスクを大規模に割り当て、細かい業務管理の必要性を最小限にできる。だが、このようなシステムも、自分の職業人生から意義を引き出したいというワーカーの願望を消し去ることはできない。

私たちは、協同したりつながったりしたいという人間の衝動を無視したり禁じたりする代わりに、本書の研究参加者たちの協同戦略を、「自動化のラストマイルのパラドックス」を無視するのではなくそれに配慮するソフトウェアデザインに反映できることを示す。これらの戦略には、手始めとして、業務管理そのものをタスク化するシステムの開発が含まれる。企業はＡＰＩに命じて、肯定や励ましを、実行可能な、報酬を得られるタスクに変えさせ、最善を尽くせるように助け合っている人々に報いることができるだろう。

ときに殺伐としたオンデマンド環境でワーカーがどうやってうまく生き抜いているかを理解するために、私たちはＡＰＩを迂回した。ワーカーに直接会って話を聞き、彼らがどのように日々を過ごしているのかを調べ、全体としての彼らの活動を測定した。

すると、重要な発見があった。ワーカーたちが、人間性と意義を自分の仕事に取り戻しているのだ。何よりもまず、彼らは協同を自分たちの仕事で復活させている。オンライン環境かバーチャル環境であるにしても、オフィスの休憩室に相当するものを再現し、社会的支援を与えたり受けたりしている。ワーカーたちは仲間どうしの協同を明らかに重視する。働いているプラットフォームとは別個に、自らの時間とお金をかけてオンラインフォーラムを構築している。その時間を、働いてお金を稼ぐのに費やすことができるというのに、だ。

ワーカーたちはまた、協同して良い仕事を見つけ、ゴーストワークをするときに生じる間接費を減らす。そこからは、彼らが負わされる取引コストが浮かび上がってくる。彼らは、タスクを探したり、タスクのやり方を学んだりするときや、そもそもオンデマンドワークプラットフォームの使い方を学ぶ方法を学習したりするときにももちろん、報酬は払ってもらえない。ゴーストワークは取引コストの多くを、ワーカーと彼らに業務を委託するリクエスターに負担させる。だからワーカーは協同し、オンデマンドエコノミーでやっていくためにしなければならない、無報酬の仕事のコストを減らす。

業務の委託や審査やワーカーへの支払いなど、ゴーストワークの多くプロセスは自動化されている。だが、ソフトウェアは設計上、融通が利かない。そして、ソフトウェアは自分の意見や考えに基づいて判断を下せないので、それが三種類のアルゴリズムの残虐につながる。

第一に、リクエスターはいつでも自動的にAPIを使って大量のタスクをアップロードし、タスクができ上がれば消えてしまうことができる。協同して良い仕事を見つければ、プラットフォームに現れる仕事の量の大きな変動の影響を和らげ、この種の仕事には付き物の不安定さと不安感のコストを吸収するのに役立つ。そうはいっても、協同だけでは問題を完全に解決することはできない。良い仕事がなくなる前に引き受けるためには、いつも待機していたり、全神経を集中させていたりしなければならないと、ワーカーは感じているからだ。これがアルゴリズムの残虐の一つ目だ。

第二に、APIがワーカーとリクエスターのやりとりを管理しているため、ワーカーが助言や支援を必要としたときには、誰にも頼ることができない。その結果、彼らはしばしば仕事のネットワークを利用して助けを求める。

第三に、プラットフォームは誰にアクセスを与え、誰に与えないかを一方的に決められる。つまり、誰がお金を稼ぐことができ、誰ができないかも決められるわけだ。プラットフォームは内部のソフトウェアツールを使い、誰をとどめ、誰を追い出すかを決める。ワーカーは、それに対して打つ手がないことが多い。これら三つの形を取るアルゴリズムの残虐は、APIを通してワーカーに業務を委託し、プラットフォームへのアクセスを与える能力によってもたらされる。

ワーカーたちは、こうした困難があるにもかかわらず、辛抱を続けてきた。なぜなら、自分が直面している制約にオンデマンドワークを合わせることができたからだ。たとえば、人種、性別、宗教、障害の程度や有無次第で誰が家の外で働け、誰が働けないかが、文化規範によって定められているかもしれない。[9] オンデマンドワークは、家庭も含めてどこでも好きな場所で匿名でやれるため、ワーカーはそれを利用してそうした文化規範の壁を乗り越えられる。ワーカーたちはまた、家庭の事情で、働ける時間が限られていることもある。オンデマンドワークはどんな時間にもあるので、家でしなければならない事柄と重ならないようにして働くことができる。最後に、もしワーカーが、探している仕事に必要なトレーニングを欠いているために制約を受けているのなら、オンデマンドワークで経験を積み、その仕事に必要な能力を持っていることを示す履歴を築くことができる。

半自動化された未来

フルタイムの従業員が現場で働く大企業は先が見えている。世界中でオンデマンドで業務を委託でき、現場以外で仕事をこなすワーカーを、ますます多くのプロジェクトが頼るようになってきているからだ。組立ラインでのフルタイムの仕事を維持できるようにするために一九三〇年代に確立された、私たちの雇用分類は、このような未来のために作られてはいなかった。

コンピューターの性能が上がり、アルゴリズムがしだいに多くの問題を引き受けるなか、各産業が取り組むべき新たな問題を見つけ続けるであろうことは、自然言語処理と画像認識でのこれまでの歩みからわかる。だから、コンピューターで解決できることと解決できないことの境界は、絶えず位置を変える。私たちはこれを「自動化のラストマイルのパラドックス」と呼ぶ。コンピューターが進歩するたびに、何かを自動化する機会が地平線上に現れるのだ。この過程は常に繰り返され、その結果、いつまでも人間による新種の労働のために労働市場が生み出されては破壊され、それを通して自動化が拡大していく。

いい換えれば、コンピューターが多くの問題を解決すればするほど、人間の労働に取って代わるのではなくそれを増やすニーズを、私たちは見つけ続けるということだ。労働の未来は、AIとボット（訳註：タスクを自動的に行なうプログラムやアプリ）だけが支配するのではなく、オンデマンドサービス（人間とAPIを組み合わせ、モノやサービスへのアクセスを確保し、スケジュールを立て、管理し、提供する企業）が支配的になる可能性が高い理由も、このパラドックスで説明がつく。

自動化ｖｓ人間の労働というのは偽りの二分

AIとコンピューターの世界にいる人の多くが知っているように、ゴーストワーク（拡張されたサービスの背後で行なわれるヒューマンコンピュテーション）は、ソフトウェアの速度と正確性を人間の柔軟な判断力と組み合わせる、比較的新しい形の演算処理だ。ゴーストワークは、コンピューターだけでは効率的に解決できない問題を解決するための、じつに便利なツールだ。

たとえばＭタークワーカーはトレーニングデータを生成し、それを使って作動するアルゴリズムが、後に易しい画像認識問題を解決した。すると科学者とエンジニアは、今度はもっと高度な画像処理タスクに注意を向けた。ＡＩが進歩するにつれ、このパターンが繰り返され、オンデマンドワークのプラットフォームから募集されたワーカーが、新しい領域の問題を解決するのに使われるのを、私たちは目にするだろう。

ゴーストワークがＡＩの進歩にとって不可欠であることが明らかになるなか、ドアダッシュやアップワークからウーバータクシーまで、さまざまなオンデマンドサービスのための分散型ヒューマンコンピュテーションシステムという、主要なコンピューティングデバイスへと、ゴーストワークは非公式のクラウドを変貌させた。

そうしたオンデマンドサービスのインテリジェントシステムは、ＡＩと人間をループの中で混ぜ合わせ、報酬をもらえるサービスへのＡＰＩ経由のアクセスを確保し、スケジュールを立て、管理し、提供する。これらのシステムを作り直し、見ず知らずの人の優しさを重視したり、オンラインの社会的ネットワークの強みを、将来の良い仕事に必須の資産として認めたりさせることができるだろう。

ゴーストワークに頼る人――あるいは、正規雇用をゴーストワークにされてしまう人――が増えているので、私たちは労働の歴史と今日のゴーストワーカーの経験に学ぶ機会を得て、ゴーストワークの技術的な機能不全や社会的な機能不全に取り組むことができる。ＡＩの陰から仕事を引きずり出して、公平で尊厳のある雇用形態にし、当事者全員が誇りに思えるようにする時間は、依然として残っている。私たちが研究の参加者から学んだことと、オンデマンドワーク市場のダイナミクスを調べていてわかったことに基づき、労働の未来を明るいものにするための技術的な解決策と社会的な解決策を、これからいくつか提案しよう。

労働の未来に向けて仕事をアップデートするために次にできること

人間の柔軟な判断力や、オンデマンドサービスに貢献している厖大な数の人の、プールされた集団的努力の価値を、企業や消費者、政府、国民が完全に認めたら、社会が何を達成できるか、想像してほしい。少なくとも部分的にはＡＰＩとソフトウェアを経由したプロジェクトを、雇用の新しい形態――短くても私たちの孫の世代までは続く可能性が非常に高い雇用形態――と考え、それに投資したなら、そこからどんな潜在的恩恵がもたらされうるだろう？

本章の冒頭で紹介した筋書きでほのめかした可能性を実現させ、しかも、それらがもたらすかもしれない惨事を避けるためには、私たちはまず、オンデマンドプラットフォームがただのソフトウェアではないことに気づかなければならない。

それらのプラットフォームは、活気に満ちたダイナミックなオンライン労働市場であり、それを成り立たせているのは、その両側にいる人間たちだ。こうした市場は、オンデマンドワーカーの集団を、人間の柔軟な判断力や解釈を必要とする企業に結び付ける。ループの中にいる人間たちがもたらす恩恵を享受する顧客にサービスを提供する。ループの中に人間がいることを顧客が知っているかどうかは、関係ない。ワーカーと企業の結び付きを促進するプラットフォームは、かかわっている人間全員が、企業の最終利益にとって等しく貴重で必要であることを認めるように設計されていれば、新しい労働の機会を生み出し、現在、誰かを見つけて業務を委託し、特定の仕事に取り組み始めるのに伴う難しさを解消できるかもしれない。

ゴーストワークを持続可能なオンデマンド雇用の機会に変えるための、選りすぐりの提案を、以下に示すことにする。

本書のこれまでの主張で明らかになっていてほしいのだが、より良い労働を実現するのは、単に社会的な課題でも技術的な課題でもない。常に両方の課題なのだ。テクノロジーをワークライフに溶け込ませるには、エンジニアや企業は、人々が良い仕事をするために必要とするものについて「**社会的に考える**」ことができるテクノロジーを構築しなければならない。

また、労働の未来を創造するには、政策立案者は職場に導入されるテクノロジーを深く理解していなければならない。これから提案する解決策はどれも、全員が足並みを揃え、私たちの最高の技術的な専門知識と社会的な専門知識を融合させ、より良い仕事の未来をデザインするように強く促すものだ。

社会的変化を起こすための技術的解決策

解決策1：協同

ワーカーはAPIに、自分たちの間のコミュニケーションを妨げるのではなく容易にしてもらう必要がある。自分のスケジュールやプロジェクト、同輩とのつながりを管理しているワーカーは、業績が向上することがわかったのだから、お互いや見込み客と効果的にやりとりするのを容易にすれば、恩恵が得られる。オンデマンドワーカーは、互いを探し出す。自分たちのディスカッションフォーラムを作る。それなのに今日のオンデマンドサービスの多くは、このオンデマンドエコノミーでタスクを請け負う人々は独立して働いており、協同の必要はない、と決めてかかっている。大きなプロジェクトは、一人の人間が単独で行なえそうな、一見すると単純で、反復的なことが多いタスクに分割される。

リードジーニアスのような企業は、グーグルドキュメントやボイス・オーバー・インターネット・プロトコル（VoIP）の会議ソフトウェアといった製品を使い、協同したいというワーカーの願望を活用している。だが、プロジェクトを生み出している企業の大半は現在、この環境で協同するための、人間の創造的な力を強化する機会を逃している。

私たちの研究からはっきりわかるとおり、ゴーストワークへの移行でフルタイム雇用と現場の労働環境が徐々に崩れてきているにもかかわらず、人間は仕事の社会的な性質を重視し、それに生き甲斐を感じる。彼らは報酬をもらえないのに何時間もかけ、同輩との社会的・職業的つながりを築くし、長期的な仕事を再現する機会を優先する。短期的な、APIが仲介するワークフローは、仕事を通してつながりたいという人間の願望を抑えることはできない。

私たちは、**「オンデマンド・コワーキングスペース」**を提案する。

そこでは、共有された文書や表、プレゼンテーション、プログラムに、多数のワーカーがビデオチャットやテキストチャットしながら、同時にいっしょに取り組める。オンデマンド・コワーキングスペースでは、企業がプロジェクト固有のタスクを完成させるために集めた人々から成るオンデマンドの「フラッシュ（短期）チーム」用に、共有の職場を生み出すことも可能になる。このソフトウェアはワーカーに、何であれ彼らにふさわしい組織構造を取って、より大きく複雑なタスクにチームを作って取り組む力を与える。

解決策２：オンデマンド休憩室

オンデマンドのゴーストワークの環境は、人々を孤立させ、孤独にさせかねない。今日のオンデマンドサービスは、有意義な雇用を解体してタスクと報酬のセットだけという、殺伐とした環境にしてしまいうる。だが、人間は社会的な動物であり、いっしょに何かを創造したり、職業上の関係を築いたりすることから、尊厳と意義を引き出す。

　ゴーストワーカーがつながるのを妨げようとするのは、不可能であるだけでなく、ワーカーがつながり合うことから引き出せる価値を活かす機会を逃すことにもなる。私たちの研究が示しているように、オンラインフォーラムに参加するワーカーは、参加しない人よりも、オンデマンドサービスに従事し続け、絆を深める可能性がはるかに高い。

　今日、ゴーストワークを請け負う人々は、プラットフォームの外でコミュニティーが構築したディスカッション掲示板やスカイプ、フェイスブックのようなソーシャルメディアに頼って、自分の仕事日を始めたり分割したりし、励まし合ったり、仕事が得られるかもしれない機会についての情報を共有したり、ゴーストワークで成功する方法について助言し合ったりしている。

　私たちは、職業上のネットワークを作り、オンデマンドワーカー向けの**ギルドのようなコミュニティー**を構築することを提案する。

　これらのギルド・コミュニティーは、ゴーストワーカーの間のコミュニケーションを育み、促進し、仕事の情報やコツを教え合ったり、将来のプロジェクトのために協同してくれそうな人を見つけるのを助けたりできるようにする。ワーカーは、最善の方法を教え合ったり、新しいスキルを学んだり、そうしたスキルを認定してもらったりできるだろう。さらに、オンラインのギルド・コミュニティーは、ワーカーの能力と過去の実績を記録し、紹介する、ポータブル評価システムとしても機能する。つまり、ワーカーの評価は、タスクやプラットフォームが変わっても有効になるわけだ。

リクエスターはこれらのギルドのメンバーに呼び掛け、タスクをしてもらうことができ、その結果、ワーカーは自分のスキルにふさわしいタスクとマッチングしてもらえる可能性が高まる。

過去には雇用者が被雇用者の成長と進歩を助ける費用を負担していた。今やそれは、独立業務請負業者の専門技術や知識と彼らの利用可能性の泉から水を汲み出している者全員に割り当てられたタスクになった。ワークフローに出入りする人々は、「失業中」という汚名ではなく、主体性と透明性と尊厳を与えるサービスやツールを必要としている。もう「失業中」という状態はない。私たちはみな、次のタスクに向けて準備しているのだ。

解決策3：企業が提供する共有の職場

オンデマンドワークをプログラムコードによって委託する能力は、現在知られているようなナレッジワークの姿を変えるだろう。

企業は締め切りに追われるプロジェクトを仕上げるために、ますますオンデマンドのゴーストワークプラットフォームに頼るようになっており、そのせいで企業の境界を越えるワーカーの絶え間ない出入りが起こっている。企業はフルタイムの従業員とオンデマンドワーカーを組み合わせて必要なツールを提供し、自社のプロジェクトを完了してもらう。ワーカーたちは目標達成後数時間あるいは数分で解散する。

これを可能にするのにもまた、誰もが同じツールへのアクセスを持つ、共有の作業空間が必要となる。そこでは、特定のガイドラインや手順に従うことが求められる仕事をするコストを誰かが吸収できる――あるいは、吸収するべきだ――などとは誰一人思っていてはならない。ソフトウェアへ投資したほうが、ワーカーよりもリクエスターに大きな恩恵があるときには、ワーカーがコストを負担して当然と考えるのは不当だ。

企業の壁の中で、範囲を定められた締め切りの厳しいプロジェクトに貢献しているワーカーは、仕事の当事者全員のセキュリティーとプライバシーを守るためのプロジェクトリソースへのアクセスを必要とする。現在、ほとんどのゴーストワークプラットフォーム、特に、AIのトレーニングデータ生成に取り組むマイクロタスクのためのプラットフォームは、ワーカーは最新のソフトウェアと安定したインターネット接続を用意して待機していていつでもタスクに取り掛かれる独立業務請負業者だ、と思い込んでいる。

一例を挙げよう。あるマネジャーは、オンラインの労働市場で業務を委託したデータサイエンティストのチームに、ファイルやデータへのアクセスを与え、実質的に彼らを短期間、企業の中へ招き入れるかもしれない。それから、プロジェクトが完成すると、ファイルやデータへのサイエンティストたちのアクセスを撤回し、彼らを企業の部外者という立場に戻す。

ワークフロー（ワーカーのアウトプットとデータの使用）の管理は、フルタイムの従業員とオンデマンドワーカーを混ぜ合わせる開放的な企業にとって、新しい課題となる。違う時間帯で生活し、同じ組織に所属してさえいない人々が、互換性がなく、時代後れの場合が多いソフトウェアやデバイスを仕事に持ち込むことを、私たちは突き止めた。現在の企業のソフトウェアはたいてい、厳格な境界を組み込んでおり、オフサイトのオンデマンドの協同者が入ってくるのを妨げたり、遅らせたりする。だが、現状に甘んじている必要はない。

企業は考え方を変え、アップデートされたソフトウェアツールや最新の高速のコンピューターを持っているとはかぎらない、いや、それどころか信頼できる配電網につながってさえいない人々の貢献や見識に頼っていると思う必要がある。

どんな場合にも、オンデマンドワークの価値は、ワーカー自身によってもたらされる。彼らの使うツールを提供すれば労働の成果全体が改善すると考えることが、オンデマンドの職場に必要なビジネスソフトウェアツールを再建する第一歩だ。

仕事は独立業務請負業者とフルタイムの従業員のネットワークで順に回され、各自が自分の能力に最もふさわしい部分を引き受け、自分のタスクを片付け、残りは先に送る。どのタスクであれ、それで仕事をした人々を、誰もが順にたどり直すことができる。だがワーカーは、もともとのリクエスターとは直接やりとりしないかもしれないし、仕事を発注したリクエスターも、最終的に自分のタスクに誰が取り組むことになるかを管理する上で、直接の役割を果たさない。誰が知的財産のどの部分を仕事に捧げ、最終製品に対する特定のワーカーの貢献から生じた価値を誰が受け取ったのかをきちんと把握することが、しだいに重要になっていくだろう。

この未来に向けた製品を作り上げるのが世界中のソフトウェア開発者の務めだ。オンデマンドのマインドセットに切り替えなければ、ビジネスソフトウェアの場合、企業とワーカーの両方が、オンデマンドエコノミーの恩恵に十分浴することはできないだろう。企業の外部の人を「臨時に」プロジェクトに参加させるという発想はもう通用しないと思ったほうがいい。企業の「内部」と「外部」という言葉は、まもなく見当外れの区別になるだろうから。

解決策4：コンテンツモデレーションも含め、あらゆる種類のゴーストワークをフラッシュチームができるようにする

オンデマンドワークのプラットフォームの大半は、単純な変更を一つするだけで、極度の神経集中のサイクルにはまり込んだワーカーを大いに助けられる。それは、もっぱらグループでの協同の対象にできるものと、独立した、主観的な結果を必要とするものという、二つの明確に定義されたオンデマンドワークの流れを生み出すことだ。

機械学習アルゴリズムのためのトレーニングデータ生成や調査の回答といった、独立した結果が妥当性のために求められる場合もある。協同が行なわれると望ましい結果が出ないときには、タスクの質がかかっている箇所では、指示の透明性をもっと高めて、はっきりと協同を禁じ、いっしょに働いてはいけない理由をワーカーに告げることを、技術システムは徹底させられるだろう。

私たちはまた、協同したいというワーカーの願望が最終結果に本当に有害なときには、参加の条件に対する違反を見つけ出すことに力を入れることもできる。だが、オンデマンドワーカーを、信頼するべきワーカーとしてではなく、発見するべきセキュリティー上の潜在的脅威として扱えば、私たちが会ったワーカーの間ではごくありふれた経験だったアルゴリズムの残虐を煽(あお)ることになる。ワーカーは機会があればたちまち事務用品を盗んだり、手抜きをしたりするのではないかと疑いながら、彼らを管理者がつけ回すような環境で働きたい人などいるだろうか？

一方、セールスリード情報の生成から位置確認まで、独立した回答をもともと必要としないタスクも多くある。ワーカーがプロジェクトで明らかに協同する必要があるときには、研究者が「**フラッシュチーム**」と呼ぶものを編成して取り組むのが理想的だろう。フラッシュチームは、プロジェクトの間だけ編成された即席のチームで、そのプロジェクトが完成すれば解散する。[10] 仕事へのこのアプローチからわかったことは明らかで、ワーカーが他者と簡単に働くことができ、比較的緩やかな絆が課されているときには生産性が上がるのだ。ワーカーはばらばらに働ける——あるいは、働くべきだ——と、マイクロタスクのプラットフォームが思い込んでいるときには、短期で契約による仕事の場合にさえ、ワーカーの活力を維持してくれる、出勤時の廊下での会話や軽い冗談に特有の応酬の即興性の効果が失われてしまう。

たとえば、リードジーニアスやアマラが自社のチームを構成するときに使う共有の「**ホワイトボード**」その他のコミュニケーションの選択肢を創り出すことで、人々がつながるのを助ければ、結果が良くなる。そしてリクエスターが人々に、他者の助けなしで働いてもらう必要が本当にある場合には、互いに頼り合って協同するワーカーを罰するのではなく、単独でやることをその仕事の特色とするべきだ。今日、最も試してみる価値があると思える事例は、ソーシャルメディア企業のためにオンラインコンテンツを審査しながら、互いに支援し合える、コンテンツモデレーションのフラッシュチームを編成することだ。

フェイクニュースの投稿、執念深いトロールがまき散らすヘイトスピーチを含むツイートや有害な発言、ユーチューブのチャンネルに入り込んでくるアダルトコンテンツなど、何であろうとオンラインのコンテンツを監督したり選別したりする人々の価値を認める必要があるのは明らかだろう。

本書で一貫して論じてきたように、「悪いコンテンツ」を認識して取り除くのは、技術的に難しい問題だ。オンラインのコミュニティーが自らボランティアとしてモデレートする場合もある。このボランティア活動から大きな恩恵を受けているソーシャルメディア企業は、このコモンズにお金を出すべき時が来た。トロールへの対応を進んで引き受け、力を合わせてモデレートしてくれている勤勉な人々に、報酬を払うべきなのだ。

これは、アマラの例に倣って、コミュニティーワークとしてコンテンツモデレーションに力を入れるフラッシュチームを編成し、必要に応じてそのコミュニティーにソフトウェアのアップデートや用具類を提供し、お金を出してコンテンツモデレーションのコモンズの活力を維持する、という形を取るかもしれない。それに代わる簡単で無料の選択肢はない。誰もがソーシャルメディアのアカウントを削除する気になれば、話は別だが。

解決策5：履歴書2・0とポータブル評価システム

リクエスターは途切れなく市場に出入りできるので、独立業務請負業者はタスクを終えた後に評価や推薦を受けるときには、しばしば不利な立場に立たされる。

オンデマンドワーカーは、次に収入を得る機会をうまく見つけ、先行きの不確かさのようなリスクを管理するのを助けてくれる、評価や推薦のシステムを必要とするだろう。彼らは、ジョーンやリヤズのように、せっかくリクエスターと何か月にもわたって良好な関係を築いても、そのリクエスターが市場を去ったり、違うスキルを持つワーカーを探し始めたりするという事態になりかねない。ワーカーが成功するためには、このダイナミックな環境に素早く適応しなければならないだろう。

ワーカーの実績を系統的に記録・保管すれば、当事者全員が恩恵を受けられる。

一つ例を考えてみよう。リクエスターは、独立業務請負のプロダクトマネジャーとソフトウェアアーキテクトのチームに業務を委託し、製品概要を伝える。チームのタスクは、ソフトウェアをデザインすることだ。デザインができ上がると、そのデザインは、開発者の新しいチームに送られる。そのチームは、別のプロダクトマネジャーが支援しているかもしれない。そして、そのアウトプットが製品のためのコードだ。そのコードが今度は、試験者と、使いやすさを判断する専門家に渡され、フィードバックが求められる場合もある。

この過程のどの時点でも、チーム間の調整の繰り返しが起こりうるし、メンバーがチームを離れたり戻ってきたりすることもあるかもしれない。仕事は企業の境界を越えてこれらのチームに流れ込み、その一部は、ワークフローの特定部分を調整しているチームに業務を委託された他の人々に回されるだろう。これらのチームは、まだコンピューターが単独では解決できない問題を解決することになる。誰もが、プロジェクトを成功させる上で何かしらの役割を担っており、将来の労働の機会に利用できる実績を認められてしかるべきだ。

前述のさまざまな技術的提案を実行するためのツールの多くは、今日入手できる。課題は、私たちの集団的なマインドセットを変え、オンデマンドワークは使い捨てにできるという発想ではなく、私たちはそれに依存しているという認識を、新しい「**初期設定**」にすることだ。だが、第6章で論じたように、企業がツールの共有や研修を控えたり、リソースを出し惜しんだりしているのは、技術的に難し過ぎるからではなく、記録上の雇用者と見なされたくないからだ。次に挙げるいくつかの提案は、オンデマンドワークにとって、社会全体を記録上の雇用者にすることに狙いを定めたものだ。

技術的な専門知識を必要とする社会的解決策

解決策6：ワーカーの立場に立つ

読者にもできることがある。

その一つは、自分あるいは家族がいつか、オンデマンドエコノミーで働いているところを思い浮かべることだ。そうすれば、オンデマンドワーカーの身になって、生計を立てたり新しいスキルを身に付けたりしようとしただけで直面する羽目になるアルゴリズムの残虐と向かい合うことができる。だが、そこでやめてはいけない。オンデマンドワークをしてみることさえ可能だ。

最低限、この次にオンラインで検索エンジンを利用したりコンテンツにフラグを立てたりするときに、自分がゴーストワークの消費者かどうか考えてほしい。あなたがどんな役割を演じるにしても、舞台裏で働いている人々は、ジョーンやアスラのように、大切な家族を養うためにこの仕事をしていることを見て取ってほしい。ヴァージニアやゴウリのように、自分のスキルを伸ばしていることを知ってほしい。ジャスティンやクムダのように、自分の仕事や、家族への貢献に誇りを持っていることを察してほしい。

そうすればあなたは、オンデマンドワークのプラットフォームを成り立たせているのが、私たちの誰もと同じように、生活の収支を合わせて自分や家族を支えようとしている人間であることがわかるだろう。APIが隠してしまった人間性を目にすることができるだろう。

これらのワーカーに自分を重ねられれば、何十年にもわたって聞かされてきた「フルタイムの仕事はパートタイムの仕事に優る」という話と闘う上で、大いに役に立つ。オンデマンドワークのコミュニティーについて知れば知るほど、そこに変化をもたらすことができる。そして、このような形でかかわればかかわるほど、社会的セイフティーネットを整備してオンデマンドワーカーたちを助けられるようにする必要があることが、なおさら早く明らかになる。

オンデマンドワークの未来に向けて、私たちは歩み始めたばかりだ。だから私たちは、その未来を形作ることができる。なにしろ、あなたもいつの間にか、APIを通して仕事を得るようになっているかもしれないのだから。

解決策7：ゴーストワークのサプライチェーンのために、責任の所在を明確にし、企業全体の「グッドワークコード」を確立する

現在、企業環境では、どんなタスクも暗黙の決定か明白な決定を必要とする。このタスクは社内でやるか、誰かに業務を委託するか、だ。大きな企業では、組織の一部から人材を引っ張ってきて、すでに社内に存在する能力に頼るかどうかという選択の場合もある。どちらにしても、決まり切った社内タスクに必要な従業員が減り、新製品のアイデアを迅速に試作品にしてテストするための優秀な人材の需要が高まるなか、多くの企業はフルタイムの従業員を前ほど必要としなくなり、ダイナミックな要望にすぐ対応できるオンデマンド労働力への依存を強めるだろう。正社員を雇う取引コストの一部は減るだろうが、その一方で、ロナルド・コースが予測したように、あらゆる企業がある程度のコストをかけて何らかの組織を維持し続ける必要がある。[11] 問題は、取引コストが消えてなくなるかどうかではなく、誰がそれを負担するか、だ。

大企業はゴーストワークを大量に委託するためにベンダーマネジメントシステム（VMS）を利用しているのだから、そうした企業には、ゴーストワークを日陰から日の当たる場所へと引き出してもらう必要がある。すでに指摘したように、最近の臨時雇用労働市場の経済分析は、この種の雇用が急速に増えると共に幅も拡がっていることを裏付けている。[12] 企業レベルの仕事にオンデマンドのアプローチを使う企業はこれまでのところ、果てしなく進化を続けるAI主導の製品の企業間取引のニーズと消費者需要を満たすために、ベンダー管理の、自営業の独立業務請負業者の数を押し上げ、職場の分断を深めてきた。

すでに論じたとおり、企業のオンデマンドツールやプラットフォームがクラッシュしたり技術的な問題を起こしたりしたときには、ベンダーが管理するワーカーが割を食う。全米家事労働者同盟が考案したグッドワークコードのような規範があれば、企業に圧力をかけ、自社のベンダーが確実にゴーストワーカーの味方になるように取り計らわせることができる。あるいは、味方になるようなベンダーに仕事を回させることができる。[13]

オンデマンドワーカーが企業の人材ニーズをますます多く満たし、企業がいくつかのオンデマンドプロバイダーを次々に組み合わせて異なる種類のタスクを完成させるようになるにつれ、ゴーストワークの労働サプライチェーンは、たどるのが難しくなる。企業は自社の製品が良好な労働条件と労働慣行に由来することを、顧客と自社のフルタイムの従業員に保証できる必要がある。

企業はせめて、以下の事柄を立証できるベンダーと手を組むと誓約することぐらいはできるだろう。

すなわち、完了した仕事にはどれも、基本報酬を支払っていること、ワーカーにタスクを完了してから一週間以内に報酬を支払っていること、彼らが報酬を受け取るときに、追加の振替料金を請求していないこと、そのベンダーを利用している企業と同じ、差別をしない方針を採用して、企業のために価値を生み出しているワーカー全員が必ず等しい尊厳と敬意を持って扱われるようにしていることだ。

この規範は、児童労働の利用を禁じていることや、ワーカーを支援するのに使うツールが、障害のある人にも利用可能であることを、立ち入り調査を通じて確認しうるベンダーを企業が使うよう、義務付けるべきでもある。タスクを完了させるためにオンラインの労働市場を使っている企業にとって、自社の使命達成を手伝ってもらうために業務を委託したベンダーが、自社内で使うのと同じ公正な採用慣行を取り入れているかどうかを確かめることは、きわめて重要だ。業務の委託がプログラミングに似てきて、企業がAPIを通してタスクのための公募を行ない、ワーカーがタスクを引き受けようと競い合うようなら、企業は競争の場を公平にする責任の一端を引き受けなければならない。オンデマンド労働のサプライチェーンに沿って責任の所在をたどることが、その使命には不可欠になる。

解決策8：コモンズにふさわしい雇用分類

オンデマンドエコノミーが企業のために価値を生み出し、コストを節減してくれることには、ほとんど疑いの余地がない。その過程でオンデマンドエコノミーは、フルタイム雇用の間接費に結びついていた従来の形の安定性と安全性を消し去る。そのような不安定に伴って訪れる社会の大混乱は、それ自体がコストをもたらす。それは、私たちが自分や家族に望む未来なのだろうか？

企業がダブルボトムラインを適用することについての考察が示しているとおり、この経済は共有資源として扱われたときに成長することができる。おそらく、オンデマンドエコノミーそのものは、使い捨てにできるものとして扱われ続けていたら、活力を失い、衰えるだろう。この経済の市場は、先を考えずに臨時労働者のプールを干上がらせるのではなく、持続可能な労働コモンズを創出することが、ビジネス上不可欠だ。

私たちは現在「非典型就労形態」と呼ばれているものの価値を認める仕事の分類を生み出す必要がある。人が「フルタイム」で働いている、あるいは「パートタイム」で働いているというふうに考える代わりに、頭を切り替えて、人ができるときにできる形で働いているというふうに考えよう。「パートタイム」で働くから価値が低い人などいない。それに、オンデマンドエコノミーでは、そんなロジックはもう通用しない。

新しい雇用分類が持つ意味合いは極端に思えるかもしれないが、実際面で、サービスエコノミーへの移行に追いついていくために必要な次のステップであり、サービスエコノミーは臨時雇用と、消費者の需要への迅速な対応なしにはやってかいかれない。あらゆる業界で請負業務の重要性を認めたら、どのようなことになるのか？　基本から始めて、コモンズを枯渇させるのではなく育むために何を変える必要があるかを、まず考えてみよう。

解決策9：新たな商事改善協会（ベター・ビジネス）としての労働組合とプラットフォーム協同組合

オンデマンドワーカーが職務経験と評価を積み重ねることを可能にするような、プラットフォームからは独立した第三者の記録機関が必要だ。

ワーカーはどこで次のギグを請け負うにしても、自分の業績の記録を持ち込むことができてしかるべきだろう。その記録は典型的な履歴書とは違う。それを扱う機関はワーカーの代理人が管理し、どのプラットフォームを介したものかに関係なく、それまでの雇用者やリクエスターからの、認証済みのフィードバックをワーカーが示すことを可能にする。プラットフォームには、このポータブルな推薦状の束を、ワーカーのそのプラットフォームでのプロフィールの一環として載せることを義務付けることができるだろう。

こうした記録機関は、オンデマンドエコノミー版のベター・ビジネス協会として機能し、ワーカーの身元と評価を認証することができ、そうすることで、プラットフォームに杜撰な仕事や詐欺まがいの仕事を次々に納品する比較的少数の悪人を遮断するために現在投入しているエンジニアリングのコストを企業が節約することを可能にする。

記録機関にワーカーの評価の信頼性を高めてもらうのと引き換えに、企業にはワーカーの要求に対する責任を持たせることができるだろう。たとえば、企業にワーカーのアカウントの使用停止処分や禁止処分を登録することを義務付けることが可能だろう。そうすればワーカーは、特定のプラットフォームで仕事の機会を得るのを不公正に妨げられたと感じたときには、その企業の措置に公然と抗議する手段を持つことになる。

現時点では、ワーカーはアカウントの使用停止や報酬の支払い停止に抗議する**正式な権利**

がないので、特定のプラットフォームを使って仕事を探すのを妨げられたときには、助けはほとんど、あるいはまったく得られず、事情を訴える道も与えられない。事前の警告もないまま、プラットフォームのアカウントから締め出され、明確な理由の説明も受けられなかったワーカーに、私たちは何人か出会った。

理想をいえば、合衆国労働省がこの記録機関の一翼を担えるといい。そうすれば、統計に含まれないままにされることが多いこの急成長中の労働力を支援し、視野に入れ続ける明確な手段が手に入る。記録機関は、この臨時労働の世界のために、労働委員会として機能しうる。この世界は、はっきりしないバーチャルな職場で組織化して団体交渉するための新しい戦略を必要とするだろうからだ。労働団体にワーカーの評価を保護させれば、二一世紀の労働にとっての、そうした団体の重要性が増す。

従来の形での労働者の組織化や労働組合への参加も効果をあげられるだろうが、未来のワーカーの声や交渉力に効力を持たせるには、共有される物理的労働環境の不在に取り組む必要が出てくる。同じ場にいることで連帯を強めるのは、しだいに難しくなるからだ。オンデマンドの独立業務請負業者がすでにどのようにして協同関係を築いているかを観察し、彼らが自営の業務請負業者としてのアイデンティティーを育てていくまさにそのなかで、共通の目的意識を巧みに作り出すことも求められるだろう。私たちは研究しながら、それが現に起こっているのを目にし、希望を与えられた。

解決策10：未来のワーカーたちのためのセイフティーネット

このセイフティーネットには、より詳しく説明する価値のある、大切な構成要素がいくつかある。

・セイフティーネット【パートA】：オンデマンドビジネスに国民皆保険制度、有給の家族休暇、市町村のコワーキングスペース、継続教育が必要な理由

前の章に出てきたドアダッシュの例を思い出してほしい。

この企業は、配達人をストライドという第三者サービスに結び付け、医療費負担適正化法を通して健康保険に加入できるようにしていた。ドアダッシュは、実店舗型のスーパーマーケットチェーンのウォルマートと同じように、現在、自社のワーカーの医療ニーズには公的な助成金に頼っている。

ジョーンやザッファーのようなワーカーは、医療ニーズに対応する資金が心もとない。だが、記録上の雇用者に医療サービスを提供してもらえないワーカーに未来がかかっているのだとしたら、社会はその現実を反映した代替策を必要とする。寛容な立場を取り、国民皆保険制度が望ましい、と主張する人々もいる。病人は社会全体に面倒を見てもらえて当然というわけだ。

企業は健康な労働者のプールを必要としており、人々のプールを健康に保つには、全員の予防的で包括的なケアこそが最も費用対効果の高い方法となる。それがオンデマンドエコノミーの最終利益にまつわる動かし難い真実だ。そして、「失業中」という状態はもう理に適わなくなるから、誰も家族の介護や赤ん坊の養育と、生活費を稼ぐための仕事のどちらかを選ばなくても済むように、労働年齢の全成人が有給の家族休暇を取れてしかるべきだ。

それに劣らず重要なのだが、ワーカーが必ず健康的な労働条件を確保できるようにしなければならない。労働安全衛生局は、市町村が後援するコワーキングスペースに、人々が画面の前で働いている間に姿勢を維持するのを助ける人間工学を提供すれば、新たな意義を獲得できるだろう。

常時稼働ワーカーと多くの常連ワーカーはホームオフィスのスペースを持っているのが当たり前で、彼らはそこを出れば仕事日を終わりにできる。だが、もし私たちの行なった面接が労働の将来について示唆していることがあるとすれば、それは私たちが、体に合わない椅子や折り畳み式テーブルのある場所を主な作業空間としているせいでもたらされる、公衆衛生の危機へ向かっていることだろう。現在、地元のコーヒーショップを混雑させている自営業者のニーズを公式に満たすように図書館その他の公共施設の設備を整えることによって、彼らのコストが削減できれば、働くためにもっと広い場所やもっと座り心地の良い場所が必要な人々は、大いに救われるだろう。

最後に、時代後れの職業再訓練や履歴書作成講座を市町村が運営するのには巨額の費用がかかるが、そのお金は、地元住民に教育給付金として配り、地元や地方やオンラインの機関で講座を取れるようにしたほうが有効だろう。

人間の知能に求められるのは、知恵を絞りながら問題に取り組んで、タスクを完了するのに必要な能力を突き止めたり、仕事を終えるための助けを見つけたりすることが大半となる。ワーカーは、大学で受ける初期訓練と、学び方を学ぶためのオリエンテーションを済ませた後も、たえず新しいツールに馴染み、次にどんな教育を受けるべきか考える必要がある。一般教養教育は受けていて当然だ。その上で、教育は今や「オンザジョブ・トレーニング」の一環であり、オンデマンドワーカーだけでなく彼らに業務を委託する側にとっても欠かせない。

・セイフティーネット【パートB】：成人労働者全員に被雇用者として基本給を払う

サービス従業員国際組合のリーダーを長年務めてきたアンディ・スターンのように、**ユニバーサル・ベーシックインカム**（最低生活保障、略称「**UBI**」）を支給し始める時が来た、と主張する人もいる。[14] これは新しい考え方ではない。民主主義といった、他の啓蒙運動の理想と共に流行し始めたものだ。

当初、UBIは次のように擁護された。もし国民がUBIを受け取れば、国は福祉国家の管理というパターナリズム（父親的温情主義）の仕事から抜け出すことができる。国は、誰が支援を受けてしかるべきかを決める役割や、誰が助けを受けて当然で、どんな種類の助け（チーズの塊あるいはリンゴ）が最もふさわしいかという道徳的レンズを通して資源を分け与えるシステムを運営する役割も、もう果たすことがなくなるというわけだ。これはＵＢＩが与えてくれる選択の自由を擁護する主張として理解できるかもしれない。

哲学者のフィリップ・ヴァン・パリースが広めた第二の擁護論は、国民国家は全国民が好きなように時間を過ごせるように、できるかぎり多くの金銭的支援を提供することに力を注ぐべきである、というものだ。人生は生活をして社会を組織することに費やされるべきだ、とヴァン・パリースは主張した。国家の資金はそのような機会への平等なアクセスを最大化するために使われるべきだという。

ＵＢＩの社会的な価値についての最後の考え方では、ＵＢＩを民主主義そのものにとっての資産と見なす。誰かが自力で食物や住まいを確保できなければ、資源へのアクセスを維持するために専制的な支配を支持することを強要されうる。思想家のトマス・ペインは、ＵＢＩがあれば国民は彼らの経済的絶望に付け込もうとする独裁者にノーと言う能力を保証できると感じた。ＵＢＩは、限られたスキルしか持たないワーカーが、テクノロジーの進歩についていかれなくても、後に取り残されないようにする手段として注目されるようになった。

だがＵＢＩは、「低スキル」のワーカーはいったん機械に負けて職を失えば、何の選択肢も残っていないから、最低限の経済的保障が必要だという前提に立っている。

このロジックには問題がある。ＡＩがいずれすべてを征服し、人間はＡＩの進歩にとっては無意味になるか、あるいはＡＩが提案するサービスを拡張しているだけになるかのどちらかだと決めてかかっている。ところが、プラットフォームではありふれている、タスクの継続的な発生の歴史が示しているとおり、**ＡＩの未来から人間が消えてなくなることはない。**

人間の労働は、当分は必要とされるだろう。ＡＩと人間が補い合い、互いの価値を高めると考えれば、次の問題は、人間が必要かどうかではない。真の疑問は、人間はいつ、何のために必要とされるか、だ。

フルタイム雇用の歴史は、私たちが生産性を最大化するには定められたシフトに就かせる人間を確保しておく必要があることを前提としてきた。だが、オンデマンドの情報サービスエコノミーは、それとはまったく違う原理で機能している。人が最も必要としているのは満足できる助けを今すぐ受けることだ、というのがそのエコノミーの前提だ。そうした助けをただちに提供するためには、いつも待機していて働く気のあるオンデマンドワーカーのコモンズを支援し、確保しておく必要がある。彼らはもう、単一の企業が投資して単独で維持する資産ではない。彼らは、人間の柔軟な判断力への需要があるときにはいつでもどこでも、消費者の無数の要望に応じるために必要とされている。

今日のＵＢＩの提唱者は、自動化に切り裂かれた傷につける薬としてＵＢＩを推奨し、

「スキルの階層の底辺に位置する、あの哀れな間抜けたち！　慈悲の心を起こし、助けてやろう」といった物言いをする。これは、労働の未来がオンデマンドの契約労働にどれほど依存することになるかを無視している。

　私たちは、ＵＢＩを求める声にはこう応じる。オンデマンドエコノミーに貢献している人にはすべて、企業と消費者が折半で定期の定額報酬を支払うのが、経済的に理に適っている、と。弁護士その他の専門家に支払われる定額の顧問料と同じで、この定額報酬は、オンデマンドエコノミーを持続可能にしてくれる、健康で、常に業務を引き受けられ、たえずアップデートを続ける労働力を私たちが共同で維持する必要があることを認めるものだ。

　このような新しいポータブルな給付金は、労働年齢の成人全員の資金と、現在、公的給付金の処理に費やされている政府資金と、法人税で賄う。集めた資金をコモンズのプールに投入し、それぞれのワーカーの年金や定額報酬、有給休暇、医療費といった社会保障給付金に充てる。[15]この労働力は、従来とは異なる給付金とセイフティーネットを必要とし、それを享受するに値する。世界中の勤勉な人々の労働は、ＡＩの台頭によって目に見えないものや不明瞭なものにされてはならない。サプライチェーンに梃入れして労働慣行の持続可能性を高めることの価値を、すでにビジネスに教えてくれた産業は他にいくつもあるのだ。

私たち全員のための解決策：消費者行動

アメリカ全土の学生、労働者、宗教信者、消費者を組織して連携させ、二〇一一年にフェアフード・プログラムの実施に漕ぎ着けるまでには、一七年近くかかった。

このプログラムは、トマト栽培にかかわる労働者たちによってフロリダ州のイモカリーで始まった。組織化に精を出したおかげで、ジョージア州、サウスカロライナ州、ノースカロライナ州、メリーランド州、ヴァージニア州、ニュージャージー州のトマト農場や、フロリダ州のイチゴ農場とペッパー農場にも広まった。

大型の食料雑貨店やレストランに呼び掛け、アメリカでも賃金が最も低く、最も待遇が悪い部類の農場労働者の賃金と労働条件を改善するのに一役買ってもらった。マクドナルドやウォルマート、トレーダージョーズ、ソデクソ、アラマーク、ホールフーズ、チポトレが、少額の割増金（農産物一ポンド当たり一～四セント（訳註：一ポンドは約四五四グラム））を払い、それを農場労働者の賃金に直接回すことに同意した。

また、労働条件のさまざまな改善を保証する「フェアフード行動規範」に署名した生産者からしか農産物を買わないことも約束した。これは、企業と消費者と、請負仕事や季節労働を通して彼らのために価値を生み出している人々にとってより良い結果を生み出すために、消費者や労働者、生産者、法人バイヤーが協同できることの一例になっている。

これに劣らぬほど胸の躍る例が、バングラデシュの「**火災予防および建設物の安全にかかわる協定**」だ。これは、史上最多の死傷者を出した縫製工場事故である、二〇一三年のバングラデシュでのラナ・プラザ崩壊を受けて成立した。

この施設は非工業用の粗悪な材料を使って建てられ、工場が三階分、違法に増築されて過剰な負荷がかかっており、労働者一一〇〇人が圧死し、二五〇〇人が負傷した。五日後、ロンドン中心部にあるファストファッションのプリマークの店を人々が取り囲んで抗議し、同社を非難した。建物の崩壊と厖大な数の死をもたらした怠慢は、何百もの有名ブランドの衣料品製造業者の責任でもあり、プリマークもその一社だというのだ。

バングラデシュの繊維労働者や衣料労働者を代表するさまざまな組合と連携し、不買運動を展開した消費者や権利擁護団体の懸命な努力の甲斐があって、数か月後には、二〇〇を超えるブランドが非を認めた。これらの企業は、バングラデシュの労働者たちの働きと、彼らが生み出した価値の恩恵を受けているのだから、自社のサプライチェーンの労働者の安全に責任があることを表明した。

ラナ・プラザを使って消費財の縫製をしていたアルディノードやアルディズード、プリマーク、プーマ、アメリカンイーグルといった企業が前述の協定に署名した。ラナ・プラザを使っている衣料品メーカー最大手のなかには、ウォルマートやギャップ、ターゲット、メイシーズなど、労働者の安全と労働条件を改善する、法的な拘束力のあるこの協定に署名するのを拒む企業もあったが、ヨーロッパの同業者の多くは現に署名した。

フェアフード・プログラムとバングラデシュの協定は、旧来の製造業のサプライチェーンの労働者に対して私たち全員に責任を持たせる方法の手引きになる。消費者は、自らの購買活動が労働者を危険にさらすことを知り、労働者と共にフードサービスと衣料品製造者に圧力をかけるのに決定的な役割を果たした。それとちょうど同じように、そのような認識と努力は、オンデマンドエコノミーに持続可能性と尊厳をもたらす上で、重要な役割を果たすことができる。

また、企業には私たちの食品や衣料を製造するときの労働慣行に責任を持ってもらう必要があるのとちょうど同じで、オンデマンドのタスクを生み出しているワーカーと、消費している人々の両方に対しても、企業には責任を持ってもらわなければならない。ゴーストワークを最大限に活用するには、肝心な事実を知る必要がある。それは、**この種の労働の未来に向けた、決め手となるようなソフトウェアやプラットフォームを作ってくれる人は誰もいないだろうという事実**だ。そこではワーカー自身――専門化し、専門知識を教え合う同業者のネットワーク――が、紛れもないスーパーコンピューターなのだ。

本書で調べた人々と同じで、読者もさまざまな役割をいっぺんにこなしながら、知ってか知らずか、家族の一員、労働者、事業主、消費者、国民としてゴーストワークに巻き込まれているることだろう。つまり、私たちの誰もが、目の前のタスクで演じるべき役割があるということだ。なぜなら、これまで詳しく述べてきた技術的な解決策や社会的な解決策は、テクノロジストと労働運動家と政策立案者の間で簡単には分割できないからだ。

それらの解決策を実現するには、全員の協力が求められる。

ゴーストワークを日の当たらない場所から引き出してくるには、事業主と政策立案者と消費者と国民が、力を合わせる必要がある。私たちが互いに行なう価値ある貢献を認めるような未来に向けて、雇用の在り方を改めるには、すべての人が心を一つにして取り組まなければならないのだ。

謝辞

本書は、膨大な数のワーカーやエンジニアやビジネスリーダーが気前良く時間を提供してくれていなければ、そして多くの場合には、私たちを家庭に招き入れて、生活を垣間見させてくれていなければ、存在していないだろう。本書で紹介できたのは、研究に参加してくれた人のうち、ほんの一部にすぎないが、このプロジェクトの強みは、この新しい労働の世界で出会えた人全員に由来する。これほど多くの人々から学ぶ機会を得られて、なんと幸運だったことだろう。私たちを信じてさまざまな見識を委ねてくれたこれらのみなさんに感謝するとともに、みなさんが克明かつ寛大に伝えてくれた関心事や声を、正確に漏れなく再現できたことを願っている。

そして、オンデマンドワークに対するワーカーの視点に進んで光を当ててくれた方々に大変なお世話になったことは間違いないものの、彼らの視点は、私たちの研究チームのメンバーの献身と素晴らしい才能がなければ、調べたりまとめたりすることはできなかっただろう。以下の方々にお礼を言いたい。ウェイチュー・チェン、サラ・キングズリー、グレゴリー・ミントン、ミン・インは、定量的な元データの解析に貢献してくれた。サイイド・ショアイブ・アリ、ディープティ・クルカルニ、ジェイソン・クオールズ、キャスリン・ジスコウスキーは、本書の定性的なデータの解析に貢献してくれた。研究を進めるなか、アンドレア・アラーコン、サラ・ハミド、レベッカ・ホフマン、ケイト・ミルトナー、クリストファー・パーソード、スティーヴン・シラーが貴重な手助けをしてくれた。みなさんの熱意と知的洞察力は、この研究の核にある、見ず知らずの人の優しさと協同の力の実例だ。

メアリーの謝辞

本書の執筆中、大恐慌時代を生き抜いて鍛えられた私の元気な親たちは、次々に健康上の問題を乗り切った。二人に会いに行くたびに、私の雇用者が提供してくれる、気前の良い医療保障と有給の家族休暇のありがたみを感じた。私はそのような配慮の恩恵に浴した。それなしでは本書を書き終えられなかっただろう。

家族全員の医療費を全額支払っているオンデマンドワーカーの面接をするたびに、私の雇用者が提供してくれる医療保障と、オンデマンドで働いている人々の選択肢の乏しさとの間の格差に、しだいに腹が立ってきた。実際には、グローバルなオンデマンドエコノミーは、各地に散らばるワーカーとその家族が健康を保てなければ成り立たない。私の所属するような企業は、オンデマンドエコノミーに価値を与えている、あるいはいつか与えるかもしれない人々全員が医療を受けられるように働き掛けることで、誰よりも得をするだろう。本書は、ワーカーの健康を運に任せるような慣行に終止符を打つために、ビジネス上の明確な根拠を提供できるといいのだが。

私は、マイクロソフトリサーチの特徴である気前の良い知的有識者集団と、前例のない同僚間の協調関係からも大いに恩恵を受けた。まず、共著者のシッダールタ・スリに感謝するところから始めたい。彼は、コンピューター科学と人類学を組み合わせる、前人未到の分野でのこの探究に進んで乗り出し、道々、多くの穴や怪しげな脇道に出くわしながらも、最後までやり抜いた。

自分の研究から離れて時間を取るのを厭わず、「質問の好み」や科学へのアプローチを教えてくれた辛抱強い協力者のサラ・キングズリー、グレゴリー・ミントン、ジェン・ワートマン・ヴォーン、ミン・インにも、ありがとうと言いたい。インドでの実地調査を可能にしてくれたディープティとショアイブという、研究チームのあと二人のメンバーには、特にお世話になった。あなた方は並外れた民族誌学者で研究者だ。私の友人でもあると、喜んで言える。本書の論証のいくつかは、あなた方の不断の努力と不屈の精神がなければ、存在していないだろう。

私は気の向くままに人類学、コミュニケーション学とメディア学、クィア理論ですでに学術的な教育を受けてきていたが、さらにその枠を超える試みをする間、ニューイングランド研究所の仕事仲間たちは、豊富なフィードバックと励ましと忍耐力の源泉であり続けた。そして、マイクロソフトリサーチの優秀なスタッフの支援がなければ、私たちの誰一人として、これほど自由に楽々と考えを交換できないだろう。みなさんのおかげで、私たちはなんとかやり抜くことができるのだ。マイクロソフトリサーチで私たちが揃って思う存分力を発揮できるのは、みなさんあってのことにほかならない。

同僚のナンシー・ベイムは、私の知的世界となったマイクロソフトリサーチ・ソーシャルメディアコレクティブ（SMC）というグループは「すごい人たちを集めてくる」と好んで言う。私たちのグループの創設者のダナ・ボイドは、（少なくとも私にとっては）いくぶん意外にも、二〇一二年に私を仲間に加えてくれた。それには心から感謝している。

私がこのプロジェクトに取り組んでいる間、マイクロソフトリサーチのニューイングランド研究所に出入りしていたSMCのかつてのメンバーと現在のメンバーにもお礼を言いたい。イフェオマ・アジュンワ、マイク・アナニー、ステイシー・ブレイシオラ、サラ・ブレイン、アンドレ・ブロック、ジェド・ブルーベイカー、ジーン・バージェス、ロビン・キャプラン、アリーナ・チア、ニック・クールドリー、ケイト・クローフォード、ジェイド・デイヴィス、ジュディス・ドナス、ポール・ドウリッシュ、ケヴィン・ドリスコル、ステファニー・デュゲイ、マイケルアン・ダイ、ニコール・エリソン、メガン・フィン、イザベル・ジェラード、キションナ・グレイ、ダン・グリーン、ジャーメイン・ヘイレグア、キャロライン・

ジャック、ヘンリー・ジェンキンズ、テロ・カーピ、エイリ・ランピネン、ジェッサ・リンゲル、ソーニャ・リビングストーン、エレナ・マリス、アネット・マーカム、アリス・マーウィック、Ｊ・ネイサン・マティアス、ジョリー・マシューズ、シャノン・マグレガー、トレシー・マクミラン・コットム、ジョシュ・マクヴェイ＝シュルツ、アンドレス・モンロイ＝ヘルナンデス、シャリフ・モウラボウカス、ディラン・マルヴィン、ローラ・ノレン、スザンナ・パーソネン、ニック・シーヴァー、ルーク・スターク、ジョナサン・スターン、トム・ストリーター、ヤロスラフ・スヴェルチ、ラナ・スウォーツ、Ｔ・Ｌ・テイラー、カトリン・ティイデンバーグ、ペニー・トリウ、シヴァ・ヴァイディヤナサン、ショーン・ウォーカー。

ＳＭＣ（特にその客員研究員プログラムと博士研究員制度と博士課程インターン制度）を通して育まれたこの驚異的な学究コミュニティーは、計り知れない形で本書を方向付けてきた。ＳＭＣのメンバーは一人の例外もなく、公共のための活動に熱心な批判的学問を模範としており、それがはっきりと指し示してくれた道を私はたどることができた。本書も真剣な創造的作品がみなそうであるように、提示する主張はすべて個人のものではなく、ＳＭＣの寛大さと支援が合わさった成果だ。この研究を進める間ずっと、みなさんは私の思考を育ててくれた。どれだけお礼を述べても足りない。あえていうなら、当面は、みなさんの一人ひとりに、お祝いの飲み物の最初の一杯をご馳走するつもりだ。

そして、特別の感謝を捧げる必要があるのがナンシー・ベイムとタールトン・ギレスピーで、二人には世界中のカクテルをもってしても埋め合わせられないほど莫大な借りがあることはいうまでもない。あなた方のおかげで、私は毎日仕事に行くのが楽しいし、日々賢くなれる。あなた方なしでは、この「ストレッチゴール」のような広大なプロジェクトを、私は生き延びられなかっただろう。

このプロジェクトを本にするのには、ニューイングランド研究所とニューヨーク市研究所のリーダーであるジェニファー・チェイズとクリスチャン・ボーグズが必要だった。私を信頼してアメリカとインドをたっぷり飛び回らせてくれ、あなた方が研究所に根付かせた学問の自由をなおさら自由奔放に享受するのを許してくれたことに感謝する。あらゆる研究者がそのような揺るぎない支援を受け、学際的な批判的研究を助成してもらえれば、どんなに素晴らしいことだろう。

私たちの原稿がゴールにたどり着くのを助けてくれた、ホートン・ミフリン・ハーコート社の方々全員、特にリズ・アンダーソン、ローリ・グレイザー、ローズマリー・マクギネス、ミシェル・トライアント、リック・ウォルフと、手際良くコピーエディティングをしてくれたウィル・パーマーに感謝する。また、初期の原稿の推敲に知恵を貸してくれ、それを世に出すのを手伝ってくれた、スターリング・ロード・リテリスティック社のアリソン・マッキーンとジェニー・スティーヴンズと専門家チーム、さらに、イーモン・ドーラン、ジョゼフ・カレイミア、グレン・クラモンら、文芸の心得のある方々にもお世話になった。

ベンガルールでの実地調査を可能にしてくれたのが、マイクロソフトリサーチ・インディアの気前の良い支援だ。また、ダニエル・デブロエック、ポール・エステス、エリック・ホーヴィッツ、テリーサ・ハトソン、ジャッキー・オニール、イゴール・ペリシック、ニック・ピャーティ、T・K・レンガラジャン、ジェイミー・ティーヴァンにもお世話になった。彼らはマイクロソフトでの私たちの研究のファンと擁護者になってくれた。ラジェシュ・パテルの支援と知恵にも、特別のお礼を言いたい。

本書には、以下の機関が主催した招待講演を通して書き直した章もある。アメリカ労働総同盟・産業別組合会議、アメリカ芸術科学アカデミー、経済政策研究所、連邦準備制度理事会、ノースウェスタン大学、オックスフォード大学、サービス従業員国際組合、テレコム・パリテック（国立高等電気通信学校）、カリフォルニア大学サンディエゴ校、マサチューセッツ大学アマースト校、パリ・ソルボンヌ大学、南カリフォルニア大学。私がインディアナ大学とマイクロソフトリサーチの橋渡しをするのを許してくれた、ローレン・ロベルとインディアナ大学インフォマティクス・コンピューティング・エンジニアリングスクール、メディアスクール、人類学部、ジェンダー研究学部の同僚たちにも感謝したい。同大学の教職員の一員であるのは光栄なことだ。産業ベースの研究所と大学が、テクノロジーと社会の交わりを研究する責務と、社会的責任のあるテクノロジーを構築する次世代の学者養成の責務を分かち合うことの価値を、本書が実証してくれることを願っている。

レイバー・テック・リーディンググループの友人たち、特に恐れ知らずのファシリテーターのウィニフレッド・ポスター、原稿の特定の部分にコメントしてくれた労働者組織関係、マインドフルネス関係、テクノロジー関係の友人たち、特にアレリ・アルカラ、トム・オールデン、リサ・ブレイデン=ハーダー、アントニオ・A・カッシーリ、ジェシカ・シャンペーン、ニック・クールドリー、スティーヴン・ドーソン、ポール・ドウリッシュ、ナタリー・フォスター、ウォルト・ガンツ、リリー・イラニ、ディーン・ジャンセン、ヘンリー・ジェンキンズ、エイリ・ランピネン、ローシェル・ラプラント、マーガレット・レヴィ、クリスティ・ミランド、ジーナ・ネフ、ティム・オライリー、シャニ・オーギャド、アンダース・シュナイダーマン、ジュリー・ショア、パラク・シャー、レベッカ・スミス、マックス・トス、デイヴィッド・ワイル、ハーヴァード大学の「インターネットと社会のためのバークマン・クライン・センター」、特に、思慮深いヨケイ・ベンクラー、レベッカ・タバスキー、デイヴィッド・ワインバーガー、そして、素晴らしい倫理テクノロジーワーキング・グループ（「共謀者」のキャシー・ファムについては特別、声高に言っておきたい）——の全員が一人残らず、草稿の章を読んだり、あるいは、それらについて私が語るのを聞かされるのを耐え忍んだりした。ありがとう。

最後に、私が家族のように思っている人々、特に、原稿を読んでくれたり、いっしょに散歩してくれたり、愛情と気遣いをたっぷり示してくれたりしたT・L・テイラー、書き物机の前で苦しんでいる朝を巧みなコーチングで切り抜けさせてくれたアンドルー・ブロスナン、友情は仕事を継続させる上で強力な手段となると繰り返し言ってくれたデイヴィス女性サークルとメンバーの家族たち。みなさんのおかげで、現実に根差し続け、元気を出すことを忘れずに済んだ。それから、この研究を大いに気に入って絶え間なく熱意を示してくれたガスリー一家とタッカー一家とその縁者たち。ありがとう。今度はノートパソコン抜きで、みなさんの家族の活動に加わるのが待ち切れない。

私は本書を母のアイラ・タッカーと父のジョージ・タッカーに捧げたが、執筆しているときに、人生と、本に関するあらゆることでのパートナーのキャサリン・ガスリーへの愛と傾倒をこれまで以上に深めた。私たちが二人ともわずか数か月違いでそれぞれ本を書き終えることになろうとは知らなかった（おっと！）。キャサリンが彼女の作品に注ぎ込んだ技巧を目の当たりにすると、謙虚にならざるをえなかった。彼女が念入りに選んだ言葉を通して人々が自らを考え直すところを目にすると、この世の中での自分の経験を語るのが重要であることを思い知らされる。キャサリン、あなたは常にそばにいてくれる、信頼できる存在だ。一つ残らず文を読んでくれ、自分と他者に思いやりを持ちながら自分の思考と執筆の能力を試すのを助けてくれて、ありがとう。二人が次に書くものを目にする日が待ち遠しい。

シッダールタの謝辞

何よりもまず、妻のミランダに感謝したい。彼女の支えがなければ、このプロジェクトで私が分担した箇所はやり遂げられなかっただろう。どんなときにも、私たちはいっしょであり、そのおかげで私の人生が良くなる。いつも正しいことをし、勤勉の価値を示してくれた両親にも感謝したい。あなた方は偉大な親で、卓越したお手本だった。ダン・ゴールドスタイン、ジェイク・ホフマン、ウィンター・メイソン、セルゲイ・ヴァシルヴィツキー。みなさんは揃ってりっぱな科学者であり、それ以上に素晴らしい友だ。一人ひとりから学べたことのいっさいと、みなさんを友人に持てたことに感謝する。

生涯の友であるジョン・ボイルズ、マーク・コーリスとステファニー・コーリス夫妻、ボウロス・ハーブ、ジョージ・カニイ、ショーン・ナッペンバーガー、スティーヴ・ミュア、ジェブ・ホワイト、リック・ザワツキー。みなさんの一人でも欠けていたら、ここまでたどり着けなかっただろう。

私は自分のキャリアを通して、マックス・ミンツ、サンパス・カンナン、マイケル・カーンズ、ジョン・クラインバーグ、エヴァ・タルドス、ダンカン・ワッツ、プレストン・マカフィーら、先駆的なメンターたちの指導を受けられて幸運だった。私が今のような科学者になれたのは、みなさんの導きのおかげだ。研究に対する「百花齊放（ひゃっかせいほう）」アプローチを取るジェニファー・チェイズとエリック・ホーヴィッツにお礼を言いたい。本書も花の一つに数えてもらえることを願っている。

ニューヨーク市のマイクロソフトリサーチのメンバー全員に、この研究所をこれほど生き生きとした活動的な働き場所にしてくれたことを感謝している。ショアイブ・アリ、ウェイチュー・チェン、サラ・キングズリー、ディープティ・クルカルニ、グレゴリー・ミントン、特にミン・インをはじめ、このプロジェクトに貢献してくれたインターンや博士研究員、研究助手全員にも心からお礼を言いたい。

また、私の調査研究のすべてに参加してくれたワーカーたちにも感謝する。みなさんがいなければ、この研究は一つとして実現しなかっただろう。リクエスターの面接を手伝ってくれたニック・ピャーティとダニエル・デブロエック、ありがとう。最初からこのプロジェクトに加わるように声を掛けてくれた共著者のメアリーには特別にお礼を言いたい。

最後に、私たちの研究を世間の目に見える場所に持ち出す上で専門的な手引きをしてくれたエイモン・ドラン、リック・ウォルフ、ローズマリー・マクギネス、アリソン・マッキーン、ジェニー・スティーヴンズ、ウィル・パーマーにも感謝する。

方法に関する付録

本書の定量的な主張の根拠として使った方法とデータの説明は、以下の研究出版物より。それらは註にも挙げてある。

- Chen, Wei-Chu, Mary L. Gray, and Siddharth Suri. “More than Money: Correlation Among Worker Demographics, Motivations, and Participation in Online Labor Markets.” Under review, ICWSM '19: The 13th International AAAI Conference on Web and Social Media, Munich, Germany, June 2019.
- Gray, Mary L., Siddharth Suri, Syed Shoaib Ali, and Deepti Kulkarni. “The Crowd Is a Collaborative Network.” In *CSCW '16: Proceedings of the 19th ACM Conference on Computer-Supported Cooperative Work & Social Computing*, 134–47. New York: ACM, 2016.
- Kingsley, Sara Constance, Mary L. Gray, and Siddharth Suri. “Accounting for Market Frictions and Power Asymmetries in Online Labor Markets.” *Policy & Internet* 7, no. 4 (December 1, 2015): 383–400. https://doi.org/10.1002/poi3.111.
- Yin, Ming, Mary L. Gray, Siddharth Suri, and Jennifer Wortman Vaughan. “The Communication Network Within the Crowd.” In *WWW '16: Proceedings of the 25th International Conference on World Wide Web*, 1293–1303. Geneva, Switzerland: International World Wide Web Conferences Steering Committee, 2016. https://doi.org/10.1145/2872427.2883036.
- Yin, Ming, Siddharth Suri, and Mary L. Gray. “Running Out of Time: The Impact and Value of Flexibility

in On-Demand Crowdwork.』 In *CHI '18: Proceedings of the 2018 CHI Conference on Human Factors in Computing Systems*, 1–11. New York: ACM, 2018. https://doi.org/10.1145/3173574.3174004.

以上の論文は、行なわれた調査、実験、定量的解析に的を絞っている。以下には、本書で取り上げたゴーストワークの実体験を説明するのに使ったエスノグラフィー（民族誌）と面接の資料を、どのように集めたかを詳細に示す。

◆エスノグラフィーの実地調査と面接

本書は、メアリー・L・グレイが主導した、アメリカとインドでのエスノグラフィーの共同実地調査を拠り所としている。マイクロソフトリサーチの倫理諮問員会がこのプロジェクトの企画を審査し、二〇一三年一月に調査を承認した。私たちのチームは、研究に参加してくれたワーカーを対象に、参与観察に加えて、一八九件（インドで一一五件、アメリカで七四件）の詳細な面接と、合計で何百時間にも及ぶ非公式の追跡面接を実施した。場所は、彼らが働いたり、仕事仲間と集まったりする、ホームオフィスその他だった。エスノグラフィーの観察のおかげで、人々のオンデマンドワーク体験が理解できたし、彼らがこの仕事や、自分の日常生活とこの仕事との関係をどう捉えるようになったかもわかった。

インドでの定性的調査チームはショアイブ・サイイド・アリとメアリー・L・グレイとディープティ・クルカルニから成り、二〇一三年二月一〇日〜二〇一五年三月一二日にインドですべての実地面接と観察を行なった。インドの主な参加者に対して、メアリーが二〇一七年に追跡面接をオンラインで実施した。

研究調査の回答と（第5章で説明した）居住地マッピングＨＩＴから得られた手掛かりをもとに、インドでの面接と実地調査は、ハイデラバードとベンガルールとチェンナイという三大ＩＴ中心地に加えて、南部のケララと北部のデリーの一部に対象を絞った。インドでのインタビューの大半は、人々の自宅か地元のカフェか公園で行なった。面接では、参加者と時間を過ごすとともに、たいていは彼らの自宅でも会って、仕事場所の様子を確認し、どのように仕事をしているかも、実際にやってみせてもらった。面接の時間は一〜三時間だった。最初の面接では、参加者がオンデマンドワークをして稼ぐのに費やせた時間を割いてくれたことを踏まえて、私たちと過ごした時間に対して、一時間当たり一五ドル相当の謝礼を渡した。実地調査では、参加者が自宅で家族や友人と過ごす様子も観察し、彼らが自分にとって重要だと言うクリケット場や市場、モスク、寺院などでの催しにも同行した。ディープティとショアイブは、インドでの実地調査の間、中核的な参加者四〇人と、毎週平均で四〇時間過ごし、メアリーは全期間のうちおよそ六か月、二人に加わった。

メアリーは、二〇一三年二月一〇日〜二〇一七年五月一二日のうち、インドに行っていない期間にアメリカでの実地調査と面接を行なった。さらに、インドでの実地調査のために準備したものに似た、自由回答式の半構造化面接の手順を使って、ジェイソン・クオールズとクリスティ・ミランドとキャスリン・ジスコウスキーが詳細な面接を実施した。アメリカでの実地調査は規模がずっと小さく、中核となる一五人の参加者をプロジェクトの期間中、メアリーが追い続けた。観察では、まず自宅を訪問し、ワーカーの作業空間と通常の仕事のやり方を確認すると共に、家族とのやりとりも見守った。その後のセッションと面接は、スカイプで行なった。時間的制約があり、また、調査回答やマッピング実験では、アメリカのワーカーには地理的な集中が見られなかったからだ。最初の面接では、各自が割いてくれた時間に対して、一五ドルの謝礼を渡した。ほとんどの場合、インドの参加者もアメリカの参加者も、追跡面接に対する支払いを受けることは辞退した。

面接の参加者は、以下のような三種類の方法で集めた。プラットフォームでの研究調査の最後に、本人の都合に合わせたスケジュールで対面での面接への参加を勧誘する。ワーカーに紹介してもらう。ワーカーのディスカッションフォーラムでオンラインで接触する。ほとんどの実地調査の参加者とは、この研究のために使った四つのオンデマンドワークプラットフォームで行なった研究調査の最後に組み込まれている追跡面接に参加してほしいという要請に応じてくれた後に会った。残りの参加者とは、スノーボール・サンプリング（雪だるま式標本法）と、何らかの形のオンデマンドワークをしたことのある友人や家族からの紹介で会った。本書で使った名前はすべて、研究参加者が選んだ偽名だ。これは彼らが、自分のネットワークに入っている他の人々の身元を暴露せずに名乗れるようにするためだ。研究参加者には、現役のワーカー、オンデマンドワークを試してみてやめた人、クラウドソーシングプラットフォームのエンジニア、起業家が含まれる。

本書のために解析したインドの参加者の面接は、主に英語で行なった。これらの面接は、対面で、英語でメアリーによって、あるいは、参加者の第一言語（母語）が英語でない場合には特に、ショアイブかディープティと共に実施した。ショアイブかディープティが一対一で行ない、後日、メアリーが精査した面接もある。研究参加者は全員、情報シートを渡され、この研究の目的を確認する機会を与えられた上で、口頭で参加に同意した。この研究では、ほとんどの参加者には文書による同意を求めることは見送った。承諾書自体が、参加者にとって唯一のリスクとなりかねないことを踏まえた措置だ。他のあらゆる面で慎重を期していても、承諾書を書けば、それが参加者を、彼らが働く場をときおり批判する研究への参加に結びつけるものとなってしまうからだ。

最後に、私たちはワーカーとの面接に加えて、マイクロソフト・コーポレート・ストラテジーの同僚たちと共同で、外部のコンサルティング企業と直接連携し、オンデマンドワーカーに業務を委託する人々の視点を理解するのに役立つような面接を実施した。これらの面接は、私たちが行なったわけではないが、私たちがプロジェクトを通して使ったのと同じ方法で同意を得て、対面で実施し、内容を録音して文字に起こした。コンサルティング企業は、リンクトインその他の求人サイトで募集した、さまざまな業界を代表する、五〇人のフルタイム従業員に面接した（二〇一七年七月〜一〇月）。シッダールタの主導で、文字起こししたこれらの面接の資料をテーマ別にコードした。私たちはこの資料を使って、本書で「マクロタスク」と呼ぶものをオンデマンドワーカーに委託している人々の視点と経験を解釈した。

註一覧

▼序

［1］「ゴーストワーク」という言葉は、この種の困難で骨の折れる仕事をしている人には、穏やかならぬもの、あるいは軽蔑的なもののように感じられるかもしれないという懸念はあるが、私たちはこの新しい現象の核心にあるアイロニーを効果的に伝える用語だと思っている。

［2］Aaron Smith, *Gig Work, Online Selling and Home Sharing* (Washington, DC: Pew Research Center, 2016). スミスによれば、二〇一六年にはアメリカの成人の八パーセントが前年に、オンラインのタスク（たとえば、調査やデータ入力）や配車、買い物／配達、清掃／洗濯、その他のタスクをしてお金を稼いだことを報告したという。Kidscount.org は、二〇一六年にはアメリカには二億四九七四万七一二三人の成人がいたと推測する国勢調査のデータを示している。したがって、およそ二億五〇〇〇万人の八パーセントから、本書の二〇〇〇万人という推定に行き着く。この調査の誤差の範囲は二・四パーセントだったので、もっと控えめに見積もれば、二億五〇〇〇万人の五・六パーセント、すなわち一四〇〇万人となる。興味深いことに、ピュー・リサーチ・センターの推定では、調査やデータ入力のようなオンラインのタスクをして報酬をもらったアメリカの成人の割合が五パーセントだったのに対して、配車で報酬をもらった人の割合はわずか二パーセントだった。

［3］James Manyika et al., *A Labor Market That Works: Connecting Talent with Opportunity in the Digital Age* (Washington, DC: McKinsey Global Institute, 2015), http://www.mckinsey.com/insights/employment_and_growth/connecting_talent_with_opportunity_in_the_digital_age.

[4] John Hawksworth et al., *UK Economic Outlook: Prospects for the Housing Market and the Impact of AI on Jobs* (London: PricewaterhouseCoopers, 2017).

[5]「バンガロール市」という名称は、公式には二〇一四年に「ベンガルール市」に改められたが、カーラを含め、地元民には通常は依然としてバンガロールと呼ばれている。

[6] Daniel W. Barowy et al., "AutoMan: A Platform for Integrating Human-Based and Digital Computation," *Communications of the ACM* 59, no. 6 (June 2016): 102–109, https://doi.org/10.1145/2927928; Siddharth Suri, "Technical Perspective: Computing with the Crowd," *Communications of the ACM* 59, no. 6 (June 2016): 101, https://doi.org/10.1145/2927926.

[7] Suri, "Computing with the Crowd," 101.

[8] アイシャは架空の人物ではない（私たちはベンガルールで彼女に話を聞いた）が、私たちが会ったときにはクラウドフラワーで働いてはいなかった。同社に登録しようとしたが、兄の助けを借りてMタークにアカウントを開いた後は、Mタークで定評を得ることにもっぱら時間をかけた。本書で示したのは、アイシャがクラウドフラワーで働くことにしたら、彼女の業務がどのようなものになっていたかを想像する、仮想の例だ。ワーカーの入れ替わりが激しく、ゴーストワークを裏で支えているワーカーを目にしたり追跡したりするのが困難なため、この労働の感じをつかむのが難しいのをはっきりと認識してもらえることを願っている。

[9] Erik Brynjolfsson and Andrew McAfee, *The Second Machine Age: Work, Progress, and Prosperity in a Time of Brilliant Technologies* (New York: W. W. Norton, 2014); Klaus Schwab, *The Fourth Industrial Revolution* (New York: Penguin, 2017); Erik Brynjolfsson and Andrew McAfee, *Race Against the Machine: How the Digital Revolution Is Accelerating Innovation, Driving Productivity, and Irreversibly Transforming Employment and the Economy* (Lexington, MA: Digital Frontier, 2012).

[10] Tarleton Gillespie, *Custodians of the Internet: Platforms, Content Moderation, and the Hidden Decisions That Shape Social Media* (New Haven, CT: Yale University Press, 2018), 18–19.

[11] 以下を参照のこと。 Frederick Daso, “Bill Gates and Elon Musk Are Worried for Automation —But This Robotics Company Founder Embraces It,” *Forbes*, December 18, 2017, https://www.forbes.com/sites/frederickdaso/2017/12/18/bill-gates-elon-musk-are-worried-about-automation-but-this-robotics-company-founder-embraces-it/; Jasper Hamill, “Elon Musk's Fears of AI Destroying Humanity Are ‘Speciesist’, Said Google Boss,” *Metro* (blog), May 2, 2018, https://metro.co.uk/2018/05/02/elon-musks-fears-artificial-intelligence-will-destroy-humanity-speciesist-according-google-founder-larry-page-7515207/; “Stephen Hawking: ‘I fear AI may replace humans altogether’ The theoretical physicist, cosmologist and author talks Donald Trump, tech monopolies and humanity's future,” *Wired*, November 28, 2017, https://www.wired.co.uk/article/stephen-hawking-interview-alien-life-climate-change-donald-trump.

[12] たとえば以下を参照のこと。 “Robots? Is Your Job at Risk?,” CNN, September 15, 2017; “When the Robots Take Over, Will There Be Jobs Left for Us?,” CBS News, April 9, 2017; “More Robots, Fewer Jobs,” Bloomberg, May 8, 2017.

[13] Alex Ross, *The Industries of the Future* (New York: Simon and Schuster, 2016); Stephen A. Herzenberg, John A. Alic, and Howard Wial, *New Rules for a New Economy: Employment and Opportunity in Post-Industrial America* (Ithaca, NY: ILR Press, 2000); Chris Brenner, *Work in the New Economy: Flexible Labor Markets in Silicon Valley*, Information Age Series (Malden, MA: Wiley-Blackwell, 2002).

[14] Scott Hartley, *The Fuzzy and the Techie: Why the Liberal Arts Will Rule the Digital World* (Boston:

Houghton Mifflin Harcourt, 2017). ハートリーは、アルファ碁の事例に的を絞っている。アルファ碁とアルファ碁ゼロはともに、二〇一四年にグーグルが買収した、ロンドンに本拠を置く研究所ディープマインドの独創的な所産だった。

[15] 二〇一八年四月一三日の、トーマス・G・ディータリッヒとの私的会話。有名なAI研究者のディータリッヒは、次のように語った。柯潔を破ったアルファ碁のバージョンは、囲碁のルールを「教えられ」た（コードを呼び出してどのような局面でもルールに即したあらゆる手を計算することができ、勝敗の定義を与えられた、という意味で）。人間の専門家どうしの対局の厖大なデータベースも与えられた。そのデータベースは、アルファ碁のために「教師あり学習」で序盤の打ち手の選択機能（「方策関数」）を訓練するのに使われた。それからアルファ碁は、自分の複製を相手に「セルフプレイ」をするという第二段階に取り組み（これは、一九五九年にアーサー・サミュエルが最初に開発したテクニックだと思う）、強化学習アルゴリズムを使って方策関数に磨きをかけた。仕上げに、さらにセルフプレイの対局をさせ、それぞれの局面でどちらが勝つかを予測する「価値関数」を学習させた。アルファ碁は対局中、価値関数を方策関数と組み合わせ、順方向検索（モンテカルロ木探索）に基づいて手を選ぶ。

[16] David Silver et al., "Mastering the Game of Go with Deep Neural Networks and Tree Search," *Nature* 529, no. 7587 (January 2016): 484–89, https://doi.org/10.1038/nature16961.

[17] 人間の作業と演算処理の組み合わせについての、理論的により充実した説明については、以下を参照のこと。H. R. Ekbia and Bonnie A. Nardi, *Heteromation, and Other Stories of Computing and Capitalism* (Cambridge, MA: MIT Press, 2017).

[18] Bureau of Labor Statistics, "Contingent and Alternative Employment Arrangements, May 2017," Economic News Release, U.S. Department of Labor, June 7, 2018.

[19] U.S. Government Accountability Office, *Contingent Workforce: Size, Characteristics, Earnings, and*

Benefits, GAO-15-168R (Washington, DC: Government Accountability Office, 2015).

[20] Lawrence F. Katz and Alan B. Krueger, “The Rise and Nature of Alternative Work Arrangements in the United States, 1995–2015” (NBER Working Paper Series, no. 22667, National Bureau of Economic Research, Cambridge, MA, September 2016).

[21] Diana Farrell and Fiona Greig, *The Online Platform Economy: Has Growth Peaked?* (JPMorgan Chase Institute, 2017).

[22] David Weil, *The Fissured Workplace: Why Work Became So Bad for So Many and What Can Be Done to Improve It* (Cambridge, MA: Harvard University Press, 2014).

[23] この研究は、もともとの定量的データ解析に貢献してくれたウェイチュー・チェン、サラ・キングズリー、グレッグ・ミントン、ミン・インと、本書の定性的データ解析に貢献してくれたサイエド・ショアイブ・アリ、ディープティ・クルカルニ、ジェイソン・クオールズ、キャスリン・ジスコウスキーがいなければ、不可能だっただろう。アメリカとインドで行なった実地調査とワーカーの面接、調査設計、第2章の歴史的解析、本書全体を通しての定性的解析はメアリーが主導した。オンラインの実験と本書全体を通しての定量的解析のいっさい、さらには第3章の同輩リクエスターの面接の定性的解析はシッダールタが主導した。アンドレア・アラーコン、サラ・ハミド、レベッカ・ホフマン、ケイト・ミルトナー、クリストファー・パーソード、スティーヴン・シラーも研究の途中で貴重な支援をしてくれた。

[24] Winter Mason and Siddharth Suri, “Conducting Behavioral Research on Amazon's Mechanical Turk,” Behavior Research Methods 44, no. 1 (March 2012): 1–23, https://doi.org/10.3758/s13428-011-0124-6.

▶第1章

[1] M. Six Silberman, “Human-Centered Computing and the Future of Work: Lessons from Mechanical

Turk and Turkopticon, 2008–2015" (PhD diss., University of California, Irvine, 2015).

[2] Brad Stone, *The Everything Store: Jeff Bezos and the Age of Amazon* (New York: Little, Brown, 2013).

[3] 同右。

[4] 同右。

[5] Mタークはジェフ・ベゾスその人の発案によるプロジェクトだったと噂されている。ベゾスはMタークのことを、社内で役立つだけではなく、やはり自らのリストの問題を取り除く手助けを必要とする販売者に役立つ新しい市場として収入を生むこともできるツールと見ていた。Stone, *The Everything Store* を参照のこと。

[6] Daniel W. Barowy et al., "VoxPL: Programming with the Wisdom of the Crowd," in *CHI '17: Proceedings of the 2017 CHI Conference on Human Factors in Computing Systems* (New York: ACM, 2017), 2347–58, https://doi.org/10.1145/3025453; Suri, "Computing with the Crowd," 101.

[7] アマゾンがこのプラットフォームに軽蔑的な名前をつけたことに対する批判が多く書かれてきた。ただし、アマゾンがそもそもこのプラットフォームを世間の目にさらすことを計画していたのかどうかははっきりしない。二〇〇五年に開設して以来、公式にはベータ版ということになっている。

[8] Kevin P. Murphy, *Machine Learning: A Probabilistic Perspective* (Cambridge, MA: MIT Press, 2012).

[9] Fei-Fei Li, "ImageNet: Where Have We Been? Where Are We Going?," ACM Learning Webinar, https://learning.acm.org/, accessed September 21, 2017; Deng et al., "ImageNet: A Large-Scale Hierarchical Image Database," in *2009 IEEE Conference on Computer Vision and Pattern Recognition* (Piscataway, NJ: IEEE), 248–55.

[10] 二〇一〇年から二〇一六年にかけて、精度は七二パーセントから九七パーセントまで上がった。

[11] 実際、アレクサンダー・ウィスナー＝グロスは、「アルゴリズムではなくデータセットこそが、人間

レベルのＡＩ開発の制限要因かもしれない」と述べている。以下を参照のこと。Alexander Wissner-Gross, “2016: What Do You Consider the Most Interesting Recent [Scientific] News? What Makes It Important?” Edge, https://www.edge.org/response-detail/26587, accessed October 21, 2018.

[12] リーらは、研究者たちにそのデータセットを使う気を起こさせるために、毎年コンテストを開催し、世界各地のさまざまな研究チームが作成した画像認識用の優れたアルゴリズムどうしを競わせた。そのおかげで、科学者たちは途方もない進歩を遂げた。ImageNetのコンテストが毎年開催された八年間に、間違いがおよそ一〇分の一に減り、画像認識の精度が約三倍上がった。ついには、視覚アルゴリズムは人間のワーカーよりも低い誤り率を達成した。八年間のコンテストで科学者たちが成し遂げたアルゴリズムとエンジニアリングにおける進歩は、近年、ニューラルネットワークが収めた成功の多くの原動力となった。その成功とは、いわゆるディープラーニング（深層学習）革命であり、それが多種多様な分野や問題領域に影響を及ぼすことになった。

[13] Djellel Difallah, Elena Filatova, and Panos Ipeirotis, “Demographics and Dynamics of Mechanical Turk Workers,” in *Proceedings of the Eleventh ACM International Conference on Web Search and Data Mining* (New York: ACM, 2018), 135–43, https://doi.org/10.1145/3159652.3159661.

[14] 同右。

[15] Panos Ipeirotis, “How Many Mechanical Turk Workers Are There?,” *A Computer Scientist in Business School* (blog), January 29, 2018, http://www.behind-the-enemy-lines.com/.

[16] ワーカーたちに居住地を自己申告してもらったのは、意図的だった。どこまで詳しく報告するか、本人が選べるからだ。ビングの世界地図では、ワーカーは検索し、ズームインしたりズームアウトしたりできるので、自宅、自宅のある一帯、郡、市などに好きなようにピンを立てられる。ワーカーが自分の居住地にピンを立て、「保存」をクリックすると、このＨＩＴをした最新五〇〇人のワーカーのピンが立

ったビングの世界地図が表示される。それぞれのピンは、ワーカーのプライバシーを守るために、少しだけランダムに移動させてあり、その旨が地図のページ上に記されている。このＨＩＴは一分未満で簡単にできるもので、完了した人には私たちは二五セント払った。

[17] Hara et al., "A Data-Driven Analysis of Workers' Earnings on Amazon Mechanical Turk," 2018 CHI Conference on Human Factors in Computing Systems, Paper No. 449, 2018.

[18] ウェブブラウザー拡張機能のタークオプティコンのようなツールは、レビューと評価のシステムを通して、リクエスターについての情報をワーカーが共有するのを助けてくれる。そうしたシステムは、コミュニケーションや金額設定、公正さ、支払いの迅速性、ワーカーの問い合わせに応答するまでの時間に基づいてリクエスターを格付けする。ワーカーたちは、手の込んだ自己管理型のフォーラムも持っており、料金を払ったユーザーだけがそこでより詳細な情報を交換する。リクエスターの評判にも、ワーカーのフォーラムにも、Mターク上では直接アクセスすることはできない。以下を参照のこと。Lilly C. Irani and M. Six Silberman, "Turkopticon: Interrupting Worker Invisibility in Amazon Mechanical Turk," in *CHI '13: Proceedings of the SIGCHI Conference on Human Factors in Computing Systems* (New York: ACM, 2013).

[19] 以下を参照のこと。Siou Chew Kuek, Cecilia Paradi-Guilford, Toks Fayomi, Saori Imaizumi, Panos Ipeirotis, Patricia Pina, and Manpreet Singh, "The Global Opportunity in Online Outsourcing," World Bank Group, June 2015, and Panos Ipeirotis, "How Big Is Mechanical Turk?," *A Computer Scientist in Business School* (blog), November 8, 2012, http://www.behind-the-enemy-lines.com/2012/11/is-mechanical-turk-10-billion-dollar.html.

[20] アマゾンは一〇を超える仕事を伴うＨＩＴには二割の追加料金を課す。それぞれの仕事が別個の労働者に割り振られる。

[21] 私たちはマイクロソフトの従業員なので、皮肉にも、ゴーストワーカーと同じ非開示契約下にあり、UHRSプラットフォームの働きの具体的な点について語れることは限られている。

[22] Annalee Newitz, "The Secret Lives of Google Raters," Ars Technica, April 27, 2017, https://arstechnica.com/features/2017/04/the-secret-lives-of-google-raters/.

[23] Gillespie, *Custodians of the Internet*; Jeremias Prassl, *Humans as a Service: The Promise and Perils of Work in the Gig Economy* (Oxford, England: Oxford University Press, 2018); Sarah T. Roberts, "Digital Detritus: 'Error' and the Logic of Opacity in Social Media Content Moderation," *First Monday* 23, no. 3 (March 1, 2018), http://firstmonday.org/ojs/index.php/fm/article/view/8283; Sarah T. Roberts, "Social Media's Silent Filter," The Atlantic, March 8, 2017, https://www.theatlantic.com/technology/archive/2017/03/commercial-content-moderation/518796/.

[24] インドは一九六〇年代に、情報・通信サービスや金融サービス、今日「バックオフィス」ワークあるいは「ビジネスプロセス」と呼ばれるものの大半の、アウトソーシングの重大な担い手になった。会計監査や掛け買いの書類作成といったプロセスが、セキュリティー保護されたサーバーを通してアクセスする集中型データベースに続々と移り、紙やオフィス内管理やファイルの保管から離れるにつれ、記録その他の重要なビジネス文書を保管したり整理したりするために現場でフルタイムで雇用しておく必要のある人はしだいに減った。

[25] Sarah T. Roberts, "Commercial Content Moderation: Digital Laborers' Dirty Work," in S. U. Noble and B. Tynes, eds., *The Intersectional Internet: Race, Sex, Class and Culture Online* (New York: Peter Lang, 2016), 147–59. 以下も参照のこと。Sarah T. Roberts, *Behind the Screen: Content Moderation in the Shadows of Social Media* (New Haven, CT: Yale University Press, (2019).

[26] リードジーニアスは、自分たちのウェブサイトをアップデートし続ける安価な方法を探していたアメリ

カの諸都市からの業務請負を勝ち取るところから事業を始めた。駐車違反の罰金の送り先についての情報や、住民が自宅への車の出入りのために縁石に新たな切り込みを入れてもらうときの指示の変更は、簡単にアウトソーシングすることができた。リードジーニアス（当時の名称は「モバイルワークス」）は、公的支援を受けている人のために、国が後押しするキャリアアッププログラムから募集した何千ものアメリカ人ワーカーに加えて、インドのワーカーにも依存していた。

［27］私たちが行なったリードジーニアスの調査は、インドとアメリカに的を絞ったが、同社は四〇か国に「リサーチャー」と呼ぶ人々のチーム（顧客のために同社がセールスリード情報を生み出すのを手伝うワーカーたち）を持っていることにも留意しなければならない。そのため、私たちの調査結果の一部は、リードジーニアスが公に報告しているワーカーの年齢や性別などとわずかに食い違っている。

［28］リードジーニアスは二〇一六年六月、以下の国や地域でデータリサーチャーとマネジャーの採用を中止した。オーストラリア、バルバドス、カナダ、フランス、ドイツ、ギリシア、香港、アイルランド、イタリア、ジャマイカ、日本、モーリシャス、オマーン、ポーランド、ポルトガル、ロシア（モスクワ）、セントクリストファー・ネイヴィス、サウジアラビア、シンガポール、スロヴェニア、スペイン、サン・マルタン、イギリス、アメリカ。だが、以下の国や地域では採用している。アフガニスタン、アルバニア、アルジェリア、アンゴラ、アルゼンチン、アルメニア、アゼルバイジャン、バングラデシュ、バルバドス、ベラルーシ、ベリーズ、ベナン、ブータン、ボリビア、ボスニア・ヘルツェゴヴィナ、ボツワナ、ブラジル、ブルガリア、ブルキナファソ、ブルンジ、カンボジア、カメルーン、カーボベルデ、中央アフリカ共和国、チャド、コロンビア、コモロ、コスタリカ、コートジヴォワール、クロアチア、キューバ、チェコ共和国、コンゴ民主共和国、ジブチ、ドミニカ、ドミニカ共和国、エクアドル、エジプト、エルサルバドル、エリトリア、エチオピア、フィジー、ガボン、ガンビア、ジョージア、ガーナ（西アフリカ）、グレナダ、グアテマラ、ギニア、ギニアビサウ、ガイアナ、ハイチ、ホンジュラ

ス、インド、インドネシア、イラン、イラク、ヨルダン、カザフスタン、ケニア、キリバス、コソヴォ、キルギス、ラオス、ラトアヴィア、レバノン、リビア、リトアニア、北マケドニア、マダガスカル、マラウイ、マレーシア、モルディヴ、マリ、マーシャル諸島、モーリタニア、メキシコ、ミクロネシア連邦、モルドヴァ、モンゴル、モンテネグロ、モロッコ、モザンビーク、ミャンマー、ナミビア、ネパール、ニカラグア、ナイジェリア、パキスタン、パラオ、パレスチナ、パナマ、パプアニューギニア、パラグアイ、ペルー、フィリピン、コンゴ共和国、ルーマニア、ロシア（モスクワ以外）、ルワンダ、サモア、サントメ・プリンシペ、セネガル、セルビア、シエラレオネ、ソロモン諸島、ソマリア、南アフリカ、南スーダン、スリランカ、セントルシア、セントヴィンセント及びグレナディーン諸島、スーダン、スリナム、エスワティニ（スワジランド）、シリア、台湾、タジキスタン、タンザニア、タイ、東ティモール、トーゴ、トンガ、トリニダード・トバゴ、チュニジア、トルコ、ツヴァル、アラブ首長国連邦、ウクライナ、ウズベキスタン、ヴァヌアツ、ベネズエラ、ヴェトナム、ヨルダン川西岸地区、イエメン、ザンビア、ジンバブエ。

［29］レヴィル、チェン、ウィルソン、ジャンセンは、「ミロ」というオープンソースのプロジェクトを設立し、そこからアマラのビジョンが生まれた。ミロは最盛期には毎月約二〇〇万人のユーザーがいた。革命的とまではいえないが、けっして悪くはない。同じ頃、営利目的のベンチャー企業がいくつか創立された。一つは小さなスタートアップで、まもなくグーグルに買収された。ユーチューブだ。ユーチューブのせいでミロはたちまち影が薄くなり、ＰＣＦは、ウェブ上で動画を共有するために何年もかけて構築したオープンソースのソフトウェアで何ができるかわからなかった。二〇一〇年になってもＰＣＦはミロに重点を置いていたが、サイドプロジェクトもいくつか練られていた。その一つは、ジャンセンとウィルソンの会話から生まれた。ウィルソンの妻はブラジルの出身で、ポルトガルの映画を友人たちに見てもらいたかった。それらの映画の字幕を見つけようとしたが、うまくいかなかったので、ミロの背

景にある原理のいくつかを転用し、ストリーミングビデオに簡単に字幕を付けられるウェブベースのソフトウェア編集キットを作り上げた。やがてそのプロトタイプが、動画を字幕と結びつけるウェブベースのインターフェースであるアマラの最初のバージョンになった。

人々は、アマラのオンライン編集ツールを使って、スペイン語のテレビ番組を、英語の字幕を付けながら見ることができた。このように、コンテンツを他の言語で見られるようになると共に、耳の不自由な人も鑑賞しやすくなった。PCFはアマラの改良を重ね、動画についての意見を共有する、ウィキ型の協力オプションなどの機能を追加した。やがてPCFはこのソフトウェアで、連邦通信委員会からは利用しやすさを称えられ、国連からは異文化間の橋渡しを称えられ、それぞれ賞を与えられた。PCFには、字幕作成ツールを主流にする勢いがあった。あとは、大量の動画コンテンツと、彼らのツールを使うことに関心のあるボランティアの、なおいっそう大規模な国際的ネットワークさえあればよかった。するとその後、他のツールを使ってTEDの講演を翻訳していたボランティア翻訳者のグループが、代わりにアマラを使う機会を求めたのだった。

〔30〕この非営利団体のウェブサイトによれば、TED講演（テクノロジーとエンターテインメントとデザインの分野での、徹底的に演出されたプレゼンテーション）の最初の六回は、二〇〇六年六月二七日にインターネットで公開された。九月までには再生回数は一〇〇万回を超えた。TED講演は大変な人気を博したので、TEDのウェブサイトは二〇〇七年に講演を中心に再出発し、全世界の視聴者が、世界一流の思想家や指導者や教員の講演に無料でアクセスできるようにした。TEDのオープン翻訳プロジェクト（OTP）は二〇〇九年、二〇〇人のボランティア翻訳者が用意した四〇言語の三〇〇の翻訳で始まった。今日、二万八〇〇〇人を超えるボランティアが用意した一一五の言語（今も増加中）の一二万超の翻訳が公開されている。二〇一二年にはこのプログラムは拡張されて、TEDxの講演のトランスクリプションと翻訳、TED-Edレッスンの翻訳、TEDのグローバルな足跡を伸ばすのに協力している

世界中の提携者によって配信されるコンテンツの翻訳を含むようになった。

[31] アマラはその使命の性質上、国際的なネットワークだ。私たちが行なった調査の回答者の七割近くがアメリカ以外に居住している。したがって、調査結果の詳細には、アメリカとインド以外のAODメンバーが含まれている。

[32] 以下を参照のこと。Wei-Chu Chen, Mary L. Gray, and Siddharth Suri, "More than Money: Correlation Among Worker Demographics, Motivations, and Participation in Online Labor Markets," under review, ICWSM '19: The 13th International AAAI Conference on Web and Social Media, Munich, Germany, June 2019.

[33] 以下を参照のこと。Prassl, *Humans as a Service*.

▼第2章

[1] Erin Hatton, *The Temp Economy: From Kelly Girls to Permatemps in Postwar America* (Philadelphia: Temple University Press, 2011). 以下も参照のこと。Louis Hyman, Temp: *How American Work, American Business, and the American Dream Became Temporary* (New York: Penguin, 2018).

[2] イェール大学の歴史学者デイヴィッド・ブライトが述べているように、一八六〇年にアメリカで労働を強制されていた四〇〇万人の奴隷は、「国内のすべての銀行、工場、鉄道を合わせたよりも価値が」あった。以下を参照のこと。Clint Smith, "Wake Up, Mr. West!," *New Republic*, May 3, 2018, https://newrepublic.com/article/148222/wake-up-mr-west.

[3] 歴史家のネル・アーヴィン・ペインターは、白人性の形而上学について以下のように書いている。「白人性の解釈は、社会変化の要求に対応して時と共に変化してきた。一九世紀半ば以前は、大衆文化でも学問でも、二つ以上の白色人種の存在が広く認められていた。実際、数種あった。アメリカでは多

くの人が、白人と見なされ——（白人の成人男性ならば）投票もでき——ながらも、劣った（あるいは優った）白色人種に分類されていた。アイルランド系アメリカ人はその一例だ」。以下を参照のこと。Nell Irvin Painter, "What Is Whiteness?," *New York Times*, December 21, 2017, https://www.nytimes.com/2015/06/21/opinion/sunday/what-is-whiteness.html; Nell Irvin Painter, *The History of White People*, 復刻版 (New York: W. W. Norton, 2011).

[4] 実際、奴隷制廃止反対運動と労働運動が衝突したのは、アイルランド人が多数を占める若い男性移民の危機感が原因だ。彼らは、北部に移ってくる解放奴隷は「失業者の新軍団」であり、賃金労働者としての自分たちの危うい足場を揺るがせかねないとして抗議した。もしアメリカ政府が一八六二年から一九三〇年代にかけて、一連のいわゆる「ホームステッド法」を実施し、先住民から買い取ったり奪ったりした土地を与えて、増大する都市人口を西に移していなければ、工業に頼る町の賃金は最低水準まで下がり、移民間の民族紛争ははるかに血なまぐさいものになっていたかもしれない。以下を参照のこと。David R. Roediger, *The Wages of Whiteness: Race and the Making of the American Working Class* (London: Verso, 1999).

[5] 電気と、一七一二年にトマス・ニューコメンが最初に発明して一七八一年にジェイムズ・ワットが力を倍増させた工業用蒸気機関を利用することで、製造業が発展した。

[6] スティーヴン・ウェアリングは、フレデリック・テイラーの科学的管理の原理は初期の工業の多くに、最もスキルの高い工芸の仕事を調整している職人から権限を奪い取ることに的を絞らせた、と主張する。ウェアリングの言うように、「新しい経営者資本主義は、作業を調整して労働者を支配する方法を探し求めるなかから生まれた」のだった。Stephen P. Waring, *Taylorism Transformed: Scientific Management Theory Since 1945* (Chapel Hill: University of North Carolina Press, 1991). 以下も参照のこと。Shelley Pennington and Belinda Westover, "Types of Homework," in *A Hidden Workforce*,

Women in Society (London: Palgrave Macmillan, 1989), 44–65, https://doi.org/10.1007/978-1-349-19854-2_4.

[7]「家内労働」は正式には、「販売を意図した財の家庭内での製造あるいは調整で、工場の工程を補足する労働」と定義された。Pennington and Westover, "Types of Homework."

[8] マージョリー・エイベルとナンシー・フォルブルは、女性の出来高払いの仕事が公式の記録に顧みられなかった様子をさらに詳しく述べている。二〇世紀の初めには、大多数の世帯では、家族が頼り合っていた。特に、妻、母親、娘がパンを焼いたり、食物を瓶詰にしたり、料理をしたり、掃除をしたり、必要な物を縫ったりしていた。家族全員が分業体制の中で何かしらの役割を果たし、そのおかげで誰もが食事にありつき、健康を保ち、衣服を着ることができた。女性は、手仕事のタスクや、原繊維を紡いだり、梳いたり、織ったり、縫い合わせたりして、日々身につけるズボンやシャツ、セーター、仕事着を作った。世帯は社会的なセイフティーネットであると同時に、小さな産業ユニットでもあった。都市が発達するにつれ、ベーカリーや洗濯屋、大規模な縫製工場が続々と登場した。家庭の天火や洗濯桶や裁縫道具の延長であるこれらは、人類が家庭の外に持つ消耗品やサービスの最初の供給源になった。当時から三世代も遡らない頃には、王族と奴隷所有者しか、誰かを買って衣食住の世話をさせる余裕がなかった。だが、これらのサービスが、家庭での個人消費の枠を超えて独自の産業になると、女性たちも後に続いた。以下を参照のこと。Nancy Folbre, "Women's Informal Market Work in Massachusetts, 1875–1920," *Social Science History* 17, no. 1 (1993): 135–60, https://doi.org/10.2307/1171247 および Marjorie Abel and Nancy Folbre, "A Methodology for Revising Estimates: Female Market Participation in the U.S. Before 1940," *Historical Methods: A Journal of Quantitative and Interdisciplinary History* 23, no. 4 (October 1, 1990): 167–76, https://doi.org/10.1080/01615440.1990.10594207.

[9] エリザベス・ビアズリー・バトラーはラッセル・セイジ財団に加わり、使い捨てにできる出来高払いの

労働者のプール（工業化の陰で働き、主要な雇用形態として台頭してきていた）の、最初の包括的な研究を行なった。この種の研究は、その後わずかしか行なわれていない。以下を参照のこと。Elizabeth Beardsley Butler, *Women and the Trades* (Pittsburgh: Charities Publication Committee, 1909).

［10］同右、13.

［11］同右、23.

［12］「初期の経済史学者は家内労働を、職人による生産と工場制度の間の移行段階と見て、工業化が進むにつれ、そうした形態の労働は消滅すると考えた。ところが、実際にはそうならず、家内労働は工業化の過程を通じて何らかの形で存在し続けた」。Sandra Albrecht, "Industrial Home Work in the United States: Historical Dimensions and Contemporary Perspective," *Economic and Industrial Democracy* 3, no. 4 (1982): 414, https://doi.org/10.1177/0143831X8234003.

［13］Butler, "Women and the Trades," 139.

［14］同右、１３９.

［15］同右、１３４.

［16］David Noble, *Forces of Production: A Social History of Industrial Automation* (New York: Routledge, 2017).

［17］Hatton, *The Temp Economy*.

［18］これは一九四六年のアメリカの総人口の三・五パーセントに相当する。当時、アメリカ人労働者の二三パーセント前後が製造部門で働いていた。

［19］以下を参照のこと。John Barnard, *Walter Reuther and the Rise of the Auto Workers* (Boston: Little, Brown, 1983); Eldorous Dayton, *Walter Reuther: The Autocrat of the Bargaining Table* (New York: Devin-Adain, 1958); Victor Reuther, *The Brothers Reuther and the Story of UAW* (Boston: Houghton

Mifflin, 1976); Nelson Lichtenstein, *The Most Dangerous Man in Detroit* (New York: Basic Books, 1995).

[20] この法律は、組合指導部の認可なしでストライキを行なう被雇用者の権利を停止し、組合にはストライキを実行する八〇日前に雇用者に通知することを義務付け、これが多くの場合、組合はストライキを行なう権利を行使する前に調停の席に着くという、さらなる要件の設定につながった。政治家候補に関連したストライキや、他の企業の生産を妨げるために行なわれるストライキは、もう保護を受けられなかった。そして、これが組合の成長に対する最大級の打撃となったのだが、タフト＝ハートリー法によって組合の結成は州の権利の問題になった。今や各州は労働権法を成立させ、組合によって組織された職場で組合費を要求するのを禁じることを許された。

[21] 一九世紀半ばから二〇世紀初期まで、新聞配達少年は、読者を求めて競い合う多くの日刊新聞社のために、新聞を売り歩く仕事を課された。これは、西洋諸国の若者（たいてい男の子）が初めて就く仕事として一般的であり、新聞が売れ残って罰せられるのを避けるために、長時間働くのが当たり前だった。以下を参照のこと。M. Schuman, "History of Child Labor in the United States—Part 1: Little Children Working," *Monthly Labor Review*, U.S. Bureau of Labor Statistics, January 2017, https://www.bls.gov/opub/mlr/2017/article/history-of-child-labor-in-the-united-states-part-1.htm; *National Labor Relations Board v. Hearst Publications*, 322 U.S. 111 (1944).

[22] 以下を参照のこと。*National Labor Relations Board*, 322 U.S. 111 (1944); Weil, *The Fissured Workplace*, 185–86.

[23] 公正労働基準法は、アメリカのほとんどの被雇用者に、全労働時間に対して連邦最低賃金以上を支払い、週間労働時間が四〇時間を超えた分のすべてに対しては通常の賃金率の一・五倍を支払うことを義務付けている。ただし公正労働基準法第13条（a）（1）には、正真正銘の役員、管理職、専門職、社

外販売員の最低賃金と時間外勤務手当の両方の適用除外が定められている。第13条（a）（1）と第13条（a）（17）は、特定のコンピューター業務職も適用除外としている。適用対象外の資格を得るためにはたいてい、被雇用者は職務に関する特定の要件を満たし、週に四五五ドル以上という給与ベースで報酬を支払われていなければならない。役職名で適用除外資格が決まるわけではない。適用除外に該当するためには、被雇用者の具体的な職務と給与が労働省の要件をすべて満たさなければならない。以下を参照のこと。U.S. Department of Labor, Wage and Hour Division, *Fact Sheet #17A: Exemption for Executive, Administrative, Professional, Computer & Outside Sales Employees Under the Fair Labor Standards Act (FLSA)*, rev. July 2008, https://www.dol.gov/whd/overtime/fs17a_overview.pdf.

［24］Jonathan Grossman, "Fair Labor Standards Act of 1938: Maximum Struggle for a Minimum Wage," Office of the Assistant Secretary for Administration and Management, U.S. Department of Labor website. Originally published in *Monthly Labor Review*, June 1978, https://www.dol.gov/oasam/programs/history/flsa1938.htm.

［25］若い女性は、船舶から陸地に連絡できるように、その地域の沿岸警備隊と海軍の工廠（こうしょう）のために、安全な通信を行なうべく契約ベースで雇われた。彼女たちは全員、戦後に解雇され、誰一人、解雇手当も含め、どんな種類の手当も支払われなかった。以下を参照のこと。Jill Frahm, "The Hello Girls: Women Telephone Operators with the American Expeditionary Forces During World War I," *Journal of the Gilded Age and Progressive Era* 3, no. 3 (2004): 271–93

［26］この定義の原資料の一部は、合衆国労働省のブログではもう閲覧できない。だが、デジタルアーカイブのウェイバックマシンを通して入手したブログ記事の保存バージョンで、元労働長官のトム・ペレスと元商務長官のペニー・プリツカーが書いたものが、オバマ政権の大半の支配的な風潮の好例となる。中間層の人々が成功するためには、取り組まなければならないスキルのギャップがある、というのがその

風潮だ。もっともこれは、「中程度のスキルを必要とする仕事」とは別だ。「中程度のスキルを必要とする仕事」は、中等教育よりも上の教育と訓練を必要とするが、四年制大学の学位は不要な仕事と定義される。このような「中程度のスキルを必要とする仕事」に就くことができる労働者には高い需要があるとされているが、それに応じられるだけの訓練を受けていないアメリカ人の失業者や不完全雇用の人が多過ぎる。過去二〇年間、この問題はビジネスリーダーや政策立案者に、「人材サプライチェーン問題」「スキル不足」「中程度のスキルを持つ労働力の危機」などと言い表されてきた。以下を参照のこと。“Middle Skills,” U.S. Competitiveness, Harvard Business School website, accessed May 22, 2018, https://www.hbs.edu/competitiveness/research/Pages/middle-skills.aspx.; Francis Green, *Skills and Skilled Work: An Economic and Social Analysis* (Oxford, England: Oxford University Press, 2013); Tom Perez and Penny Pritzker, “A Joint Imperative to Strengthen Skills,” *The Commerce Blog*, U.S. Department of Commerce, September 11, 2013 および Peter Smith, *Free-Range Learning in the Digital Age: The Emerging Revolution in College, Career, and Education* (New York: SelectBooks, 2018).

[27] 以下を参照のこと。Jennifer Light, “When Computers Were Women,” *Technology and Culture* 40, no. 3 (July 1999), 455–83; Greg Downey, “Virtual Webs, Physical Technologies, and Hidden Workers,” *Technology and Culture* 42, no. 2 (April 2001): 209–35; David Allen Grier, *When Computers Were Human* (Princeton, NJ: Princeton University Press, 2005).

[28] ラングレー空軍基地は一九五八年に、ＮＡＳＡラングレー研究所（別名ＮＡＳＡラングレー、ＬａＲＣ）となった。

[29] Nathalia Holt, *Rise of the Rocket Girls: The Women Who Propelled Us, from Missiles to the Moon to Mars*, 復刻版 (New York: Back Bay, 2017).

[30] Margot Lee Shetterly, *Hidden Figures: The American Dream and the Untold Story of the Black Women*

Mathematicians Who Helped Win the Space Race, media tie-in ed. (New York: William Morrow, 2016), 4.

［31］同右。

［32］同右、21.

［33］同右、61.

［34］Holt, *Rocket Girls*.

［35］同右。

［36］同右。

［37］Hatton, *The Temp Economy*.

［38］Geetha Vaidyanathan, "Technology Parks in a Developing Country: The Case of India," *Journal of Technology Transfer* 33, no. 3 (June 1, 2008): 285–99; Dinesh C. Sharma, *The Outsourcer: The Story of India's IT Revolution* (Cambridge, MA: MIT Press, 2015).

［39］Weil, *The Fissured Workplace*.

［40］Hatton, *The Temp Economy*; S. Greenhouse, "Equal Work, Less-Equal Perks: Microsoft Leads the Way in Filling Jobs With 'Permatemps,'" *New York Times*, March 30, 1998; J. Stoiber, "Independent Contractors Should Get Benefits," *Philadelphia Inquirer*, October 20, 1996.

［41］レヴィとマーネンの「エキスパート思考」と「複雑コミュニケーション」という概念は、コンピューターと人間との分業の技術的理由を理解するのに役立つ。レヴィとマーネンによれば、エキスパート思考には「決まり切った解決法のない新しい問題を解決すること」が必要とされ、複雑コミュニケーションは「情報の特定の解釈を納得させたり、説明したり、その他の方法で伝えたりする」ことだという。アメリカの労働者が行なう他のタスクには以下のものがある。「論理的ルールによって明確に記述」される経費報告書の作成その他の「定型の認知的課題」、たとえば「フロントガラスの取り付け」のような、

「ルールを使うことによって明確に記述できる物理的タスク」の類の「定型の手仕事」、「トラックの運転のような」、「視覚認識と細かい運動制御が必要なので、もし〜なら〜するといった一連のルールに従うこととして明確に記述できない、非定型の手仕事」。「新製品を開発し、製造し、市場に出したいというこの衝動は、解析問題をこなして解決し、新しい情報を伝えるという、人間の能力に依存しているので、エキスパート思考と複雑コミュニケーションは根強い需要を持ち続ける」。以下を参照のこと。Frank Levy and Richard Murnane, *The New Division of Labor: How Computers Are Creating the Next Job Market* (Princeton, NJ: Princeton University Press, 2004).

[42] Shoshana Zuboff, *In the Age of the Smart Machine: The Future of Work and Power* (New York: Basic Books, 1988).

[43] 「piece-rate（出来高制）」「putting-out（問屋制家内工業）」、イギリス英語では「cottage industries（家内工業）」「industrial home work（家内労働）」、アメリカ英語では「commission system（歩合制）」とも呼ばれる。以下を参照のこと。Albrecht, "Industrial Home Work," 413–30.

[44] Lauren Weber, "Some of the World's Largest Employers No Longer Sell Things, They Rent Workers," *Wall Street Journal*, December 28, 2017, https:// www.wsj.com/articles/some-of-the-worlds-largest-employers-no-longer-sell-things-they-rent-workers-1514479580.

[45] S&Pの調査は、Weber, "Some of the World's Largest Employers" に引用されている。アウトソーシング企業が提供するサービスの幅広さには圧倒される。コンパスグループは、戦時中のイギリスで工場のカフェテリアを運営するために一九四一年に創業され、やがて企業ケータリングへも事業を拡げた。今や五五万人以上を雇い、ユーレストサービスのような子会社も抱えている。ユーレストサービスはクライアントの郵便仕分室に人員を派遣して管理したり、フルタイムの受付係を提供したり、会議のためにカンファレンスルームを準備したり、倉庫を運営したりする。同社のクライアントには、グーグルや

S&P、ファイザーなどがある。アウトソーシング企業の労働者は、アルゴリズムがより多くのタスクを引き受けるにつれて減るかもしれない、とインフォメーション・サービシズ・グループ（ＩＳＧ）のパートナーのスティーヴ・ホールは言う。「大手のアウトソーシング企業は、解析学と自動化を組み合わせて使って労働力のニーズを大幅に減らしている」と彼は言う。

［46］調査・顧問会社のＩＳＧによる。

▼第3章

［1］Eric Meyer, "Inadvertent Algorithmic Cruelty," *Meyerweb* (blog), December 24, 2014, https://meyerweb.com/eric/thoughts/2014/12/24/inadvertent-algorithmic-cruelty/; 改訂版は、Slate.com で二〇一四年一二月二九日に発表された。マイヤーの投稿はフェイスブックの「イヤー・イン・レビュー（一年を振り返る）」という機能の発表を受けたものだった。一二月に、マイヤーのフェイスブックのフィードに、無情な投稿が現れた。同年に脳腫瘍で亡くなった、マイヤーの五歳の娘レベッカの、髪を刈り上げた写真だ。ヘッダーは、彼を名指しにした、「エリック、これがあなたにとってのこの一年です！」というものだった。現実的に考えて、誰がこうした記憶との思いがけない出合いを楽しみ、誰が痛ましい喪失を思い起こさせる不要で不快なものとして経験するかを、フェイスブックには予測のしようがあるだろうか？　マイヤーのタイムラインから写真を抜き取り、彼のニュースフィードのローテーションに加えるというフェイスブックの一方的な決定は、無情に見える。これはいったいどういう残虐さなのか？　だが、マイヤーは残虐な意図があったとは思わなかった。彼は、大半のユーザーをこのプラットフォームに惹き付けておけるように思える機能を世に送り出す営利プラットフォームの陰にある陳腐な考え方を強調した。フェイスブックはこの新しい機能を、写真のフラッシュバックをオフにするスイッチも付けず、亡くなった子供の写真に他者が「いいね！」するのを防ぐために画像をプライベート

なものにする方法も当初は用意しないといった手荒なアプローチで「大々的に」公開することを選んだ。フェイスブックは九三〇〇万人のユーザーの写真や投稿にアクセスできるのだから、収集・選別・編集をする情報には事欠かない（以下を参照のこと。Gillespie, "Politics of 'Platforms.'"）。そこまで明白ではないが、フェイスブックはユーザーの記憶を勝手に別の目的で使い、ユーザーからのはっきりしたガイダンスなしに新しい機能として押し付けた。だが、ユーザー基盤全体があまりに大きいため、個人のニーズを考慮に入れるのは非現実的であるばかりでなく、見たところ不可能になっている。それでもユーザーは、（贔屓目に見ても）このサイトは自分たちに配慮していない、あるいは（最悪の場合には）搾取的または冷淡だと感じたまま取り残されうる。

[2] 私たちの意図は、過去一年間のハイライトを示すフェイスブックのアプリに、亡くなった子供の顔が現れるのを目にしたときの精神的苦悩を軽視することではない。リー・ハンフリーズもメディアを説明する自論の中で、フェイスブックのアルゴリズムによる記憶の収集・選別・編集について論じている。以下を参照のこと。Lee Humphreys, *The Qualified Self: Social Media and the Accounting of Everyday Life* (Cambridge, MA: MIT Press, 2018), 85–90.

[3] R. H. Coase, "The Nature of the Firm," *Economica* 4, no. 16 (1937): 388, https://doi.org/10.1111/j.1468-0335.1937.tb00002.x.

[4] Mason and Suri, "Amazon's Mechanical Turk," 1–23.

[5] この特徴付けに対する建設的で重要な批判については以下を参照のこと。Ilana Gershon, *Down and Out in the New Economy: How People Find (or Don't Find) Work Today* (Chicago: University of Chicago Press, 2017); Melissa Gregg, *Work's Intimacy* (Cambridge, England: Polity, 2011); Melissa Gregg, *Counterproductive: Time Management in the Knowledge Economy* (Durham, NC: Duke University Press, 2018); Gina Neff, *Venture Labor: Work and the Burden of Risk in Innovative Industries*

(Cambridge, MA: MIT Press, 2012); Trebor Scholz, *Uberworked and Underpaid: How Workers Are Disrupting the Digital Economy* (Cambridge, England: Polity, 2016).

［6］多くのワーカーが、実入りの良いタスクや評判の良いリクエスターについての情報を、自分のネットワーク上の知人に伝えることを、私たちの調査結果は示している。このようなつながりを持つワーカーは、こうした補足情報へのアクセスがあるので、他のワーカーが質の高いタスクについて耳にする前に、そのタスクに取り掛かることができる場合がある。そのため、極端な場合には、つながりのあるワーカーは孤立したワーカーが見つける暇もないうちに、報酬の大きいタスクをすべて引き受けてしまい、孤立したワーカーを事実上干上がらせてしまうことがありうる。したがって、ワーカーはネットワークの一員であれば優位に立てると、私たちは推測している。以下を参照のこと。Ming Yin et al., "The Communication Network Within the Crowd," in *WWW '16: Proceedings of the 25th International Conference on World Wide Web* (Geneva, Switzerland: International World Wide Web Conferences Steering Committee, 2016), 1293–1303, https://doi.org/10.1145/2872427.2883036.

［7］労働者はこれらの条件のそれぞれにランダムに割り振られた。以下を参照のこと。Ming Yin, Siddharth Suri, and Mary L. Gray, "Running Out of Time: The Impact and Value of Flexibility in On-Demand Crowdwork," in *CHI '18: Proceedings of the 2018 CHI Conference on Human Factors in Computing Systems* (New York: ACM, 2018), 1–11, https://doi.org/10.1145/3173574.3174004.

［8］同右。労働者たちは六つの条件の一つにランダムに割り振られた（持続時間が二種類と賃金率が三種類）。

［9］Sara Horowitz, "Special Report: The Costs of Nonpayment," *Freelancers Union Blog*, accessed May 8, 2018, http://blog.freelancersunion.org/2015/12/10/costs-nonpayment/.

［10］Steven Hill, *How (Not) to Regulate Disruptive Business Models* (Berlin: Friedrich Ebert Stiftung, 2016).

［11］Cathy O'Neil, *Weapons of Math Destruction: How Big Data Increases Inequality and Threatens*

Democracy (New York: Crown, 2016), 21.

[12] Panagiotis G. Ipeirotis, "Analyzing the Amazon Mechanical Turk Marketplace," *XRDS: Crossroads, The ACM Magazine for Students* 17, no. 2 (December 1, 2010): 16, https://doi.org/10.1145/1869086.1869094.

[13] Sara Constance Kingsley, Mary L. Gray, and Siddharth Suri, "Accounting for Market Frictions and Power Asymmetries in Online Labor Markets," *Policy & Internet* 7, no. 4 (December 1, 2015): 383–400, https://doi.org/10.1002/poi3.111. 以下も参照のこと。Arindrajit Dube et al., "Monopsony in Online Labor Markets," *American Economic Review: Insights*（Vol. 2, NO. 1, March 2020）.

[14] John Horton, "Online Labor Markets," in *Internet and Network Economics: 6th International Workshop, WINE 2010, Stanford, CA, USA, December 13–17, 2010, Proceedings*, Lecture Notes in Computer Science (New York: Springer, 2011). ホートンは「市場の創設者の影響は広範に及ぶので、市場における彼らの役割は政府の役割に近いほどだ……彼らは、どのような契約形式が許されるか、誰に決定権が割り当てられるか、といった、市場内で許容される行動の範囲を定める」と主張しており、私たちもそれに同意する。

[15] Juliet B. Schor and Craig J. Thompson, *Sustainable Lifestyles and the Quest for Plenitude: Case Studies of the New Economy* (New Haven, CT: Yale University Press, 2014).

▶第4章

[1] Board of Governors of the Federal Reserve System, *Report on the Economic Well-Being of U.S. Households in 2016* (Washington, DC: Federal Reserve Board, May 2017); Neal Gabler, "The Secret Shame of Middle-Class Americans," *The Atlantic*, May 2016, https://www.theatlantic.com/magazine/

archive/2016/05/my-secret-shame/476415/.

[2] ブルック・エリン・ダフィーはこの、やりたいから情熱を傾けるプロジェクトと実績作りの組み合わせを、「上昇志向労働」の形態と呼んでいる。以下を参照のこと。Brooke Erin Duffy, *(Not) Getting Paid to Do What You Love: Gender, Social Media, and Aspirational Work* (New Haven, CT: Yale University Press, 2017).

[3] Weil, *The Fissured Workplace*; Dean Baker, *Rigged: How Globalization and the Rules of the Modern Economy Were Structured to Make the Rich Richer* (Washington, DC: Center for Economic and Policy Research, 2016); Herzenberg, Alic, and Wial, *New Rules*.

[4] Weil, *The Fissured Workplace*.

[5] Arlie Russell Hochschild, *The Managed Heart: Commercialization of Human Feeling*, 3rd ed. (Berkeley: University of California Press, 2012).

[6] Neff, *Venture Labor*; Ursula Huws, *Labor in the Global Digital Economy: The Cybertariat Comes of Age* (New York: Monthly Review Press, 2014); Alice E. Marwick, *Status Update: Celebrity, Publicity, and Branding in the Social Media Age* (New Haven, CT: Yale University Press, 2013).

[7] Jay Shambaugh Nantz et al., *Thirteen Facts About Wage Growth* (Washington, DC: Brookings Institution, September 25, 2017), https://www.brookings.edu/research/thirteen-facts-about-wage-growth/.

[8] Lawrence Mishel, Elise Gould, and Josh Bivens, *Wage Stagnation in Nine Charts* (Washington, DC: Economic Policy Institute, 2015), http://www.epi.org/publication/charting-wage-stagnation/.

[9] National Low Income Housing Coalition, "Out of Reach" (Washington, DC: National Low Income Housing Coalition, 2018), http://nlihc.org/oor; Susan J. Lambert, Peter J. Fugiel, and Julia R. Henly,

"Precarious Work Schedules Among Early-Career Employees in the US: A National Snapshot," research brief (Chicago: EINet, University of Chicago, 2014), 24; Dan Clawson and Naomi Gerstel, *Unequal Time: Gender, Class, and Family in Employment Schedules* (New York: Russell Sage Foundation, 2014); Bridget Ansel and Heather Boushey, *Modernizing U.S. Labor Standards for 21st-Century Families*, The Hamilton Project (Washington, DC: Brookings Institution, 2017), 25; Lydia DePillis, "The Next Labor Fight Is Over When You Work, Not How Much You Make," *Wonkblog, Washington Post*, May 8, 2015, https://www.washingtonpost.com/news/wonk/wp/2015/05/08/the-next-labor-fight-is-over-when-you-work-not-how-much-you-make/; Robert Reich, "How the New Flexible Economy Is Making Workers' Lives Hell," *Robert Reich* (blog), April 20, 2015, http://robertreich.org/post/116924386855.

［10］Board of Governors of the Federal Reserve, *Economic Well-Being*.

［11］いくつかの都市（三つだけ例を挙げると、サンフランシスコ、シアトル、ニューヨーク）とオレゴン州は、スケジューリングの改革と、たいていジャストインタイムのスケジュールの対象とされる従業員の保護のための法案を可決した。セレークスやスマートシートやシフトボードのような、ゴーストワークのＡＰＩとウェブサイトというツールキットを転用する、スケジューリングと管理のソフトウェア企業が最近急激に増え、いわゆる「予測スケジューリング」を提供しており、従業員のスケジュールを自動化する慣行が廃れるには程遠いことを示している。以下を参照のこと。Joan C. Williams et al., "Stable Scheduling Increases Productivity and Sales: The Stable Scheduling Study," University of California Hastings College of the Law, University of Chicago School of Social Service Administration, University of California Kenan-Flagler Business School, 2018, https://www.ssa.uchicago.edu/stable-scheduling-study-reveals-benefits-and-feasibility-retail-families-businesses.

［12］Chen, Gray, and Suri, "More than Money."

[13] Mary L. Gray et al., "The Crowd Is a Collaborative Network," in *CSCW '16: Proceedings of the 19th ACM Conference on Computer-Supported Cooperative Work & Social Computing* (New York: ACM, 2016), 134–47, https://doi.org/10.1145/2818048.2819942.

[14] 同右。

[15] Ahmed et al., "Peer-to-Peer in the Workplace: A View from the Road," in *CHI: '16. Proceedings of the 2016 CHI Conference on Human Factors in Computing Systems* (New York: ACM, 2016), 5063–75, https://doi.org/10.1145/2858036.2858393.

[16] Julie Yujie Chen, "Thrown Under the Bus and Outrunning It! The Logic of Didi and Taxi Drivers' Labour and Activism in the On-Demand Economy," *New Media & Society*, September 6, 2017, https://doi.org/10.1177/1461444817729149.

[17] Wikipedia, s.v. "Pareto Principle," accessed June 15, 2018, https://en.wikipedia.org/wiki/Pareto_principle.

[18] United Nations Development Programme, *Global Dimensions of Human Development*, Human Development Report (New York: Oxford University Press, 1992).

[19] Jesse Chandler, Pam Mueller, and Gabriele Paolacci, "Nonnaïveté Among Amazon Mechanical Turk Workers: Consequences and Solutions for Behavioral Researchers," *Behavior Research Methods* 46, no. 1 (March 2014): 112–30, https://doi.org/10.3758/s13428-013-0365-7.

[20] Stewart et al., "The Average Laboratory Samples a Population of 7,300 Amazon Mechanical Turk Workers," *Judgment and Decision Making* 10, no. 5 (2015): 13; Karën Fort, Gilles Adda, and K. Bretonnel Cohen, "Amazon Mechanical Turk: Gold Mine or Coal Mine?," *Computational Linguistics* 37, no. 2 (2011): 413–20.

[21] Ruth Schwartz Cowan, *More Work for Mother: The Ironies of Household Technology from the Open Hearth to the Microwave*, 2nd ed. (New York: Basic Books, 1985).

[22] Arlie Hochschild and Anne Machung, *The Second Shift: Working Families and the Revolution at Home*, rev. ed (New York: Penguin, 2012); Gregg, *Work's Intimacy*.

[23] Winifred R. Poster, "Hidden Sides of the Credit Economy: Emotions, Outsourcing, and Indian Call Centers," *International Journal of Comparative Sociology* 54, no. 3 (June 2013): 205–27, https://doi.org/10.1177/0020715213501823.

[24] Anne-Marie Slaughter, *Unfinished Business: Women Men Work Family*, repr. ed. (New York: Random House Trade Paperbacks, 2016).

[25] リンクトインは「オスカー・スミス」というリクエスター名を使う仲介者を通して、名刺のトランスクリプションのタスクを載せた。以下を参照のこと。M. Six Silberman and Lilly Irani, "Operating an Employer Reputation System: Lessons from Turkopticon, 2008–2015," *Comparative Labor Law & Policy Journal*, February 8, 2016, http://papers.ssrn.com/abstract=2729498. Mタークのワーカーはフォーラムやコミュニティーブログで、「オスカー・スミス」のことを、わずかな報酬しか払わないことで悪名高い人物として警告した。以下を参照のこと。"What Is Jon Brelig and Oscar Smith?," *Dirtbag Requesters on Amazon Mechanical Turk* (blog), August 29, 2013, http://scumbagrequester.blogspot.com/2013/08/what-is-jon-brelig-and-oscar-smith.html. そこには以下のようなワーカーのコメントが見られる。「オスカー・スミスという偽名を使った名刺のコピーは、リンクトインが所有する、『カードマンチ』というアプリのためのものだ。そう、あの大金持ちの企業が裏にいて、ワーカーに時給換算で一ドル未満しか払っていないのだ……Mタークでは一年近く、アメリカ以外の新規アカウントは受け付けられていない。彼らは外国のアカウントを少しずつ排除している。仕事の質が低いからだ。そして、リ

ンクトイン、別名オスカー・スミスとジョン・ブレリグのために働いているのは、そう、主にインド人と新しいMターカーなのだ。わずかでも自尊心やプライドがあるアメリカ人なら、誰一人こんな卑劣な輩のために働いたりはしないだろうから」。

[26] アメリカのワーカーは、コンピューターとインターネット接続をもっと安く、あるいは簡単に手に入れられるかもしれないが、お金を稼ぐことの優先順位が下がるほどの財源があるとはかぎらない。以下を参照のこと。Chen, Gray, and Suri, "More than Money."

[27] 同右。

[28] 同右。

[29] 同右。

[30] Duffy, *(Not) Getting Paid.*

[31] Chen, Gray, and Suri, "More than Money."

[32] さまざまなギグワークをしているアメリカ人の話については、以下を参照のこと。John Bowe, Marisa Bowe, and Sabin Streeter, eds., *Gig: Americans Talk About Their Jobs*, (New York: Broadway Books, 2001). シャドウエコノミーと非公式雇用について、さらに詳しくは以下を参照のこと。LaShawn Harris, *Sex Workers, Psychics, and Numbers Runners: Black Women in New York City's Underground Economy* (Urbana: University of Illinois Press, 2016).

[33] Hochschild and Machung, *The Second Shift*; Gregg, Work's Intimacy; Kylie Jarrett, *Feminism, Labour and Digital Media: The Digital Housewife* (New York: Routledge, 2015).

[34] Sareeta Amrute, *Encoding Race, Encoding Class: Indian IT Workers in Berlin*, reprint (Durham, NC: Duke University Press, 2016).

[35] 「２０１６年障害者権利法（２０１６年障害法）」は「２０１７年障害者権利規則」と共に（両者を併せ

て「障害者法」)、インド政府によって制定された。「新しい『障害者法』は、国連の『障害者の権利に関する条約』の原理を実現するものだ。『障害者法』はとりわけ、障害のある人をさまざまな形態の差別から保護し、社会への効果的な参加と包摂のための措置を増大させ、機会の平等と適切なアクセシビリティーを保証する。『2016年障害法』の制定以前には、障害のある人の権利を定める法律は、インド憲法、『1995年障害者(権利の機会均等保護と全員参加)法』(『1995年障害法』)、『1987年精神保健法』、『インドリハビリテーション協議会法』、『(自閉症、脳性麻痺、精神遅滞、複合障害のある人のための)1999年国家信託法』に分散していた。これらの法律は障害のある人の権利を保護することを目指していたものの、雇用に関連する事項についてはとりわけ、機会の平等を具体的に提供していなかった。『2016年障害法』は『1995年障害法』を無効とした」。以下を参照のこと。http://www.disabilityaffairs.gov.in/.

[36] Shehzad Nadeem, *Dead Ringers: How Outsourcing Is Changing the Way Indians Understand Themselves*, reprint (Princeton, NJ: Princeton University Press, 2013); Simon Denyer, *Rogue Elephant: Harnessing the Power of India's Unruly Democracy* (New York: Bloomsbury Press, 2014).

[37] Broadband Commission for Sustainable Development, *State of Broadband 2017: Broadband Catalyzing Sustainable Development* (Geneva, Switzerland: Broadband Commission for Sustainable Development, 2017); World Economic Forum, *Special Program of the Broadband Commission and the World Economic Forum, Meeting Report* (Geneva, Switzerland: World Economic Forum, 2018).

[38] *Special Program of the Broadband Commission and the World Economic Forum Meeting Report*, World Economic Forum, Davos, Switzerland, 2018.

[39] 労働経済学者なら、リクエスターは最も少ない報酬で仕事をしてくれる労働者を見つけるために臨時労

働者を利用する、と言うことだろう。リベラルな経済学者は、人が市場性のあるスキルを梃にしてより大きな報酬を求めて交渉できれば、融通性は労働者にとって良いものになる、と主張する。それには、以下を信じなければならないだろう。(1)リクエスターの結託(エンジニアの給料の上限を維持するためにシリコンバレーで起こっていることに類するもの)に対抗して報酬を定める純粋な市場がある。(2)報酬は人々の貢献が持つ真の市場価値を反映している(だから、ほとんどが給料制ではなく融通の利く契約で働いている雑役係は、わずかな額しか稼げない。なぜなら、彼らのする仕事は、彼らが掃除するオフィスで働くエンジニアの仕事ほど価値がないからだ)。以下を参照のこと。Weil, *The Fissured Workplace*; Baker, *Rigged*.

▼第5章

[1] 社会学者のアンセルム・ストラウスは、これを「アーティキュレーションワーク」、つまり、「仕事のすべての要素を一つにまとめ、かつそれらを一つに保つ全体的なプロセス」と呼んだ。以下を参照のこと。Anselm Strauss, "The Articulation of Project Work: An Organizational Process," *Sociological Quarterly* 29, no. 2 (June 1, 1988): 163–78.

[2] コンピューターが導入され、それに伴って、演算処理が協同の認知負荷を引き受けてくれるだろうと想定されていたため、まさにスーザン・リー・スターが予期していたように、アーティキュレーションワークはいっそう重要になった。テクノロジーによって解決されたと考えられていたもの以外の、「分散されているという、この仕事の性質がもたらす結果を管理する」作業を、アーティキュレーションワークが行なうからだ。以下を参照のこと。Susan Leigh Star and Anselm Strauss, "Layers of Silence, Arenas of Voice: The Ecology of Visible and Invisible Work," *Computer Supported Cooperative Work* (CSCW) 8, no. 1–2 (March 1, 1999): 9–30.

[3] 人類学者のルーシー・サッチマンは、ストラウスの考えを足場とし、「技巧に富んだ統合」という優雅な言い回しを使い、アーティキュレーションワークを、「これまで隠されてきた、あるいは少なくとも背景や陰に置かれてきたシステムの開発と利用の側面、および、それらの側面を明るみに出すこと」と説明している。以下を参照のこと。Lucy Suchman, "Supporting Articulation Work," in *Computerization and Controversy*, ed. Rob Kling (San Diego, CA: Academic Press, 1996), 407–23.

[4] Gray et al., "The Crowd," 134-47.

[5] 「グーグルアドワーズ」は二〇一八年に「グーグルアッズ」に名称を変更した。

[6] ワーカーには、匿名性を保つためにニックネームを作るように指示した。それから、自分がやりとりをするワーカーなら誰とでもニックネームを教え合うように頼んだ。彼らは何でも好きな媒体を使ってニックネームを教え合うことができた。このタスクは二〇一六年八月から九月にかけて行なわれた。さらに詳しくは、以下を参照のこと。Yin et al., "The Communication Network."

[7] 事務処理の仕事は、インドのベンガルールだけでも二六万五〇〇〇以上ある。これらの仕事をする人のほとんどは、アメリカにもイギリスにも行ったことがない。文化に関する彼らの知識は、学校や研修で身に付けたものや、映画や顧客との日常会話を通して得たものに限られる。したがって、英語の運用能力や、会話のスキルや、西洋文化にふさわしい行動の仕方を磨くのを助けると称する個人講座を提供する小規模産業が興った。それらの講座の主な目標は、訛り(なま)りの矯正か、母語の影響(英語を第二言語として学んだ後に残る訛りや声の抑揚)の根絶だ。ゴールは単にアメリカ人が話しているように聞こえるようになることだけではない。たとえば、オライオン・エジュテックのような企業は、文化的なニュアンスにも注意を向け、「フレンズ」や「となりのサインフェルド」といったアメリカのテレビ番組を見せたり、アメリカのポピュラー音楽を聞かせたりして、西洋の習慣を教えている。以下を参照のこと。A. Aneesh, *Neutral Accent: How Language, Labor, and Life Become Global* (Durham, NC:

Duke University Press, 2015); J. K. Tina Basi, *Women, Identity and India's Call Centre Industry* (London: Routledge, 2009); Mahuya Pal and Patrice Buzzanell, "The Indian Call Center Experience: A Case Study in Changing Discourses of Identity, Identification, and Career in a Global Context," *Journal of Business Communication* 45, no. 1 (January 1, 2008): 31–60, https://doi.org/10.1177/0021943607309348; Sumita Raghuram, "Identities on Call: Impact of Impression Management on Indian Call Center Agents," *Human Relations* 66, no. 11 (November 1, 2013): 1471–96, https://doi.org/10.1177/0018726713481069.

[8] ターカーネイション・ディスカッションフォーラムのユーザーからのある引用は、オンラインフォーラムをこれら両方の理由から高く評価するワーカーがいることを示している。「ターカーネイションを見つけていなければ、きっと今ほどのお金を稼いでいなかったでしょう。それに、動きが鈍いときに、これほど楽しめていなかったでしょう。本当に貴重です」。

[9] Yin et al.,"The Communication Network."

[10] 同右。

[11] 同右。

[12] 同右。

[13] 自分の居住地を報告するワーカーからのデータは、図1Aと1Bに示してある。ここでは私たちは彼らがHITについてどうやって知ったかに、もっと関心がある。このデータをどのようにして集めたかについて、さらに詳しくは、以下を参照のこと。Kingsley, Gray, and Suri, "Market Frictions," 383–400, and Gray et al., "The Crowd," 134–47.

[14] 以下を参照のこと。Salehi et al., "We Are Dynamo: Overcoming Stalling and Friction in Collective Action for Crowd Workers," in *CHI '15: Proceedings of the 33rd Annual ACM Conference on Human Factors in Computing Systems* (New York: ACM, 2015), 1621–30, https://doi.

org/10.1145/2702123.2702508.
［15］We Are Dynamo, "Dear Jeff Bezos," We Are Dynamo wiki, accessed May 8, 2018, http://www.wearedynamo.org/dearjeffbezos.

▼第6章

［1］それと比べると、国家の救援活動は、復興のために集まった国際資金のたった一二パーセントを分配するだけでも三年かかり、しかも支援の対象は資産を持つ人に限られ、社会の亀裂をさらに深めるだけだった。一方、クラウドファクトリーの地震復興基金からの資金のほぼ七五パーセントは直接、同社のワーカーや家族の手に渡り、残りは地元の各政府機関や、市内各地で食料や避難所を提供している非営利組織に寄付された。
［2］Thomas Fox Parry, "The Death of a Gig Worker," *The Atlantic*, June 1, 2018, https://www.theatlantic.com/technology/archive/2018/06/gig-economy-death/561302/?utm_source=atltw.
［3］以下を参照のこと。*National Labor Relations Board*, 322 U.S. 111(1944); Weil, *The Fissured Workplace*, 185-86.
［4］Aaron Smith, *Shared, Collaborative, and On Demand: The New Digital Economy* (Washington DC: Pew Research Center,2016), http://www.pewinterner.org/2016/05/19/on-demand-ride-hailing-apps/.
［5］ウーバーのドライバーパートナー全員が、ウーバーに対して集団訴訟を起こす資格のあるワーカーのカテゴリーに入ると見なしうるかどうかや、ドライバーパートナーは私的利益を守るために個人として何をするかを決める必要があるかどうかは、未解決のままだ。以下を参照のこと。Mike Isaac and Noam Scheiber, "Uber Settles Cases with Concessions, but Drivers Stay Freelancers," *New York Times*, April 21, 2016, http://www.nytimes.com/2016/04/22/technology/uber-settles-cases-with-concessions-

but-drivers-stay-freelancers.html; Alex Rosenblat and Luke Stark, "Algorithmic Labor and Information Asymmetries: A Case Study of Uber's Drivers," International Journal of Communication 10 (July 27, 2016):27.

［6］Alex Rosenblat, *Uberland: How Algorithms Are Rewriting the Rules of Work* (Oakland: University of California Press, 2018).

［7］Wikipedia, s.v. "Corporate Social Responsibility," accessed June 20, 2018, https://en.wikipedia.org/wiki/Corporate_social_responsibility.

［8］Gray et al., "The Crowd," 134-47.

［9］企業の社会的責任へのパリクのアプローチは、さらに一歩先まで行く。彼は、企業の創業者に、自らの市場が成立するような製品やサービスをデザインすることを求めた。そうすれば、人気商品からの利益を使って慈善事業を行なうのではなく、社会的必要性を満たすことになる。パリクには、ベイエリアのインキュベーター（訳注：スタートアップに対して起業と事業の支援をする団体や組織）のYコンビネーターを支えるベンチャー投資家のような、影響力のある支持者がいた。パリクのクラスに在籍する学生たちには、Yコンビネーターを通じて実際の資金援助を得るために競い合う機会があった。フィリップ・グトハイム、アナンド・クルカルニ、プラヤグ・ナルラ、デイヴ・ロルニツキーは、自らのクラスルーム・プロジェクトのモバイルワークスで競争に参加して、Yコンビネーターの二〇一一年のサマーコンペティションで優勝し、エンジニアたちを雇ったり、マーケティングキャンペーンを行なったり、世界各地で仮想アシスタントとして働くオンデマンドワーカーのネットワークを組織したりするだけの資金を与えられた。以下を参照のこと。Gray et al., "The Crowd"; Anand Kulkarni et al., "MobileWorks: Designing for Quality in a Managed Crowdsourcing Architecture," *IEEE Internet Computing* 16, no. 5 (September 2012): 28-35, https://doi.org/10.1109 /MIC.2012.72.

［10］Joel West and Karim R. Lakhani, "Getting Clear about Communities in Open Innovation," *Industry and Innovation* 15, no. 2 (2008): 223–31; Boudreau et al., "From Crowds to Collaborators: Initiating Effort & Catalyzing Interactions Among Online Creative Workers," HBS Working Paper No. 14-060 (Cambridge, MA: Harvard Business School, January 2014).

［11］ナルラは次のように指摘している。「自己組織化は、自然に起こりはしません……集団自体が手助けや支援を必要としており、それを提供するには、その集団内に何らかの階層システムを構築することです。そのシステムでは、経験を積んだ人々が抜け出して、管理する役割にもっと就き、他の人々を助け、支援をし、顧客とじかに接したり、ワーカーのコミュニティーの代表を務めたりします。私たちはこの組織の中で、そのすべてをやっています」。二〇一五年一二月一一日、実地調査の面接でのプラヤグ・ナルラの言葉。

［12］この組織は二〇一二年に、名前を「ユニヴァーサル・サブタイトルズ」から「アマラ」に正式に変更した。サブタイトル（字幕）だけでなく別のサービスも加えられるような名前にしたかったし、育むことを望んでいた連帯感を表現したかったからであり、典型的なウェブのスタートアップではなく、社会的使命を持った非営利組織になりたかったのだ。アマラという言葉が選ばれたのは、スペイン語の「愛する」という意味の動詞のamarの活用形の一つであり、また、サンスクリットで「不滅の」を意味するからだ。共同創業者のディーン・ジャンセンは、私たちとの面接で次の点も指摘した。アマラの「弁護士は、ユニバーサル・ピクチャーズとユニバーサル・スタジオが長年にわたってメディア空間に存在してきたため、それらとの間に起こりうる商標問題にも懸念を抱いていました」。

［13］Arun Sundararajan, *The Sharing Economy: The End of Employment and the Rise of Crowd-Based Capitalism* (Cambridge, MA: MIT Press, 2016); Airi Lampinen et al., "Studying the 'Sharing Economy': Perspectives to Peer-to-Peer Exchange," in *Proceedings of the 18th ACM Conference Companion on*

Computer Supported Cooperative Work & Social Computing (New York: ACM, 2015),117–21, https://doi.org/10.1145/2685553.2699339; Juliet Schor, "Debating the Sharing Economy," Great Transition Initiative, October 2014, http://www.greattransition.org/publication/debating-the-sharing-economy; Schor et al., "Paradoxes of Openness and Distinction in the Sharing Economy," *Poetics* 54 (2016): 66–81.

［14］Kristofer Erickson and Inge Sørensen, "Regulating the Sharing Economy," *Internet Policy Review* 5, no. 3 (June 30, 2016), https://doi.org/10.14763/2016.2.414; Juho Hamari, Mimmi Sjöklint, and Antti Ukkonen, "The Sharing Economy: Why People Participate in Collaborative Consumption," *Journal of the Association for Information Science and Technology*, 2015; Aaron Smith, *Shared, Collaborative, and On Demand*.

［15］「私たちは新しい経済が仕事を改革する機会を生み出していると信じていますが、必ず最終目標を労働者のためになる仕事とする必要があります」。National Domestic Workers Alliance, "The Good Work Code for the Online Economy Announces First 12 Companies Leading for Good for Workers," press release, November 13, 2015, via Marketwired, http://www.marketwired.com/press-release/good-work-code-online-economy-announces-first-12-companies-leading-good-work-workers-2073469.htm.

［16］Trebor Scholz, "Platform Cooperativism vs. the Sharing Economy," *Trebor Scholz* (blog), December 5, 2014, https://medium.com/@trebors/platform-cooperativism-vs-the-sharing-economy-2ea737f1b5ad; Alex Wood, "Why the Digital Gig Economy Needs Co-Ops and Unions," openDemocracy, September 15, 2016, https://www.opendemocracy.net/alex-wood/why-digital-gig-economy-needs-co-ops-and-unions; Chelsea Rustrum, "Q&A with Felix Weth of Fairmondo, the Platform Co-Op That's Taking on eBay," Shareable, accessed June 21, 2018, https://www.shareable.net/blog/qa-with-felix-weth-of-fairmondothe-platform-co-op-thats-taking-on-ebay; Nithin Coca, "Nurses Join Forces with Labor Union to Launch Healthcare Platform Cooperative," Shareable, accessed June 21, 2018, https://www.shareable.net/blog/nurses-join-forces-with-labor-union-to-launch-healthcare-platform-cooperative.

［17］ U.S. Bureau of Labor Statistics, "Licensed Practical and Licensed Vocational Nurses," Occupational Outlook Handbook, accessed June 21, 2018, https://www.bls.gov/ooh/healthcare/licensed-practical-and-licensed-vocational-nurses.htm.

［18］ John Bellamy Foster, Robert W. McChesney, and R. Jamil Jonna, "The Global Reserve Army of Labor and the New Imperialism," *Monthly Review* 63, no. 6 (2011): 1. 以下も参照のこと。Mark Graham, Isis Hjorth, and Vili Lehdonvirta, "Digital Labour and Development: Impacts of Global Digital Labour Platforms and the Gig Economy on Worker Livelihoods," *Transfer: European Review of Labour and Research* 23, no. 2 (2017): 135–62, https://doi.org/10.1177/1024258916687250.

▶結論

［1］ 以下を参照のこと。Siou Chew Kuek, Cecilia Paradi-Guilford, Toks Fayomi, Saori Imaizumi, Panos Ipeirotis, Patricia Pina, and Manpreet Singh, "The Global Opportunity in Online Outsourcing," World Bank Group, June 2015. 関連の、場合によってはより控え目な推定については、以下を参照のこと。Lawrence Mishel, *Uber and the Labor Market*, Washington, DC: Economic Policy Institute, 2018, https://www.epi.org/publication/uber-and-the-labor-market-uber-drivers-compensation-wages-and-the-scale-of-uber-and-the-gig-economy/; James Manyika et al., *Independent Work: Choice, Necessity, and the Gig Economy* (Washington, DC: McKinsey Global Institute: October 2016), http://www.mckinsey.com/global-themes/employment-and-growth/independent-work-choice-necessity-and-the-gig-economy;

James Manyika et al., *Harnessing Automation for a Future That Works* (Washington, DC: McKinsey Global Institute: January 2017), http://www.mckinsey.com/global-themes/digital-disruption/harnessing-automation-for-a-future-that-works; Till Alexander Leopold, Saadia Zahidi, and Vesselina Ratcheva, *The Future of Jobs: Employment, Skills and Workforce Strategy for the Fourth Industrial Revolution*, World Economic Forum, 2016.

[2] Smith, *Gig Work* によれば、二〇一六年にはアメリカの成人の八パーセントが前年に、オンラインのタスク（たとえば、調査やデータ入力）や配車、買い物／配達、清掃／洗濯、その他のタスクをしてお金を稼いだことを報告したという。Kidscount.org は、二〇一六年にはアメリカには二億四九七四万七一二三人の成人がいたと推測する国勢調査のデータを示している。したがって、およそ二億五〇〇〇万人の八パーセントから、本書の二〇〇〇万人という推定に行き着く。この調査の誤差の範囲は二・四パーセントだったので、もっと控えめに見積もれば、二億五〇〇〇万人の五・六パーセント、すなわち一四〇〇万人となる。

[3] アップワーク・エンタープライズ、ハブスタッフ、アウトソースリー、ピープルパーアワーなど、企業顧客をターゲットにした新しいオンデマンドサービスを参照のこと。

[4] Manyika et al. *Independent Work*.

[5] 以下に基づいた予想。「全体として、グローバル経済で人々が報酬をもらって行なっている活動の半分は、現在実証済みのテクノロジーを採用すれば自動化できる可能性があると推定される。完全に自動化できる職業は五パーセントに満たないが、約六割は」、二〇五五年までに「技術的に自動化できる活動を少なくとも三割含んでいる」。Manyika et al., *Harnessing Automation*.

[6] Kingsley, Gray, and Suri. "Accounting for Market Frictions," 383–400.

[7] これらはじつは、シッダールタのMタークワーカーIDのうちの二つだ。

[8] David H. Autor, "Why Are There Still So Many Jobs? The History and Future of Workplace Automation," *Journal of Economic Perspectives* 29, no. 3 (Summer 2015): 3–30; Brynjolfsson and McAfee, *The Second Machine Age*.
[9] 障害のある人がどのようにオンデマンドワークを引き受けているかについて、さらに詳しい分析は、以下を参照のこと。Kathryn Zyskowski, Meredith Ringel Morris, Jeffrey P. Bigham, Mary L. Gray, and Shaun K. Kane, "Accessible Crowdwork?: Understanding the Value in and Challenge of Microtask Employment for People with Disabilities," in *CSCW '15: Proceedings of the 18th ACM Conference on Computer Supported Cooperative Work & Social Computing*, 1682–93 (New York: ACM, 2015), https://doi.org/10.1145/2675133.2675158.
[10] Melissa Valentine and Amy C. Edmondson, "Team Scaffolds: How Minimal InGroup Structures Support Fast-Paced Teaming," *Academy of Management Proceedings* 2012, no. 1 (January 1, 2012): 1, https://doi.org/10.5465/AMBPP.2012.109; Dietmar Harhoff and Karim R. Lakhani, eds., *Revolutionizing Innovation: Users, Communities, and Open Innovation* (Cambridge, MA: MIT Press, 2016).
[11] Coase, "Nature of the Firm," 386–405.
[12] Katz and Krueger, "Alternative Work Arrangements."
[13] National Domestic Workers Alliance website, accessed June 21, 2018, https://www.domesticworkers.org/.
[14] Andy Stern and Lee Kravitz, *Raising the Floor: How a Universal Basic Income Can Renew Our Economy and Rebuild the American Dream* (New York: PublicAffairs, 2016); Alyssa Battistoni, "The False Promise of Universal Basic Income," *Dissent*, Spring 2017, https://www.dissentmagazine.org/article/false-promise-universal-basic-income-andy-stern-ruger-bregman; Rana Foroohar, "We're About

to Live in a World of Economic Hunger Games," *Time*, July 19, 2016, http://time.com/4412410/andy-stern-universal-basic-income/; Thomas Piketty, *Capital in the Twenty-First Century*, trans. Arthur Goldhammer, reprint (Cambridge, MA: Belknap Press of Harvard University Press, 2017).

[15] "Common Ground for Independent Workers," *From the WTF? Economy to the Next Economy* (blog), November 10, 2015. https://wtfeconomy.com/common-ground-for-independent-workers-83f3fbcf548f#.ey89fvtnn.

解説：彼らは幽霊じゃない

成田悠輔

ＡＩが人間の仕事を奪う。機械が人間を代替する――そんな展望を至るところで耳にする。二〇二二年末のChatGPTの爆誕以来とくにそうだ。だが、本当だろうか？　この本『ゴースト・ワーク（幽霊仕事）』はそんなありふれた物語に疑いを突きつける。**「自動化vs人間の労働」は偽りの二項対立**だ、と。なぜか？　製造工程や情報システムの「自動化」は、それを補完したり協業したりする新種の手動仕事を絶えず作り出すからだ。その手動仕事を担うのは人間である。

わかりやすい例がウェブサービスだろう。検索エンジンでもＳＮＳでもＥコマースサイトでも大規模言語モデルに基づくChatGPTなどの対話システムでもいい。こうしたサービスは一見プログラムだけで動くように「自動化」されている。だが、その**「自動」の背後には**

大量の手動仕事がある。たとえば検索結果や投稿内容、販売商品や対話応答をうまく表示してくれるプログラムを学習するには、いつ何をどう表示すればいい感じの結果が生まれるかを記録した大量の学習データが必要になる。学習データを作るのは人間である。いったん学習したプログラムが動きはじめたあとにも手仕事は残っている。表示されたものの中にヤバいものやマズいもの（ポルノ・暴力・ヘイト・フェイク・盗品etc）が混じっていないことを確認して排除する作業が必要だ。ブラック情報をつまみ上げてはじいていく作業を担うのも、今のところは人間である。「アマゾン・メカニカルターク」（Amazon Mechanical Turk）などの外注基盤を通じて作業を受注する、世界のどこかに住む人間——幽霊労働者——なのだ。

ここに「**自動化のラストマイルのパラドックス**」がある。

自動化はほとんど常に自動化しきれない最後の一歩（ラストマイル）を生み、ラストマイルは人間の手に委ねられる。それゆえに、自動化と人間の労働は対立概念ではない。むしろ自動化こそが新しい人間の労働を作り出すのだ。

この視点は教えてくれる。私たちが「AI化」や「機械化」「自動化」と雑に呼びがちな変化は、その実態ではAI・機械と人間の新しいコラボレーションなのだ、と。

そして、この機械×人間コラボレーションは人間にとって福音ではない。新種の労働であるためにさまざまな規制から自由な幽霊仕事は、児童労働法から職場の安全ガイドラインまで、何世紀にも渡って作り上げられてきたグローバルな労働基準法制度群をくぐり抜けるからだ。多くの労働者たちが文字通り命をかけて成し遂げてきた労働基準改革がいま、白紙に戻されつつある。

実際、幽霊労働者の多くは何の福利厚生も労災も享受できていないと考えられている。さらにまずいことに、本当にそうなのか確かめることさえ私たちにはできない。幽霊仕事は新しいカテゴリーであるために伝統的な経済・労働統計データにほとんど反映されず、その実態を知ることができないから。幽霊仕事は、捕捉されず保護されることもない、まさに幽霊のような存在として作業外注基盤のディスプレイとネットワークの向こう側に浮遊しているのだ。

だからこそ、幽霊労働者たちの生活実態をフィールドワークを通じて明らかにすることが、この本の目的の一つになる。

こう考えていくと、**私たちの真の敵はＡＩや機械ではないのかもしれない**。むしろ「ＡＩ化」や「機械化」といった言葉によって、虐げられ、搾取される人間があたかもいなくなったかのような幻想を作り出してしまう人間自身こそが真の敵なのだろう。

私たちの内なる敵と戦うために、私たちは歴史を繰り返す必要がある。

幽霊労働者を統計データに組み込み、彼らを規制し保護する労働基準法制度改革21を再興すること。そんな切迫感が本書の基調低音に流れている。今のアルゴリズムでは除外しきれないどす黒い情報の掃除役を労働基準法の外でやらされている人間の告発であると同時に、社会への提案であるのが本書である。

最後にこの本は、使えるものはなんでも使う学際知の今日的な重要性を教えてくれる。IT産業における労働制度・慣習を扱うこの本を書き上げたのは、文化人類学者と計算機科学者の協業だ。普通は経済学者が分析する労働・経済統計データの穴を埋めるため、文化人類学者が多くの幽霊労働者たちをフィールドワークする。ITインフラとAI・機械学習アルゴリズムとデータベースばかりいじっていてその奥にいる幽霊労働者に想像力が働かない計算機科学者やエンジニアの盲目を、業界の「素人」である文化人類学者の素朴疑問と批判精神が補う。意外な助け合いだ。

鋭い告発や批判は、広報宣伝や危機管理とコインの裏表だから、一見テック産業からかけ離れている思える文化人類学ですら、テック経営の役に立ちそうな気がしてくる。○○学という括りに関係なく、どんな考え方や技術も役に立つかもしれない。そんな姿勢の証明がここにある。

現在世界のどす黒い暗部を抉りつつ、そこに一筋の希望の光を照らす。そんな本だと思う。

◆原書掲載の参考文献一覧は下記にて公開中。
https://www.shobunsha.co.jp/wp/wp-content/uploads/ghost-work_bibliography.pdf

[登場人物（仮名）]

［企業名］

索　引

［要語］

翻訳：柴田裕之 しばた・やすし

翻訳家。早稲田大学、Earlham College 卒業。訳書に、ケーガン『「死」とは何か』、ベジャン『流れとかたち』、オーウェン『生存する意識』、ハラリ『サピエンス全史』『ホモ・デウス』『21 Lessons』、カシオポ／パトリック『孤独の科学』、クチャルスキー『完全無欠の賭け』、ヴァン・デア・コーク『身体はトラウマを記録する』、リドレー『進化は万能である』（共訳）、ファンク『地球を「売り物」にする人たち』、リフキン『限界費用ゼロ社会』、クリスチャン『オリジン・ストーリー』、ファーガソン『大惨事（カタストロフィ）の人類史』、コルカー『統合失調症の一族』ほか話題書多数。

監修・解説：成田悠輔 なりた・ゆうすけ

夜はアメリカでイェール大学助教授、昼は日本で半熟仮想株式会社代表。専門は、データ・アルゴリズム・ポエムを使ったビジネスと公共政策の想像とデザイン。ウェブビジネスから教育・医療政策まで幅広い社会課題解決に取り組み、企業や自治体と共同研究・事業を行う。混沌とした表現スタイルを求めて、報道・討論・バラエティ・お笑いなど多様なテレビ・YouTube番組の企画や出演にも関わる。東京大学卒業（最優等卒業論文に与えられる大内兵衛賞受賞）、マサチューセッツ工科大学（ＭＩＴ）にてPh.D. 取得。一橋大学客員准教授、スタンフォード大学客員助教授、東京大学招聘研究員、独立行政法人経済産業研究所客員研究員 などを兼歴任。内閣総理大臣賞・オープンイノベーション大賞・ＭＩＴテクノロジーレビュー Innovators under 35 Japan・KDDI Foundation Award 貢献賞など受賞。近著に『22世紀の民主主義：選挙はアルゴリズムになり、政治家はネコになる』（ＳＢクリエイティブ）。

【著者について】

メアリー・L・グレイ Mary L. Gray

マイクロソフトリサーチの上級主任研究員で、ハーヴァード大学の「インターネットと社会のためのバークマン・クライン・センター」のファカルティ・アソシエイト。インディアナ大学の人類学とジェンダー研究の部門に所属し、ラディ・スクール・オブ・インフォマティクス・コンピューティング・アンド・エンジニアリングで教員の座に就いている。人類学者とメディア学者としての教育を受け、テクノロジーの日常的な使用が人々の労働やアイデンティティや人権をどのように変えるかに的を絞っている。スーザン・リー・スターの指導の下で2004年にカリフォルニア大学サンディエゴ校でコミュニケーションの博士号を取得。2020年には、人類学への貢献と、テクノロジー、デジタル経済、社会の研究で、マッカーサー・フェローに選出された。

シッダールタ・スリ Siddharth Suri

マイクロソフトリサーチの上級主任研究員で、コンピューター社会学者。マイクロソフトリサーチのニューヨーク市研究所の創設メンバー。それ以前は、ヤフーリサーチのヒューマン・アンド・ソーシャル・ダイナミクスのメンバーだった。当初はネットワークテクノロジーと人間の行動との関係を解析。その後、アマゾンのメカニカルタークを使って、「バーチャル・ラボ」での実験の企画・構成・実施を担当するリーダーの1人となる。この研究が、多くの最新アプリやウェブサイトやAIシステムを作動させているギグワーカーの調査につながり、メアリー・L・グレイとの共著である本書『ゴースト・ワーク』として結実した。近年はCOVID－19（新型コロナウイルス感染症）後の仕事の未来を探究している。

ゴースト・ワーク

――グローバルな新下層階級をシリコンバレーが生み出すのをどう食い止めるか

2023年4月25日　初版

著者　メアリー・L・グレイ
　　　シッダールタ・スリ

訳者　柴田裕之

監修・解説　成田悠輔

発行者　株式会社晶文社

東京都千代田区神田神保町一－一一　〒一〇一－〇〇五一
電話　〇三－三五一八－四九四〇（代表）・四九四二（編集）
URL　http://www.shobunsha.co.jp

印刷・製本　中央精版印刷株式会社

ISBN978-4-7949-7348-1　Printed in Japan